Zuerst war da dieser Damenfinger im Schnabel einer Krähe. Zu dem Finger gehörte dann die Dirndl-Leiche im Schlachthof-Container. Und jetzt liegen zwei junge tote Dirndlträgerinnen im Neubaugebiet Freiham. Ein Mordsstress ist das in der Löwengrube. Und das ist noch nicht alles. Nur noch mal so zur Erinnerung: Da haben wir also Burschenabschied gefeiert in Niederkaltenkirchen mit dem Simmerl, dem Flötzinger und dem Wolfi. Und irgendwie hab ich mich sogar ein bisserl gefreut auf die Hochzeit mit der Susi. Jetzt ist es natürlich verdammt schade, dass ich die dann ausgerechnet verschlafen habe. Die Susi war zuerst stocksauer und dann auch ziemlich schnell auf und davon mit diesem Lamborghini-Deppen. Himmelherrgottnochmal, wie soll man sich denn da auf diese Wiesnmorde konzentrieren, wenn's privat gerade Kuhfladen schneit?

Rita Falk, geboren 1964 in Oberammergau, lebt noch immer in ihrer bayerischen Heimat, ist Mutter von drei erwachsenen Kindern und hat in weiser Voraussicht damals einen Polizeibeamten geheiratet. Mit ihren Provinzkrimis und den Romanen ›Hannes‹ und ›Funkenflieger‹ hat sie sich in die Herzen ihrer Leser geschrieben – weit über die Grenzen Bayerns hinaus. Mehr unter www.rita-falk.de

Rita Falk

Zwetschgendatschi-komplott

Ein Provinzkrimi

dtv

Ausführliche Informationen über
unsere Autoren und Bücher
www.dtv.de

Von Rita Falk
sind bei dtv außerdem erschienen:
Winterkartoffelknödel (21330)
Dampfnudelblues (21373)
Schweinskopf al dente (21425)
Grießnockerlaffäre (21498)
Sauerkrautkoma (21561)
Leberkäsjunkie (26085)
Hannes (21463)
Funkenflieger (21613)

*Mit den Originalrezepten von der Oma
und einem Nachwort von Rita Falk*

Ungekürzte Ausgabe 2016

Umschlaggestaltung: Lisa Höfner unter Verwendung
von Fotos von gettyimages, mauritius images
und der Heinrich Heine GmbH
Satz: Greiner & Reichel, Köln
Druck und Bindung: Druckerei C.H.Beck, Nördlingen
Gedruckt auf säurefreiem, chlorfrei gebleichtem Papier
Printed in Germany · ISBN 978-3-423-21635-7

Kapitel 1

Der Birkenberger Rudi ist jetzt umgezogen. Von seiner eher charmefreien Wohnblocksiedlung am Stadtrand ausgerechnet ins Münchner Schlachthofviertel. Hört sich ekelig an? Ist es auch. Aber der Rudi sagt, es ist DIE neue Ecke in unserer wunderbaren Landeshauptstadt. Total angesagt. Der volle Hype quasi. Alles, was Rang und Namen hat, will dort jetzt hin. Und dass es fast schon so was wie ein Sechser im Lotto ist, wenn man da überhaupt eine bezahlbare Wohnung kriegt. Noch dazu eine mit Balkon. Und die hat er jetzt. Ist zwar Nordseite, aber scheiß drauf, hat der Rudi gesagt. Bis mittags hat er da trotzdem irgendwie Sonne, erst ab zwölf ist sie weg. Und bis dahin ist er längst fertig mit Caffè Latte in der Natur. Seit sechs Wochen wohnt er nun dort, ich hab ihm beim Umzug geholfen, frag nicht! Obwohl er kaum was an Möbeln hat, war das das pure Chaos. Einfach, weil er all seine Habseligkeiten in Plastiktüten verpackt hat. Kein einziger Karton, alles Plastik. Wir sind dahergekommen wie zwei Araber auf dem Weg zum Pfandhaus. Und dann hat er sich auch noch vom Blumenladen ums Eck einen Transporter ausgeliehen. Um es auf den Punkt zu bringen, so eine Vespa Ape, also so ein Teil mit nur drei Rädern und ohne richtiges Lenkrad, dafür aber in Hellblau mit jeder Menge Blumenprints drauf und der Aufschrift »FlowerPower«. Der Rudi ist relativ mittig gesessen und hat das Vehikel gelenkt. Und weil's logischerweise ziemlich eng ist da drinnen, hab ich meinen Kopf an seine Schulter legen müssen. Genau genommen haben wir ausgesehen wie zwei schwule Araber auf dem Weg zum Pfandhaus. Aber wurst.

Jedenfalls residiert er in seinem neuen Domizil, das er sowieso einzig und allein seinem Beruf zu verdanken hat. Weil er nämlich in seiner Tätigkeit als Privatdetektiv von einem Geschäftsmann beauftragt wurde, dessen Kompagnon zu überwachen, weil Ersterer vermutet hat, dass er von Zweiterem beschissen wird. Was der Rudi dann auch tatsächlich ziemlich schnell und ganz klar bestätigen konnte. Leider hatte aber Zweiterer den Ersten so dermaßen beschissen, dass dieser im Nullkommanix pleite war und deshalb den armen Birkenberger nicht mehr auszahlen konnte. Glücklicherweise aber war er wenigstens noch im Besitz von eben dieser Wohnung. Und dadurch kann der Rudi jetzt relativ günstig darin wohnen, so lange wie er mag. Und obendrein kann er morgens mit seinem Latte auf dem wunderbaren Nordbalkon hocken, die Zeitung lesen oder die Krähen beobachten, was er übrigens mit wachsender Begeisterung tut. Ich persönlich kann diese Leidenschaft nicht teilen. Nicht im Geringsten. Doch der Rudi kann stundenlang dabei zuschauen, wie sich diese Viecher aus dem Container mit den Fleischabfällen kulinarisch versorgen und dabei ganz ekelhafte Krächzgeräusche von sich geben. Das aber nur so am Rande, und wie auf Kommando läutet jetzt prompt mein Telefon und der Rudi ist dran.

»Eberhofer«, melde ich mich noch ein wenig verschlafen. Gestern ist es nämlich ziemlich spät geworden beim Wolfi. Und wenn uns dieser blöde Wirt nicht irgendwann rausgeschmissen hätte, dann würden wir wohl immer noch drinhocken, der Flötzinger, der Simmerl und ich. Wir haben Musik gehört und Bier getrunken und ein bisserl über die Weiber gelästert. Aber nur ein ganz kleines bisserl. Und der Wolfi hat Gläser poliert und die Augen verdreht. Wie immer halt.

»Franz! Du glaubst nicht, was auf meinem Balkongeländer hockt«, hör ich den Rudi jetzt durchs Telefon schnaufen.

»Nicht?«, sag ich leicht heiser, räuspere mich und setz mich dann erst mal im Bett auf. Der Ludwig liegt direkt davor auf dem Boden und deswegen steig ich ihm versehentlich auf eine der Pfoten. Ganz vorwurfsvoll schaut er mich an, zieht beleidigt den Schwanz ein und humpelt in die Ecke.

»Sorry, Ludwig«, murmle ich so mehr vor mich hin.

»Sag einmal, Franz, hörst du mir eigentlich zu?«

»Nein, keine Ahnung, Rudi, wer auf deinem Balkongeländer hockt. Das Naabtal Duo?«

»Sehr witzig, Eberhofer. Nein, heute ist es ausnahmsweise einmal nicht das Naabtal Duo, sondern eine Krähe.«

»Es hocken doch ständig irgendwelche Vögel auf deinem Geländer. Das magst du doch so.«

Ich hab nur einen Socken an und kann den zweiten ums Verrecken nicht finden. Schau ins Bett und drunter, schieb den Teppich beiseite, aber nix. Weil ich aber ein findiger Polizeibeamter bin und Wiederholungstäter definitiv erkenne, geh ich rüber zum Ludwig und zieh meine Socke aus seinem Maul. Jetzt ist es aber ganz aus mit der Liebe. Er wendet den Kopf von mir ab und freilich weiß ich gleich, dass er jetzt erst einmal schmollt.

Während ich mich aufs Bett fallen lasse und den zweiten Socken anziehe, hör ich aus dem Telefon irgendwas von: ganz anders … kannst du dir nicht vorstellen … Finger …

Nagellack … hörst du mir eigentlich zu? Ehrlich gesagt weiß ich jetzt nicht recht, ob ich noch ein kleines bisschen besoffen bin oder ob der arme Rudi langsam, aber sicher dem Wahnsinn verfällt. Ich brauch erst einmal Kaffee. Deswegen marschier ich aus meinem umgebauten Saustall raus, quer über den Hof rüber und schnurstracks in die Küche rein. Der Ludwig drei Schritte hinter mir her.

»Ach, Bub, bist endlich auf. Der Papa und ich, wir haben schon lang gefrühstückt. Für dich hab ich aber jetzt fei noch nix fertig«, schreit die Oma, streicht dem Ludwig kurz über den Kopf und watschelt auch gleich zur Kaffeemaschine. Grad heute ist ihre Lautstärke wieder unerträglich.

»Ah, die Eberhofer-Oma«, kann ich den Rudi durch den Hörer vernehmen. »Sagst schöne Grüße, gell!«

Die Oma kommt auf mich zu und drückt mir das dampfende Kaffeehaferl in die Hand.

»Grüße vom Rudi«, sag ich ziemlich laut und auch deutlich, aber das Wort Rudi liest sie mir spielend von den Lippen ab.

»Ja, Rudi-Bub, geht's dir gut?«, schreit sie und presst sich dabei ganz eng ans Telefon. Obwohl sie der Rudi bestimmt problemlos ganz ohne Telefon hören könnte, so laut wie sie brüllt.

»Ja, ja, Oma, dem Rudi geht's sehr gut. Der hat grad eine Krähe mit einem Finger auf dem Balkon.«

»Mei, ich glaub, ich muss jetzt dann doch einmal zum Ohrenarzt gehen. Ich hab grad verstanden, der Rudi hat eine Krähe mit einem Finger auf dem Balkon. So was, ha!«

Wenn ich jetzt mal genau nachdenke, dann muss ich wohl auch mal dringend zum Ohrenarzt. Dasselbe hab ich nämlich auch grad verstanden.

»Du, Franz, pass einmal auf, jetzt ist die Krähe grad weggeflogen, aber den Finger, den hat sie bei mir liegen lassen.

Das ist echt gruselig, Mann. Was soll ich denn damit bloß machen, Franz?«

»Keine Ahnung, du bist doch Privatdetektiv«, sag ich und nehm einen Schluck Kaffee.

»Ja, ja, sehr witzig! Soll ich den Finger vielleicht observieren, oder was?«, fragt er in seinem typisch vorwurfsvollen Tonfall. Und freilich weiß ich längst, was er jetzt von mir erwartet.

»Ach, Scheiße«, sag ich deswegen erst mal und begebe mich wieder zum Saustall zurück. »Pack diesen depperten Finger ins Eisfach, ich mach mich gleich auf den Weg. In einer guten Stunde bin ich da, verdammt.«

»Du bist ein Schatz«, hör ich ihn grad noch und dann häng ich ein.

Irgendwie geht's mir gar nicht gut. Vielleicht hätte ich gestern doch nicht so viel saufen sollen. Vielleicht wär's überhaupt besser gewesen, ich wär gleich gar nicht zum Wolfi rüber. Aber im Grunde hatte ich gar keine Wahl. Nicht die geringste. Weil der Papa nämlich ausgerechnet gestern mal wieder seinen Moralischen gehabt hat. Und diesmal hat er sich nicht damit begnügt, seine dämlichen Beatles rauf und runter zu hören, beschissene Joints zu rauchen und uralte Fotos von der Mama anzuschauen. Nein, dieses Mal hat er es auch noch für nötig befunden, mir eine Moralpredigt nach der anderen zu halten. Und das nicht nur im Wohnhaus drüben, was ganz klar sein Revier ist. Nein, gestern hat er sogar ein ungeschriebenes Gesetz gebrochen und ist in meinen heiligen Saustall eingedrungen, um mir dort, also quasi in meinem Revier, Vorhaltungen der übelsten Sorte zu machen. Was ich für ein Volldepp wär und dass ich so eine großartige Frau wie die Susi jetzt für immer und ewig vergrault hätte. Und überhaupt, dass ich so eine wie die nie wieder bekomme.

Und dass ich sowieso eine Enttäuschung bin, eine ganz riesige, und eine Schande fürs ganze Dorf. So was kann man sich schon mal eine Weile anhören. Schon rein aus dem schlechten Gewissen heraus. Man hockt sich aufs Kanapee, macht sich ein Bier auf und lässt den Alten halt einfach mal toben. Schließlich hat er ja sonst auch keine rechte Freude im Leben. Irgendwann aber muss auch wieder gut sein. Ist es aber nicht. Ganz im Gegenteil. Fast hätte man meinen können, er kommt erst so richtig in Fahrt. Mal ehrlich, was bleibt einem da anderes übrig, als zum Wolfi zu gehen? Besonders, wo man doch dort auf ganz andere Meinungen stößt. Der Flötzinger zum Beispiel. Der Flötzinger ist ja im Grunde nicht so der Hellste, muss man schon sagen. Und seine Weibergeschichten, die sind auf eine peinliche Art und Weise ja fast schon legendär. Aber für den Flötzinger bin ich sozusagen ein richtiger Held. Einfach, weil ich halt keine Mary habe (ja, gut, leider auch keine Susi mehr), keinen Ignatz-Fynn, keine Clara-Jane und erst recht keine Amy-Gertrud oder sonst eine nervige Brut. Da hab ich schon ziemlich viel nicht, was er schon hat und eigentlich gar nicht haben will.

»Franz«, hat der Flötzinger gestern Abend immer wieder gesagt und mir dabei jedes Mal seinen schwitzigen Arm um die Schultern gelegt. »Franz, da hast du aber grade noch die Kurve gekriegt. Grade noch, glaub mir!« Am Schluss hat er dann nur noch gesagt: »Franz, da hast du grade noch was gekriegt ... was war das gleich noch? Wurst. Prost!«

Trotzdem hab ich dann auf dem Heimweg die Susi angerufen. Zugegebenermaßen wie immer, wenn ich ein bisserl zu tief ins Glas geschaut hab. Anscheinend fehlt sie mir in solchen Momenten am meisten.

»Susi?«, hab ich ziemlich leise gefragt. Es war ja schon irrsinnig spät und ich bin grad durch eine Wohnsiedlung durch und wollte freilich keinen wecken.

»Franz, was ist denn schon wieder? Warum zum Teufel rufst du mich immer mitten in der Nacht an? Und immer wenn du total besoffen bist«, sagt die Susi ebenfalls ziemlich leise und ein kleines bisschen müde klingt sie auch.

»Ich bin nicht total besoffen, höchstens ein klitzekleines bisschen.«

»Was willst du, Franz?«

»Susi, warum flüsterst du eigentlich so. Ist ER da?«, frag ich und steig derweil über einen Zaun, wo ein Kinderspielplatz dahintersteckt.

»Das geht dich nichts an, Franz. Du hattest deine Chancen!«

»Aber ich hab doch unsere Hochzeit nicht absichtlich verschlafen, Susimaus!«, sag ich und hock mich derweil auf eine Schaukel. Das entspannt mich irgendwie.

»Aber du hast sie verschlafen, verdammt! Das halbe Dorf war da, die ganze Familie, all unsere Freunde, der Pfarrer und der Bürgermeister, der höchstpersönlich unseren Bund fürs Leben besiegeln wollte, der Kirchenchor war da und die Gemeindeverwaltung hat sogar Spalier gestanden. Ich war da, Franz, bin in einem sauteuren Brautkleid aus Paris und mit meinem depperten Blumenstrauß vor der Kirche gestanden wie ein Arsch! Nur du warst nicht da!«

»Susimaus.«

»Nix Susimaus! Ende der Durchsage!« Klack!

»Susi!«, schrei ich jetzt in den Hörer. Es muss wohl doch ziemlich laut gewesen sein, weil im Handumdrehen ein paar Fenster erleuchtet sind und eines sogar aufgeht.

»Eberhofer, bist du das schon wieder? Geh heim und schlaf deinen Rausch aus, ’zefix!«

Ja, gut, das war’s eigentlich auch schon. Danach bin ich echt gleich heimgegangen und hab versucht, meinen Rausch auszuschlafen. So lange eben, bis der Birkenberger angerufen hat. Das nur zum besseren Verständnis. Damit man halt weiß, warum ich heute nicht grad fit bin wie ein Turnschuh.

Nachdem ich in der Dusche die Müdigkeit und den Restalkohol den Gully runtergespült habe, fühle ich mich schon besser und merke deutlich, dass mir jetzt der Hunger hochkommt. Also spring ich in meine Klamotten und mach mich dann direkt auf den Weg zur Simmerl-eigenen Metzgerei. Es ist Samstagvormittag, und wie zu erwarten, ist die Bude knallvoll. Und weil der Simmerl selber nicht da ist, muss ich mich notgedrungen ganz hinten anstellen. Wenn er da ist, nimmt er mich immer schnell mal dazwischen. Ist ja wohl auch klar, wir sind ja befreundet. Aber heute eben Pech, drum anstellen und hungern und warten, bis die Herde sich irgendwann aufgelöst hat. Es dauert ewig.

»Guten Morgen, Gisela«, begrüß ich schließlich die dicke Metzgergattin, die ganz anders als sonst heute kein fröhliches, sondern ein eher grantiges Antlitz aufweist. Welche Laus ist der denn über die Leber gelaufen?

»Ist irgendwas?«, frag ich deswegen erst mal.

Keine Antwort. Nur zusammengekniffene Augen, und obendrein scheint die große Warze in ihrem Gesicht irgendwie zu wackeln. Ich blinzle ein paar Mal. Nein, ich hab mich nicht getäuscht, sie wackelt tatsächlich.

»Ist dein Göttergatte gar nicht da heut?«, frag ich und fühle mich irgendwie gar nicht behaglich dabei.

»Nein«, erwidert sie endlich, und ihr Tonfall passt gut zu ihrem Gesichtsausdruck. »Der Göttergatte flackt noch droben im Bett. Weil er gestern nämlich gesoffen hat. Mit seinen Spezln, seinen halbseidenen. Da muss dann halt die Metzgerin irgendwie allein klarkommen, verstehst. Also, was willst?«

Huihuihui!

»Du, machst mir einfach ein paar Fleischpflanzerlsemmeln. Sagen wir drei.«

Ich will nix wie raus da.

»Sind aus!«

»Sind aus? Aber da liegen doch Pflanzerl.«

»Sind reserviert.«

»Aha, ja, dann nehm ich halt den Leberkäs.«

»Reserviert.«

»Auch reserviert, soso. Wie schaut's mit Bratensemmeln aus?«

Jetzt sagt sie gar nix mehr. Hebt nur eine Augenbraue. Das schaut echt bedrohlich aus.

»Auch reserviert, nehm ich mal an?«, frag ich ganz vorsichtig.

Augenbraue.

»Ja, gut, Gisela. Dann vielleicht ein andermal wieder, gell«, sag ich noch so und schau, dass ich rauskomm. Mit dem Simmerl möchte ich auch nicht tauschen. Nicht ums Verrecken!

So hock ich mich notgedrungen wieder ins Auto und mach mich halt hungrig auf den Weg nach München. Was bleibt mir auch anderes übrig? Weil heute kein Berufsverkehr ist, sind die Straßen wunderbar frei, und dementsprechend kräftig drück ich aufs Pedal. Beim Autofahren kann ich eigentlich relativ gut überlegen. Sogar mit Kater. Und irgendwie geht mir das Gespräch mit dem Rudi grad noch mal durch den Kopf. Mit jedem Kilometer, den ich fahre, wird mein Kopf klarer und klarer, diese Geschichte mit dem Finger aber wird immer unglaublicher, je länger ich drüber nachdenk. Also: Wie war das noch gleich? Der Rudi hat heute wie jeden Morgen, wenn's sonnig ist, sowohl den Latte als auch die Zeitung auf seinem heiß geliebten Balkon genossen. Hat zwischendurch wieder mal den einen oder anderen Blick auf die Krähen riskiert, und schließlich hat er sogar Besuch gekriegt von so einem Viech. Das ist durchaus nicht ungewöhnlich, weil das Geländer aus der Vogelperspektive heraus ja schon direkt dazu einladen muss, sich genau dort zu platzieren. Aber wurst. Jedenfalls ist dann da wieder so eine Krähe auf diesem Geländer gelandet, und die hat obendrein noch ein Geschenk dabeigehabt. Und zwar einen Finger: sogar mit Nagel und Lack. Das war es zumindest, was ich akustisch verstanden habe. Kapiert hab ich es deshalb noch lange nicht.

Nach einer guten Stunde komm ich schließlich im Schlachthofviertel an, und da ist es jetzt schon ziemlich gut, dass der Rudi ausgerechnet dort hingezogen ist. Weil dort … dort ist es nämlich überhaupt gar kein Problem nicht, eine anständige Brotzeit zu kriegen. Und weil ich schließlich weiß, was sich gehört, bring ich dem Birkenberger freilich auch etwas vom besten Metzger Münchens mit. So sitzen wir zwei dann schon ein kleines bisschen später zwischen seiner spärlichen Möblierung und lassen es uns schmecken. Ein feiner Fleischsalat, ein paar Radl Göttinger, eine grobe Streichwurst, Pressack weiß und sauer und ein halbes Dutzend ganz rescher Brezen. Ein Traum.

»Und, Rudi, wo ist jetzt dieses Teil?«, frag ich, grad wie ich mir ein Gäbelchen Fleischsalat einverleibe.

»Hm!«, macht der Rudi und steht auf. Er hat Manieren, mit vollem Mund spricht man nicht. Anschließend zieht er einen Karton hervor, welcher offensichtlich Einmalhandschuhe beherbergt, jedenfalls zieht er ein Paar davon heraus, streift sie sich über und geht dann rüber zum Kühlschrank. Öffnet das Gefrierfach, kommt mit einem Frühstücksbeutel zurück und legt ihn vor mir auf den Tisch. Darauf starren wir beide dann erst mal eine Weile. Die nächste Breze gibt's mit der Groben.

»Joooaaaa, das ist eindeutig ein Finger«, sag ich schließlich mit Blick auf den Beutel.

»Hab ich mir schon fast gedacht«, nickt der Rudi. »Der Pressack ist übrigens der Hammer!«

»Stimmt. Die Grobe ist aber auch nicht schlecht.«

»Ziemlich klein, dieser Finger. Fast wie von einem Kind, gell«, sagt der Rudi.

»Klein schon, aber definitiv nicht von einem Kind. Schau dir das doch an, das sind doch keine Kindernägel, schau mal genau hin.«

»Ja, dafür sind sie wahrscheinlich doch zu groß, stimmt. Und außerdem lackiert.«

»Wobei das wiederum gar keine Rolle spielt. Meine Nichte, die Sushi, die ist noch nicht einmal vier und hat ihre winzigen Nägel auch manchmal lackiert. So rosa, weißt. Da ist sie dann auch immer tierisch stolz drauf. Irgendwie lustig.«

»Das hier ist aber kein Rosa.«

»Nein, vielleicht eher Pink.«

»Also bitte! Das ist doch kein Pink! Das ist eher ... ja, wie soll ich sagen? So mehr Fuchsia, mit einem klitzekleinen Touch ins Burgund möglicherweise?«

Hab ich eigentlich schon erwähnt, dass der Birkenberger manchmal durchaus einen klitzekleinen Touch ins Weibische hat?

»Meinetwegen auch das«, sag ich, nachdem ich ausgiebig die Augen verdreht hab. »Was aber hier doch überhaupt nicht die Frage ist, Rudi. Die Frage ist doch einzig und allein: Wem gehört dieser verdammte Finger – und wo ist der Rest?«

»Womit wir uns wieder mal einig wären.«

»Gut«, sag ich etwas erleichtert, weil Uneinigkeiten mit

dem Birkenberger – und speziell in Ermittlungsangelegenheiten – meistens anstrengend sind. Im Grunde sind sie es immer. »Wo fangen wir an?«

Der Rudi lehnt sich im Sofa zurück, hat die Lider auf halbmast, krault sich das Kinn und scheint intensiv nachzudenken. Und ich schau mir den Finger noch einmal etwas genauer an. Ja. Fuchsia, mit einem Touch ins Burgund.

Kapitel 2

Leider haben wir dann gar nicht mehr viel ermitteln können, der Rudi und ich, weil wir beide eingeschlafen sind. Ich wahrscheinlich noch wegen gestern beim Wolfi und so, und mit vollem Magen neige ich tendenziell sowieso schnell zur Müdigkeit. Und der Rudi hatte in der letzten Nacht eine mordswichtige Observierung und ist davon auch noch ganz platt. Wie auch immer, jedenfalls dämmert es draußen schon, wie wir schließlich aufwachen, und ein Blick auf die Uhr zeigt mir deutlich, dass es höchste Eisenbahn für die Heimreise ist. Weil die Oma schon seit Jahrzehnten jeden zweiten Samstag im Monat mit ihren Landfrauen zum Aerobic geht, und da muss ich sie vorher hinfahren – und hinterher freilich wieder abholen. Die Turnhalle ist nämlich im Nachbardorf, 7,3 Kilometer entfernt. Das ist zum Laufen eindeutig zu weit. Erst recht mit dem ganzen Aerobic. Ja, gut, das Wort bringt's jetzt vielleicht nicht ganz auf den Punkt, bei Aerobic hab ich schon irgendwie andere Bilder im Kopf. Bei den Landfrauen, da geht's vielleicht eher um das gesellschaftliche Zusammentreffen, würd ich mal sagen. Und ich kann mir da durchaus ein Urteil erlauben, weil ich schon einige Male das Vergnügen hatte, dabei zuschauen zu dürfen. Wenn ich meinetwegen etwas zu früh dran war oder sie etwas länger gemacht haben, da konnte ich schon mal den einen oder anderen Blick auf diverse Bewegungsabläufe werfen. Und was soll ich sagen? Eine Mensch-ärgere-dich-nicht-WM ist das reinste Work-out dagegen. Aber was soll's? Die Mädels haben ihren Spaß, und das ist schließlich das Wichtigste. Und so verabschiede ich mich nur noch kurz vom Rudi und bin gleich auf dem Weg nach Niederkaltenkirchen.

Die Oma steht schon im Hof, wie ich ankomm, und hat bereits einen ihrer Puma-Trainingsanzüge an. Die hat sie übrigens in allen erdenklichen Farben. Gab mal irgendwo Mengenrabatt, was sonst, und da hat sie freilich kräftig zugeschlagen. Hat alle in ihrer Größe aufgekauft – und alle eine Nummer größer ebenfalls. Nur für den Fall, dass sie mal zunimmt. Heute ist die Wahl offensichtlich auf ein ziemlich knalliges Hellgelb gefallen.

»Ja, wo bleibst denn, Bub? Das Training fängt in zwanzig Minuten an! Ja, geh, jetzt schick dich!«, schreit sie schon beim Einsteigen und knallt dann die Autotür zu, dass die Scheiben vibrieren. Der Papa steht in seiner Latzhose drüben in der Haustür, die Hände in den Taschen vergraben, und nickt mir zu. Ich lass mal das Fenster herunter.

»Kommst dann gleich heim, gell, Franz«, ruft er mir zu. »Die Oma hat uns feine Zigeunerschnitzel gemacht, mit Bratkartofferln und einem Gurkensalat.«

Schaut wohl ganz danach aus, als hätte er seinen Moralischen wieder einigermaßen überwunden.

»Ja, Herrschaft, jetzt fahr halt endlich los«, quengelt mir der kleine Zitronenfalter aus dem Nebensitz rüber.

»Bin gleich da«, ruf ich noch dem Papa entgegen, dann trete ich aufs Gaspedal. Die Oma entspannt sich augenblicklich, kneift mich in die Wange und lacht.

»Jetzt fahrst aber gleich wieder schön heim, Franz, weil

ich hab euch feine Zigeunerschnitzel gemacht, mit Bratkartofferln und Gurkensalat.«

»Wirklich?«

»Ja, freust dich?«

»Ja, freilich freu ich mich da«, antworte ich und nicke brav.

»Der Leopold kommt auch noch vorbei«, sagt sie. Und damit ist alle Freude wie weggeblasen.

»Der Leopold?«, murmele ich mehr so vor mich hin.

»Musst mich heute nicht abholen, Franz. Ich bin hernach noch auf einem Geburtstag eingeladen, weißt. Die Mooshammer Liesl, die ist nämlich am Mittwoch achtzig geworden, die alte Kuh. Und da gibt's noch ein Büfett hinterher und eine Bowle.«

»Und da gehst im Trainingsanzug hin, oder was?«, frag ich und zupf dabei an ihrer Jacke, einfach, um die Verständigung zu erleichtern.

»Geh, Schmarrn! Ich hab da doch drunter noch eine Bluse, und einen Rock hab ich freilich auch dabei«, sagt sie, öffnet zum Beweis kurz den Reißverschluss von ihrer Jacke und zaubert dann tatsächlich noch einen Rock aus ihrer Handtasche.

»Schuhe?«, frag ich mit Blick auf ihre Sneakers.

»Ja, die sieht doch kein Mensch, die Füß sind doch unterm Tisch, Bub!«

Gut, da ist was dran.

Gleich darauf kommen wir auch schon an der Turnhalle an, und die Oma entspringt dem Wageninneren. Knapp zwanzig Frauen, nicht mehr taufrisch, stehen dort auf dem Kopfsteinpflaster und fangen plötzlich zu kreischen an, als wär Elvis Presley höchstselbst von den Toten auferstanden. Zuerst denke ich ja, es ist meinetwegen, und fühle mich beinahe ein bisserl geschmeichelt. Aber noch bevor ich überhaupt rot werden kann, seh ich, dass der Applaus jemand anderem gebührt. Das Geburtstagskind, die Mooshammerin, kommt nämlich grad dahergeradelt. Sie winkt den Mädels kurz zu, bedankt sich gestenreich für den frenetischen Jubel, bleibt dann genau auf meiner Höhe stehen, und so muss ich schon rein anstandsmäßig kurz aus dem Wagen steigen und ihr die Hand schütteln.

»Was muss ich da hören, Liesl«, sag ich und geh einmal komplett um sie und ihr Radl herum. »Achtzig? Das ist doch eine astreine Lüge, oder? Wer behauptet denn so was? Da haben sie dich bestimmt mit dem Datum beschissen, Mooshammerin. Fuchzig, allerhöchstens fünfundfuchzig, würd ich einmal schätzen!«

»Eberhofer, du Schmeichler!«, sagt die Liesl und lacht.

»Nein, gar nicht! Du schaust ja aus wie die Gina Lollobrigida in ihren besten Zeiten, also in Jung halt!«

»Geh, jetzt hör aber auf, du machst mich ja noch ganz verlegen. Aber andererseits ist da schon irgendwas dran, weißt. Die gesunde Ernährung, die gute Luft. Ja, und natürlich auch der Sport, gell«, sagt sie und schaut ganz versonnen zur Turnhalle rüber.

»Genau«, sag ich und muss grinsen. »Also, ich fahr dann mal. Dir jedenfalls alles Gute, Liesl, und tust recht schön feiern, gell!«

Dann steig ich zurück in den Wagen, und gleich darauf erreicht das Geburtstagskind auch schon seinen Fanclub. Sofort hebt das Gekreische wieder an.

Wie ich heimkomm, ist erwartungsgemäß der Leopold da, und der Papa steht am Herd und brät die Kartoffeln. Er hat ordentlich Zwiebeln und Kümmel dazugemacht, und die ganze Küche duftet danach. Alles wäre jetzt perfekt gewesen, wenn nur der Leopold … Aber lassen wir das.

Während des wunderbaren Mahls erzählt unser Gast ständig von seiner großartigen Buchhandlung, seiner großartigen Tochter (die tatsächlich großartig ist! Von ihm hat sie das allerdings nicht) und wie großartig jetzt endlich seine Ehe funktioniert. Und das nach so einer Krise! Da sieht man mal wieder: Es bleibt zusammen, was zusammengehört, sagt der Leopold mit einem miesen kleinen Seitenblick auf seinen Bruder. Der Papa schnauft ein bisserl theatralisch durch und wirft mir abartige Blicke über den Tisch. Anschließend starrt er hinter mich an die Wand. Und ich weiß haargenau, was er da sucht. Die Oma, die hat nämlich dort ein Bild aufgehängt. Von meiner Susi. Oder besser meiner Ex-Susi. Ein gerahmtes Foto, so wie man es halt von Verstorbenen her kennt. Und exakt so eines hängt jetzt bei uns an der Küchenwand. Nur nicht mit einem schwarzen Band, sondern mit einem weißen. Irgendwie pervers, oder?

»Großer Gott, entschuldige bitte«, sagt der Leopold, der die Situation wohl blitzartig und messerscharf durchschaut hat, und legt dabei mitfühlend seine Hand auf meinen Arm. »Wie unsensibel von mir, Bruderherz. Wie kann ich nur so von meinem Leben schwärmen, wo deines doch grad den Bach runtergeht. Sag einmal, Papa, da sind aber furchtbar viele Zwiebeln drin. Das ist eigentlich schon eher eine Mahlzeit, wenn man alleine lebt, gell?«

Dann läutet mein Telefon. Ja, der liebe Gott hat ein Auge auf uns! Wahrscheinlich allein schon, weil er ums Verrecken keinen weiteren Brudermord haben will.

Der Birkenberger ist am Apparat und will wissen, ob er grad stört. Nein, sag ich, er hätte noch niemals so wenig gestört wie jetzt grade. Gut, sagt er, das ist perfekt. Und so erzählt er mir fast schon ekstatisch, dass ihm jetzt plötzlich, ja, praktisch wie aus heiterem Himmel, eine Idee gekommen sei. Und zwar direkt eine ganz grandiose, um genau zu sein. Er ist sich nämlich fast tausendprozentig sicher, sagt er, dass der Rest, also quasi das Drumherum von diesem Finger, in einem von diesen Containern liegen müsste, da wo die ganzen Fleischabfälle entsorgt werden. Anders macht das doch gar keinen Sinn. Ich soll doch einfach mal kurz überlegen, dann würd ich ganz von selbst draufkommen, meint der Rudi. Und deswegen hätt er sich grad überlegt, dass er sich jetzt sofort trotz fortgeschrittener Stunde und einem Wahnsinnswolkenbruch gleich auf den Weg machen wird, um der Sache auf den Grund zu gehen. Andererseits ist es dann wahrscheinlich schon wieder ziemlich gut, das mit der Stunde und dem Regen, sagt er. Weil, da dürften wohl nicht so arg viel Menschen unterwegs sein, die ihn bei seiner eher seltsamen Mission stören könnten. Im Übrigen hätte er einen nachtschwarzen Regenmantel bis runter zum Boden und mit Kapuze, da würde man ihn sowieso nicht erkennen.

Der Birkenberger, wieder mal voll in seinem Element! Ja, gut, sag ich, dann viel Spaß auch! Danach häng ich ein. Wenn ich mir das Bild einmal so vorstelle, wie der Rudi in stockfinsterer Nacht, von Kopf bis Fuß in schwarzes Plastik gehüllt und bei strömendem Regen, in Fleischcontainern rumwühlt ... Ja, gut, nicht mein Problem.

Der Leopold hilft dem Papa beim Abwasch, ich schnapp mir den Ludwig und wir drehen unsere Runde. Die ersten paar Schritte lang ist er tatsächlich noch leicht eingeschnappt, wegen der Pfote von heut früh. Das merk ich immer gleich, weil er dann halt nur eher gelangweilt hinter mir herläuft. Irgendwann aber kommt logischerweise sein natürlicher Jagdtrieb zum Einsatz und er überholt mich schwanzwedelnd, verschwindet im Dickicht der Bäume und macht die Gegend unsicher. Vier Hühner und ein Hase gehen mittlerweile auf sein Konto. Und ich könnte schwören, wenn ich unseren alten Förster, der ja auch Jäger ist, nicht gleich am allerersten Tag mit meiner Dienstwaffe bedroht hätte, der Ludwig, der wär dem längst zum Opfer gefallen. Aber wurst. Übrigens brauchen wir eins-neunzehn für die Runde, was absoluter Durchschnitt ist.

Um drei viertel zwei, also in der nachtschlafendsten aller Zeiten, ruft der Birkenberger an. Schon bevor ich abnehm, weiß ich, dass er es ist. Dass er es sein muss!

»Rudi, wenn du jetzt nicht grad knietief in einer Blutlache stehst, dann leg lieber gleich wieder auf«, murmele ich in den Hörer.

»Franz!«, stöhnt er. »Nicht auflegen, hörst du!«

»Also keine Blutlache?«

»Franz, hör mir doch einmal zu! Du willst nicht wissen, was ich grad eben gefunden hab.«

»Stimmt!«, sag ich, leg auf und schalte mein Handy aus.

»Gute Nacht, Freunde«, summe ich noch kurz, dann schlaf ich ein.

Wie am Montag in der Früh der Wecker läutet, bin ich zuerst mal ein bisschen enttäuscht, wie immer, wenn ich diesen Traum habe. Grade eben bin ich nämlich mit dem Rudi noch mitten in München und Schulter an Schulter auf Verbrecherjagd gewesen, genau so, wie wir es halt auch tatsächlich jahrelang gemacht haben, wir zwei. Und jetzt lieg ich da in meinem Saustall und muss gleich ohne ihn los. Andererseits ist es dann schon wieder ziemlich gut, dass ich nicht zu Ende geträumt habe. Weil ich es beim besten Willen nicht mehr sehen kann, wie der Birkenberger einem Typen die Eier wegschießt. Selbst, wenn es ein Kinderschänder war.

Es ist ziemlich spät, wie ich schließlich in mein Büro komm. Die A 92 war knallvoll wie eben an allen Montagen, und trotz Blaulicht und Sirene hab ich fast eineinhalb Stunden bis nach München gebraucht. Die Parkplatzsuche war auch eine schiere Ewigkeit lang negativ, und das, obwohl wir als Polizeibeamte rund um die PP Löwengrube parken dürfen – und das sogar mit Zivilfahrzeugen, wenn wir nur unsere Winkerkelle ordentlich hinter die Frontscheibe legen. Trotzdem war heute nix frei, weil erstens die Scheißwiesn ist und es zweitens wie an allen anderen Montagvormittagen auch etliche Besprechungen unter den Kollegen gibt. Drum sind die halt noch alle im Haus, anstatt draußen ihrem Dienst nachzugehen. Da kann man nichts machen. So bin ich quasi gezwungen, meinen Streifenwagen in der Feuerwehranfahrtszone zu parken. Dann nur noch ein kurzer Stopp beim Metzger, und schon eile ich ins Büro.

Schon wie ich den Korridor entlanggehe, kann ich die Stimme vom Rudi erkennen. Er ist in meinem Büro, die Zimmertüre ist angelehnt, und ganz eindeutig unterhält er sich gerade mit meiner Kollegin, der Steffi. Wenn man etwas genauer hinhört, merkt man jedoch ziemlich schnell, dass es sich gar nicht um ein Gespräch handelt. Jedenfalls keines im üblichen Sinne. Nein, es ist vielmehr ein Verhör, das da drinnen gerade stattfindet. Da muss ich jetzt aber erst mal ein kleines bisschen lauschen.

»Also ich fasse noch einmal zusammen, Herr Birkenberger«, kann ich die Steffi vernehmen. »Gestern Vormittag hat Ihnen also eine Krähe diesen lackierten Damenfinger auf den Balkon gelegt.«

»Fuchsia mit einem Touch ins Burgund.«

»Ja, das sagten Sie bereits. Und daraufhin hatten Sie dann das Bedürfnis, nach der dazugehörigen Leiche zu suchen.«

»Korrekt!«

»Mitten in der Nacht und bei strömendem Regen?«

»Regenmantel!«

»Und warum haben Sie nicht schlicht und ergreifend die Polizei gerufen?«

»Das hab ich ja. Aber der geschätzte Kollege Eberhofer hat einfach eingehängt.«

Ach, du Scheiße! Kann das denn wahr sein? Ich ziehe mal mein Telefon hervor und merke auch gleich: Es ist tatsächlich immer noch ausgeschaltet! Mit der Last eines schlechten Gewissens begeb ich mich mal ins Büro. Schließlich und endlich will ich jetzt schon einmal wissen, was da drinnen überhaupt so abgeht.

»Servus, Rudi. Du, das ist jetzt echt scheiße«, sag ich, weil es mir wirklich irgendwie leidtut.

»Ja, das ist es, Eberhofer«, erwidert der Rudi. Er hockt da in einem Bürostuhl, trägt noch immer diesen unsäglichen Regenmantel und verschränkt gerade bockig seine Arme vor der Brust. Sagen tut er kein Wort mehr. Er schaut mich ja noch nicht einmal an. Stattdessen beginnt aber die Steffi zu erzählen. Und das ist durchaus nicht uninteressant. Verhaftet worden ist er nämlich heute Nacht, der eifrige Schnüffler. Weil er nämlich von einem seiner Nachbarn, der auf dem Balkon eine rauchen war, beobachtet wurde. Und zwar dabei, wie er im Regenmantel samt Gummihandschuhen und einer Taschenlampe in fremde Container gekraxelt ist und darin dann wie ein Wilder rumgewühlt hat. Und das auch noch ziemlich lange sogar. Genau genommen von der ›Tagesschau‹ an bis weit nach dem ›Tatort‹. Und irgendwann ist ihm das alles doch recht spanisch vorgekommen, dem Herrn Nachbarn, und drum hat er halt schließlich die Kollegen gerufen.

»Und jetzt ist er verdächtig, der Herr Birkenberger, oder

was?«, frag ich mit einem Blick auf den Rudi und muss dabei grinsen.

»Nein, verdächtig ist er erst mal nicht«, sagt die Steffi. »Jedenfalls nicht mehr als du oder ich. Der Herr Birkenberger hat mir ja alles recht glaubhaft dargelegt. Auch wenn es schon ziemlich schräg ist. Aber das ist ja nichts Neues bei euch beiden, oder?«

Jetzt steht der Rudi auf und geht rüber zur Steffi. Er schenkt ihr sein breitestes Lächeln und legt ihr den Arm auf die Schulter. Grad so, als würden sie sich schon ewig lang kennen. Dabei hat er sie noch nie zuvor jemals gesehen. Also, nicht dass ich wüsste. Ich kenn sie ja selbst kaum. Also schon, aber halt noch nicht so richtig lange. Und es ist auch mehr so platonisch, so wie es unter Kollegen halt meistens ist. Ja, gut, ein bisserl näher kenn ich sie dann schon eigentlich. Aber der Rudi, der eben nicht!

»Ich sehe, ihr zwei seid schon Freunde geworden«, sag ich deswegen und setze mich nieder. Hol meine Semmeln raus und breite sie vor mir auf dem Schreibtisch aus. Leberkäs, ungarische Salami oder Gelbwurst. Wo anfangen?

Dann klopft es kurz und knackig an der Türe, und im selben Moment wird sie auch schon aufgerissen. Es ist der Stahlgruber, der jetzt noch dazustößt, seines Zeichens Kriminalhauptkommissar und mein direkter Vorgesetzter.

»Sagen Sie mal, Eberhofer, haben Sie eigentlich den Arsch offen, oder was?«, brüllt er mich an und wendet sich dann rüber zur Steffi. »Entschuldigung, werte Kollegin, aber …«

»Tu dir bloß keinen Zwang an«, antwortet sie und zuckt schmunzelnd mit den Schultern. Der Birkenberger lächelt ebenfalls. Lehnt jetzt dort drüben am Regal mit all diesen Ordnern, hat die Arme verschränkt und ein selbstgefälliges, überhebliches Grinsen in der Visage, dass ich ihn beinahe umbringen könnte.

»Wir haben eine nagelneue Leiche hier flacken, Eberhofer, und Sie hocken dort auf Ihrem Allerwertesten und machen in aller Seelenruhe Brotzeit! Ja, geht's noch!«, knurrt der Stahlgruber weiter.

»Wir haben was?«, frag ich und droh dabei fast an der Ungarischen zu ersticken.

»Ja, haben Sie ernsthaft gedacht, dass dieser Frauenfinger an einer lebenden Hand fehlt, oder was?«, lästert der Stahlgruber und schaut mich dabei an, als wär ich nicht mehr ganz dicht. Irgendwie ist mir das jetzt peinlich. Etwas hilfesuchend schau ich erst mal den Birkenberger an.

»Tja, Franz, du warst ja leider nicht erreichbar«, setzt der gleich noch eins drauf, und plötzlich hat er wieder diesen ganz gequälten Tonfall drauf.

»Sie entschuldigen uns für einen kleinen Moment«, zische ich, pack ihn am Ärmel und zerr ihn in den Gang hinaus. Dann schließ ich die Bürotür hinter uns.

»Wovon faselt ihr da grade bitt' schön, wenn die Frage gestattet ist«, flüstere ich.

»Schon vergessen? Container, Fleischabfälle, Finger. Und? Funkt's?«, antwortet der Rudi, und man kann ihm die Genugtuung ganz deutlich anhören.

»Du meinst …?«

»Ja, mein ich!«

»Da war tatsächlich eine Leiche drin? In diesen Scheißcontainern, oder was?«

»So isses!«

»Ja, ganz toll! Und wo ist sie jetzt?«

»Exakt dort, wo sie hingehört, Franz. Beim Günter in der Gerichtsmedizin.«

Das ist ja echt allerhand!

Gleich darauf fliegt die Zimmertür auf und der Stahlgruber rauscht an uns vorbei.

»Kümmern Sie sich verdammt noch mal um Ihre Arbeit, Eberhofer!«, schreit er noch im Weggehen. »Ach, und fahren Sie gefälligst Ihre Schrottkiste aus der Anfahrtszone!«

Kapitel 3

Wie zu erwarten, kann mir der Günter am Telefon noch nichts wirklich Brauchbares mitteilen. Er hätte die Leiche erst vor grad mal zwei Stunden reingekriegt, sagt er, und dass er schließlich und endlich kein Hexer ist. Weiblich, blutjung und asiatischer Herkunft. Das ist alles, was er bisher weiß. Gut, aber das hat mir der Rudi ja zuvor auch schon berichtet. Und dass die Leiche ziemlich zugerichtet ist, das hab ich von ihm auch längst erfahren. Und dass es schwer wird, da eine anständige Rekonstruktion hinzubekommen. Bei den ganzen Verletzungen. Mehr weiß er nicht, der Günter, übermorgen, frühestens morgen am Nachmittag kann er vermutlich Genaueres sagen. Und nun soll ich ihn bitt' schön erst mal in Ruhe lassen, sonst wird das sowieso nix mehr.

»Und was machen wir jetzt, Franz?«, fragt der Birkenberger, der meinen Wissensstand teilt, einfach weil er mitgehört hat.

»Brotzeit«, sag ich und begeb mich an meinen Schreibtisch zurück. Die Ungarische ist der Wahnsinn! »Bevor uns der Günter nix liefert, macht es eh keinen Sinn. Und, Rudi, WIR machen gar nichts, verstanden. Du Privatdetektiv, ich Bulle. Das ist die Basis.«

»Das ist ja geradezu lächerlich, Franz! Wo wärst du denn eigentlich ohne mich, ha? Hast du da drüber schon mal nachgedacht? Hättest du auch nur einen einzigen Fall aufgeklärt ohne meine Hilfe? Ach, was soll's! Mach doch, was du willst, du Spinner. Du kommst schon wieder angekrochen, wenn du nicht mehr weiterweißt«, keift er mir noch her und dreht sich anschließend zum Gehen ab. »Habe die Ehre zusammen!«

Und dann ist er weg. Die Tür knallt so dermaßen ins Schloss, dass gleich der Schlüssel auf den Fußboden scheppert. Doch danach ist erst mal Ruhe.

»Weißt du was, Franz«, sagt die Steffi, wie sie sich bückt, um den Schlüssel aufzuheben und ihn zurück ins Schloss zu stecken. Sie trägt einen String, das seh ich genau. Und das schaut ziemlich rattenscharf aus. »Ihr zwei, ihr seid echt wie ein altes Ehepaar, der Birkenberger und du.«

Ja, das würd mir grad noch fehlen! Der Rudi als Lebenspartner so bis zur goldenen Hochzeit. Jesses.

»Es ist zwölf, ich muss weg«, sagt sie weiter und schnappt sich Jacke und Tasche vom Haken. »Die Mädchen machen heute Nachmittag das Seepferdchen, weißt du. Die sind schon ganz aufgeregt. Also, bis morgen, Franz.«

»Ja, gut. Bis morgen.«

So ein Halbtagsjob ist eine astreine Sache. Da kann man dann mittags hier rausgehen und hat hinterher tatsächlich noch jede Menge Zeit für ein Privatleben. Kann in den Biergarten gehen oder ins Kino. Kann Spaziergänge machen oder eine Radltour oder das Seepferdchen meinetwegen. Was immer das auch sein mag. Ich schnaufe tief durch und esse die letzte der Semmeln, es ist die mit Gelbwurst. Auch nicht schlecht. Gar nicht schlecht, das muss man schon sagen.

Wie ich am Abend in meinem Saustall völlig relaxed und mit geschlossenen Augen auf dem Kanapee liege, Pink Floyd höre und dem Ludwig seinen Kopf kraule, klopft es kurz an der Tür und der Flötzinger kommt rein. Er schaut niedergeschlagen aus. Gut, das tut er, seit er verheiratet ist, aber heute ist es noch einen Tick schlimmer. So steht er also da im Türrahmen in seiner Uralt-Jogginghose, einem verdreckten blauen Kittel mit der Aufschrift »Gas Wasser Heizung Flötzinger« und mit einem Stoffbeutel in der Hand, der ständig klimpert, wenn er sich bewegt. Er schaut sich kurz um, grade so, als wenn er auf Nummer sicher gehen will, dass wir auch wirklich allein sind. Danach lässt er sich in einen Sessel plumpsen.

»Schaust irgendwie echt scheiße aus, Flötzinger«, sag ich erst mal und setze mich auf.

»Das ist gut. Sehr gut sogar. Wirke ich auf dich, sagen wir, krank? Wirke ich auf dich krank, Franz? Sei bitte ganz ehrlich.«

»Mei, krank? Krank eigentlich nicht. Eher heruntergekommen.«

»Also nicht krank, bist du sicher?«

»Wie gesagt, eher heruntergekommen.«

»Ja, herzlichen Dank auch«, sagt er und zerrt zwei Bierflaschen aus seinem Beutel. Die öffnet er direkt mit den Zähnen und reicht mir eine davon zum Sofa rüber. Wir prosten uns zu und nehmen dann erst mal einen kräftigen Schluck. Ein paar Schlucke später wird er dann auch gesprächig, der Flötzinger. Und erzählt Dinge, die ich im Grunde genommen überhaupt gar nicht wissen möchte. Es ist furchtbar, wirklich ganz furchtbar, sagt er. Weil seine werte Gattin, die Mary, seit Neuestem der Meinung ist, dass etwas unternommen werden müsste. Etwas, das ihre Ehe sozusagen ein kleines bisschen wiederbelebt. Ihr einen neuen Schwung verleiht. Also ein gemeinsames Hobby beispielsweise. Und damit geht sie ihm jetzt tierisch auf den Wecker, die Mary.

Weil sie halt jeden verdammten Tag deswegen rumnörgelt und irgendwelche dämlichen Vorschläge macht.

»Da komm ich am Abend von der Arbeit heim, verstehst, bin fix und fertig mit der Welt und will nur noch duschen und essen«, sagt der Flötzinger und schüttelt den Kopf. »Und was macht die Mary? Die hockt vorm Computer, hat überhaupt nichts gekocht und schaut stattdessen stundenlang nach, was unsere Ehe wieder aufpolieren könnte. Kannst dir das vorstellen, Franz?«

»Nein. Will ich auch gar nicht.«

»Genau, und ich auch nicht. Ich will einfach nur heiß duschen, was essen und danach gepflegt fernsehschauen. Ist denn das zu viel verlangt? Aber was das Schlimmste ist, Franz, das Allerallerschlimmste ist, dass sie jetzt auch noch was gefunden hat, die Mary. Und nicht nur das, nein, sie hat uns auch gleich noch dort angemeldet. Sich und mich, also uns beide quasi. Gemeinsam, verstehst.«

»Lass mich raten, Bingoabend?«, frag ich und muss grinsen.

»Bingoabend? Ha! Ja, das wär schön. Da geht man einmal hin, für ein oder zwei Stunden, und gut isses. Nein, die Pläne von der Mary, die sind deutlich weitreichender. Tanzkurs, Franz. Gesellschaftstänze und Discofox. Einmal acht Abende, einmal zwölf. Und einen Babysitter hat sie auch schon besorgt. Die liebe Simmerl Gisela übernimmt diesen Job, was sagst du dazu?«

»Beileid!«, sag ich und wir stoßen an.

»Und du bist ganz sicher, dass ich nicht doch irgendwie krank ausschau? Bloß ein ganz kleines bisschen vielleicht?«

»Schau, Flötzinger, sieh es doch einmal anders. Vielleicht tut euch das ja tatsächlich irgendwie gut, dir und der Mary. Ausprobieren kann man es doch mal. Stell dir bloß einmal vor, die Mary, die hat irgendwann mal die Schnauze voll und haut dir ab mitsamt den Kindern.«

Ein Lächeln huscht über sein Gesicht.

»Nein, im Ernst, Flötzinger. Im Moment findest du das vielleicht ganz prickelnd. Aber wenn sie erst weg ist, dann schaust echt dumm aus der Wäsche.«

»Du meinst das jetzt wegen deiner Susi, oder?«

»Ja, ganz genau, wegen meiner Susi. Ich würde sogar so einen verdammten Tanzkurs machen, wenn sie dann wieder zurückkäm.«

Irgendwie ist nun die Stimmung hinüber. Der Flötzinger steht auf, klopft mir auf die Schulter und geht. Und ich dreh Pink Floyd wieder lauter, hau mich aufs Kanapee und kraule dem Ludwig seinen Kopf.

Es ist drei viertel fünf, also praktisch sechzehn Uhr fünfundvierzig, wie ich am nächsten Tag beim Günter in der Gerichtsmedizin aufschlage. Er ist grad mordsbeschäftigt (was in seinem Beruf natürlich gleich doppelt Sinn macht) über einen Seziertisch gebeugt und faselt dabei deutsche und lateinische Wörter völlig durcheinandergemischt in sein Diktiergerät. Ich bin ziemlich beeindruckt, und eine ganze Weile schau ich ihm dabei zu. Irgendwann aber wird's mir dann doch eher langweilig.

»Servus, Günter«, sag ich deswegen und geh gleich mal zu ihm rüber. »Und, gibt's schon Neuigkeiten, was unsere Leiche betrifft?«

»Ah, der Eberhofer. Hab dich gar nicht kommen hören«, sagt er und schaltet erst mal sein Diktiergerät aus. »Und, sag einmal, könntet ihr euch nicht endlich mal absprechen, der Birkenberger und du? Ich hab echt keinen Bock und erst recht keine Zeit, hier alles zweimal zu predigen.«

»Du willst damit aber nicht sagen, dass der Birkenberger schon da war?«

»Lass mich nachschauen«, sagt er weiter und guckt auf seine Uhr. »Vor circa fünfundzwanzig Minuten. Ihr müsst euch eigentlich ganz knapp verpasst haben.«

Das glaub ich jetzt nicht!

»Das glaub ich jetzt nicht!«

»Das kannst du glauben oder nicht. Es ist jedenfalls Fakt. Vor ungefähr zehn Minuten ist er hier wieder raus und lässt dir auch schön ausrichten, dass er drüben in eurem Stammlokal auf dich wartet. Ich bin ja eigentlich nicht deine Sekretärin, gell. Ja, und jetzt sei so gut und mach dich vom Acker, weil sich bei mir grad die Toten stapeln bis unter die Zimmerdecke«, brummt er mehr so vor sich hin, aber ich bin sowieso auch schon wieder am Gehen.

Wie ich kurz darauf in unserem Stammlokal eintreffe, kann ich den Rudi auch sofort entdecken – und das, obwohl er hinter einer Speisekarte lungert. Oder vielleicht grade deswegen.

»Sag einmal, Birkenberger, du hast schon noch alle Tassen im Schrank, oder was?«, sag ich und zieh mir einen der Stühle hervor.

»Ja, ich freue mich auch sehr, dich zu sehen, Franz«, sagt der Rudi mit einem ganz breiten Grinsen und legt die Karte beiseite.

Die Bedienung kommt mit zwei Halben und begrüßt uns recht freundlich.

»Wisst ihr zwei vielleicht schon, was ihr essen wollt?«, möchte sie dann auch gleich wissen. Und so werfe ich kurz einen Blick in die Karte.

»Ich nehme das Gleiche wie er«, sagt der Rudi und deutet mit dem Kinn in meine Richtung.

»Aber ich weiß doch noch gar nicht, was ich überhaupt will«, sag ich ein bisschen verständnislos.

»Das ist mir aber egal. Ich will jedenfalls das Gleiche«, entgegnet er und nimmt einen Schluck Bier.

»Gut, dann nehme ich heut mal den Linseneintopf mit Würstl.«

»Linseneintopf, bist du da sicher?«, fragt der Rudi leicht angewidert.

»Sicher bin ich sicher.«

»Also zweimal die Linsen, kommt gleich«, sagt die Bedienung, ohne dem Rudi weitere Beachtung zu schenken, und macht sich davon.

Ich lehne mich in meinem Stuhl weit zurück, lege den Kopf etwas schief und kneife die Augen zusammen. Und eine Weile schau ich mein Visavis ganz intensiv an. Zuerst versucht er meinem Blick ja noch standzuhalten. Aber nicht besonders lange. Ziemlich bald schon wird er sichtlich nervös.

»Was?«, knurrt er schließlich über den Tisch.

»Birkenberger, Birkenberger, du lernst es wohl nie.«

»Was? Also, ich meine, was soll ich nie lernen?«

»Jetzt stell dich nicht dümmer an, als du bist.«

»Ah, du meinst wegen dem Günter, richtig? Ha, jetzt sei doch bitte nicht albern, Eberhofer. Als wenn es nicht vollkommen wurst ist, wer von uns beiden die Infos zuerst kriegt.«

»Offensichtlich ist es DIR aber nicht vollkommen wurst, sonst würdest dich ja nicht jedes Mal vordrängeln.«

»Vordrängeln! Also wirklich. Im Übrigen ist es mein Finger gewesen, der die Sache überhaupt erst ins Rollen gebracht hat, schon vergessen? Also mein Finger, meine Leiche, und aus!«

»Zweimal die Linsen. An' Guten«, sagt die Bedienung und serviert uns dabei geschickt die kleinen Schüsseln. Der Eintopf riecht wunderbar sauer, und obendrein sind wahnsinnig viele Wienerstückerl drinnen. Der Rudi starrt zuerst in seinen und danach in meinen, rührt dann mit dem Löffel wie ein Verrückter in dem Seinigen umeinander und versucht anschließend dasselbe in meinem.

»Sag einmal: Geht's noch!?«, schrei ich ihn an.

»Du hast aber viel mehr Wiener bekommen als ich«, schmollt er rüber.

»Ja, Pech! Jetzt erzähl mir lieber mal, was der Günter so alles gesagt hat.«

»Nur, wenn ich ein paar Wiener abkriege.«

»Rudi!«

»Also gut«, sagt er endlich, schnauft noch einmal tief durch und beginnt dann zu erzählen, wobei er immer wieder mal einen beleidigten Blick auf meine schwindenden Würstl wirft. Die Leiche, sagt er, die muss furchtbar ausgeschaut haben, gruselig, um genau zu sein. Schon allein, weil sie erstens mal erschlagen wurde, was ja durchaus schon blutig genug gewesen wäre. Und man ihr zweitens im Anschluss auch noch das Gesicht entstellt hat, und zwar so dermaßen, dass sogar die Augen ausgestochen wurden. Was danach noch heil war, das haben letztendlich dann die Krähen erledigt.

So kann man also wirklich getrost davon ausgehen, dass es kein besonders schöner Anblick war.

»Ja, ja, deine lieben kleinen Krähen, Birkenberger«, sag ich und schieb mir dabei genüsslich ein weiteres Stückerl Wiener in den Mund. Er verdreht kurz die Augen. »Sie ist also erschlagen worden. Womit denn genau?«

»Mit einer Eisenstange, die war übrigens auch im Container und ist bereits sichergestellt. Hab ich schon alles veranlasst.«

»Hast du schon alles veranlasst, soso. Ja, dann gibt's ja vielleicht bald ein Fleißbildchen.«

»Arsch«, sagt der Rudi und beobachtet qualvoll, wie ich mir die letzte Wiener einverleibe. »Aber was anderes, Franz. Die Verletzungen im Gesicht, die sind wirklich seltsam.«

»Wie meinst du das?«

»Weil sie der Günter beim besten Willen nicht zuordnen kann. Es handelt sich bei den Gesichtsverletzungen praktisch um Stiche, verstehst. Aber der Günter sagt, so was hätte er zuvor noch niemals gesehen. Kein Messer, kein Dolch, überhaupt keine Stichwaffe im klassischen Sinn. Und keinerlei Rückstände auf irgendein Material. Das Einzige, was er darüber rausfinden konnte, ist, dass die Tatwaffe nicht total spitz zuläuft, die Einstiche aber trotzdem leicht konisch sind. Er hofft aber, dass er ihr Gesicht trotzdem halbwegs rekonstruieren kann. Wegen Fahndungsfoto und so.«

»Konisch, soso. Und was gibt's über das Opfer selber?«

»Junge Frau, Asiatin, etwa zwanzig, einssechsundfünfzig groß, achtundvierzig Kilo. Eine Blinddarmnarbe, ein gebrochener Mittelfinger, vermutlich in der Kindheit. Und eben ein fehlender kleiner Finger. Das war's.«

»Gut, dann geh ich jetzt erst mal die Vermissten durch. Wann war der Todeszeitpunkt?«

»Was würdest du eigentlich machen, wenn du mich nicht hättest?«, fragt er süffisant und wirft seine Serviette in den leeren Teller.

»Rudi!«

»Todeszeitpunkt war vor sechzig Stunden. Plus minus fünf.«

»Zahlen!«, ruf ich zu der Bedienung rüber und leg ihr mein Geld auf den Tisch.

»Ach, übrigens hat sie ein Dirndl getragen, falls dich das interessiert.«

»Mich interessiert alles, Rudi. Immerhin geht es um einen Mord.«

»Und findest du nicht, eine Asiatin in einem Dirndl ist doch auch irgendwie seltsam, oder?«

»Eine Asiatin in einem Dirndl in München ist überhaupt nichts Ungewöhnliches, Rudi. Erst recht nicht, wenn Wiesn ist.«

»Da hast du auch wieder recht! Und was machen wir jetzt?«, will er noch wissen.

»Du suchst dir jetzt eine betrogene Ehefrau, Rudi, und observierst ihren Alten. Und ich … ich habe einen Mordfall aufzuklären.«

»Arschloch!«

»Ja, ich dich auch, Birkenberger! Ich dich auch.«

Und so mach ich mich dann gleich auf den Weg nach Niederkaltenkirchen. Weil morgen, da ist auch noch ein Tag. Und die Tote wird doch nicht wieder lebendig, wenn ich mich heute noch aufarbeite, gell.

Kapitel 4

»Stell dir vor, Franz«, sagt der Papa am nächsten Tag beim Frühstück und faltet seine Tageszeitung zusammen. »Ein Hotel soll gebaut werden. Hier bei uns, das ist doch unglaublich. Sieben Fremdenzimmer haben wir bisher gehabt, und das hat völlig gereicht. Und jetzt soll auf einmal ein Hotel her mit fast vierzig Zimmern.«

»Ein solcher Schmarrn. Wer soll denn da bitt' schön herkommen? Ausgerechnet zu uns nach Niederkaltenkirchen«, sag ich und beiß in meine Honigsemmel.

»Ja, ja, die Nachfrage sei gestiegen, heißt es. Immer mehr Gäste wollen anscheinend zu uns her. Warum, weiß der Geier. Und außerdem soll auch noch so ein Tagungszentrum da rein in dieses Hotel. Und so ein ›Spa‹.«

Die Oma kommt mit einem Wäschekorb unter dem Arm zu uns in die Küche.

»Guten Morgen, Bub«, sagt sie, stellt den Korb ab und schlenzt mir die Wange. Dann watschelt sie zur Kaffeemaschine rüber, füllt unsere Tassen noch einmal auf und gesellt sich zu uns an den Tisch.

»Hast schon gehört, Franz, wir kriegen jetzt auch ein Hotel. So ein ganz ein modisches. Das ist doch prima, gell.«

Ich nicke. »Ja, hab's schon gehört.«

»Und stell dir vor, die Mooshammerin, die ärgert sich gescheit«, sagt sie weiter und schmiert sich eine Buttersemmel.

»Weil die nämlich Angst hat um ihre zwei depperten Fremdenzimmer, ha!«

»Ja, wie dem auch sei, ich muss los. Hab einen Mord aufzuklären«, sag ich noch so beim Rausgehen und bin weg.

Kaum im Büro angekommen, erweist sich ein kurzer Anruf bei der Wiesnwache erst mal als sinnvoll: zum einen, um nachzufragen, ob eine Asiatin vermisst wird. Zum anderen, falls dem nicht so ist, wenigstens ihre Daten durchzugeben, sollte sich womöglich doch noch jemand melden, der sie vermisst. Weil manchmal kann es durch vermehrten Alkoholeinfluss tatsächlich dazu kommen, dass man jemanden erst ein paar Tage später vermisst. Also nachdem man halt wieder nüchtern ist. Mir ist das selber auch schon mal passiert, drum kann ich dafür durchaus Verständnis aufbringen. Noch dazu, wenn man von so weit her kommt und so viel Geld ausgegeben hat, dann will man natürlich auch richtig feiern, das kann man doch wirklich verstehen. Und da merkt man vielleicht erst kurz vor der Heimreise, dass einem jemand fehlt. Aber wurst. Nein, heißt es, bislang liegt noch keine Vermisstenanzeige vor. Jedenfalls nicht für eine Asiatin. Ein Russe wird vermisst, ein kanadisches Pärchen ebenso – und dann ist noch ein Dutzend Italiener abgängig. Das war's.

Anschließend hocken die Steffi und ich den ganzen Vormittag lang am PC und durchforsten alle Vermissungen der letzten Wochen, und zwar bayernweit, und das, wie sich hinterher rausstellt, auch noch völlig ergebnislos. Es fehlt quasi keine einzige asiatische Frau, zumindest keine, die infrage kommt. Positiv ist allerdings zu vermerken, dass der Stahlgruber kontrollierenderweise zweimal bei uns im Büro vorbeischaut. Und da sieht er uns dann halt dort sitzen. Und schuften. Das ist freilich schon ziemlich gut. Das erste Mal, da kommt er eigentlich nur, um Guten Morgen zu sagen, was er sonst niemals macht. Wirklich niemals. Und da ist er dann relativ verblüfft, wie er uns da so konzentriert arbeiten sieht. Das zweite Mal kommt er mit einem echt dämlichen Vorwand. Ob wir noch etwas Computerpapier hätten, will er wissen, weil seines, das wär aus. Was ja geradezu ein Witz ist. Sein Zimmer ist nämlich genau neben dem Materialkammerl, und da stapelt sich das Kopierpapier bis rauf zur Schulter. Aber die Steffi, die drückt ihm mit einem wirklich hinreißenden Lächeln einfach zwei Päckchen Papier in den Arm und widmet sich danach gleich wieder dem Bildschirm. Ein Weilchen steht er noch bei uns im Büro rum wie bestellt und nicht abgeholt, in seiner quietschgrünen Jeans, den braunen Slippern vom italienischen Edeldesigner und seinem orangefarbenen Hemd. Nein, eher Pfirsich, mit einem Touch ins Lachsige, würde der Birkenberger sagen. Dann aber dreht er sich ab, der Stahlgruber, und geht. Und wir zwei, wir grinsen uns an.

»Und wie war das Seepferdchen gestern?«, frag ich mit einem Blick auf die Uhr. Es ist kurz vor zwölf, also gleich Feierabend für meine werte Kollegin.

»Ach, Seepferdchen war toll. Die Mädchen sind ja eh zwei Wasserratten und haben die Schwimmprüfung ganz locker gemacht«, sagt sie nicht ohne Stolz in der Stimme. Schwimmen! Ja, da hätte ich auch selber drauf kommen können.

»Sag mal, Franz, hast du eigentlich wieder Kontakt zu der Susi?«, fragt sie und klemmt sich eine Haarsträhne hinter das Ohr.

Ich schüttle den Kopf. Ein paar Augenblicke später steht sie dann von ihrem Bürostuhl auf und kommt zu mir rüber. Und mitsamt meinem Sessel dreht sie mich jetzt unter dem Schreibtisch hervor und platziert sich danach genau auf meinen Knien. Anschließend schaut sie mir in die Augen. Ganz tief.

»Das tut mir echt leid«, flüstert sie.

»Das muss dir nicht leidtun, Steffi. Ist ja nicht deine Schuld«, sag ich und kann kaum noch atmen.

Plötzlich geht die Tür auf und der Stahlgruber erscheint. Sage und schreibe das dritte Mal heute. Im ersten Moment bin ich relativ bewegungsunfähig und schau ihn groß an. Und ich befürchte mal, es ist nicht der intelligenteste Gesichtsausdruck, den ich da grad so präsentier. Doch ihn, ihn reißt es geradezu, wie er uns da jetzt so hocken sieht. Zumindest bleibt er wie angewurzelt im Türrahmen stehen, starrt uns eher fassungslos an, und dann wird er ganz feuerrot im Gesicht. Und trotzdem macht die Steffi keinerlei Anstalten, von meinem Schoß aufzustehen.

»Ist noch was?«, fragt sie stattdessen ganz zuckersüß.

»Was machen Sie da?«, fragt er hechelnd.

»Wonach sieht es denn aus?«, will die Steffi jetzt wissen.

»Wonach es aussieht, Grundgütiger! Ja, das geht doch hier nicht. Und überhaupt, das können Sie doch nicht in Ihrer Dienstzeit machen, Herrschaften! Meinetwegen machen Sie in Ihrer Freizeit mit Ihren kranken Neigungen, was immer Sie wollen. Aber bitte sehr NUR und AUSSCHLIESSLICH in Ihrer Freizeit, verdammt!«

»Aber es ist doch jetzt Freizeit, Dummerchen«, sagt die Steffi ganz entspannt, und mir bleibt die Luft weg. Dem Stahlgruber geht es ähnlich. Jedenfalls starrt er zuerst die Steffi an und danach die Wanduhr, die tatsächlich schon Mittagspause bekundet. Am Ende schüttelt er fassungslos seinen Kopf, macht auf dem Absatz kehrt und donnert die Tür hinter sich zu. Die Steffi steht auf, und im Grunde genommen bin ich da jetzt fast schon tierisch erleichtert deswegen. Erst einmal tief durchatmen!

»Ja, sag einmal …!«, sag ich, wie ich endlich wieder zu einer halbwegs regulären Atmung zurückgefunden habe.

»Was genau, Franz? Der Stahlgruber, der ist halt jetzt einfach ein bisschen schockiert, weißt.«

»Gut, das wär ich an seiner Stelle wohl auch.«

»Aber nicht so, wie du das meinst, Franz. Wie soll ich dir das bloß am besten erklären, Mensch. Also, pass auf! Weißt, manchmal, da will er halt einfach schnackseln, kapiert? Ja, und manchmal will ich eben auch. Und jetzt … jetzt ist er natürlich ein wenig gekränkt. Und obendrein wahrscheinlich auch noch eifersüchtig. Aber das ist auch schon alles«, sagt sie, und zwar in einem Tonfall, als hätte sie mir grad erklärt, wie man ein Handtuch faltet.

»Du schnackselst … mit … mit … dem Stahlgruber?«, frag ich und muss mich wohl irgendwie komisch anhören. Zumindest dreht sie sich zu mir um, legt ihren Kopf schief und schaut mich ganz eindringlich an.

»Ja, warum?«

»Ja, keine Ahnung. Das hätt ich halt einfach nicht vermutet«, stottere ich so mehr vor mich hin.

»Das ist ja auch gut so! Schließlich ist es ganz in meinem Interesse, dass es keiner vermutet«, sagt sie noch grinsend. Danach packt sie in aller Seelenruhe ihre Siebensachen, verabschiedet sich und macht sich auf den Heimweg. Der Stahlgruber und die Steffi! Das Bild will einfach nicht in meinen Kopf. Und im Grunde genommen soll es da auch gar nicht erst hin.

Und trotzdem kann ich den ganzen lieben langen Tag hindurch an nichts anderes mehr denken.

Kapitel 5

Wie ich am Abend in die Küche reinkomm, hockt die Mooshammer Liesl am Küchentisch, und offensichtlich ist sie grad in einer ganz heißen Diskussion mit dem Papa. Jedenfalls nimmt meine Ankunft überhaupt niemand zur Kenntnis. Auch die Oma nicht. Die steht nämlich mit dem Rücken zu mir am Herd und brutzelt irgendwas Göttliches. Und sogar der Ludwig liegt drüben am Kachelofen und schaut erst mal relativ gelangweilt zu mir hoch. Schließlich lässt er sich aber doch dazu herab, aufzustehen und mir mit wedelndem Schwanz entgegenzukommen.

»Aber das ist doch ein Wahnsinn, Eberhofer«, keift die Mooshammerin auch schon weiter, und natürlich meint sie damit meinen Erzeuger. »Wenn die das neue Hotel dort hinhauen, wo es hin soll, dann muss doch der Mühlbach verlegt werden! Und das Wegerl freilich auch. Ja, wo soll denn das hinführen, wenn da so einfach ein paar Investoren aus Berlin daherkommen, die meinen Wunder, was sie sind, und unser Dorf umgestalten, grad so wie's ihnen passt!? Das ist doch ein Wahnsinn, oder?«

»Geh, Liesl, dir geht's doch nur um deine Gästezimmer und vielleicht noch um den Trampelpfad von dir zum Simmerl rüber. Alles andere ist dir doch sowieso wurst.«

»Das stimmt doch gar nicht. Da geht's doch rein ums Allgemeinwohl!«

»Servus, miteinander«, sag ich dann erst mal und zieh mir einen Stuhl hervor.

»Ja, sag doch du auch einmal was, Franz«, sagt die Liesl, und damit meint sie jetzt offensichtlich wohl mich.

»Mei, was soll der Bub denn schon sagen, Liesl«, murmelt der Papa und steht auf. »Der hat doch vom Tuten und Blasen überhaupt keine Ahnung.«

»Und ob ich eine Ahnung hab. Da kommen ein paar Investoren aus Berlin, die meinen Wunder, was sie sind, und wollen jetzt Niederkaltenkirchen umgestalten, um ein Hotel zu bauen«, antworte ich nicht ganz ohne Stolz.

»Schlaumeier!«, knurrt der Papa und macht dabei den Tisch zurecht.

»Aber was anderes«, sag ich, weil mir das wirklich grad aufstößt. »Wieso soll der Mühlbach eigentlich verlegt werden, und wo bitt' schön soll der hin?«

»Ja, weil sie halt genau dort das Hotel hinhauen wollen, diese Herrschaften aus Berlin«, sagt die Liesl durchaus aufgebracht. »Und wo er hin soll, das weiß der Geier. Oder höchstens noch unser werter Herr Bürgermeister.«

Jetzt kommt die Oma zum Tisch und schlenzt mir die Wange.

»Also, was ist jetzt, Mooshammerin«, will sie gleich wissen und streicht sich dabei die Schürze glatt. »Bleibst jetzt da zum Essen, oder nicht?«

»Nein, um Gottes willen, nein! Ich muss doch gleich weiter. Schließlich muss ja irgendwer die undankbare Aufgabe übernehmen und unsere Mitbürger warnen, gell«, sagt sie noch, hebt die Hand zum Gruße, und schon ist sie draußen.

»Mei, die Liesl macht einen Wind wegen ihren läppischen Fremdenzimmern«, sagt die Oma, wie sie das Essen austeilt.

»Nein, nein, so einfach ist das nicht«, entgegnet jetzt der Papa und macht ein ganz betretenes Gesicht dabei. »Wenn der Bach wegkommt und das Wegerl, dann verliert Niederkaltenkirchen praktisch seinen ganz eigenen Charme. Und außerdem, für was brauchen wir überhaupt ein Hotel dabei?«

»Schluss damit! Jetzt wird gegessen!«, fällt ihm die Oma ins Wort und setzt sich nieder. Es gibt einen Jägerbraten mit frischen Schwammerln im Rahm, dazu Reis und Feldsalat. Der Hammer!

Nach dem Abwasch dreh ich mit dem Ludwig eine Runde, heute machen wir einmal einen kleinen Umweg und schauen am Mühlbach vorbei. Erwartungsgemäß springt der Ludwig auch prompt ins Wasser, und kaum drinnen, beginnt er auch schon wie ein Irrer herumzutoben. Das ist übrigens der eigentliche Grund, warum ich ansonsten diese Strecke eher meide. Weil er nämlich für diese zehn Minuten Vergnügen hinterher tagelang tierisch nach Hund stinkt. Also er hundelt hundsgemein, um genau zu sein. Und da er es ja praktisch vorzieht, auf meinem Bettvorleger zu nächtigen, ziehe ich eben normalerweise die wasserlose Route der heutigen deutlich vor. Jetzt aber hat er jedenfalls einen tierischen Spaß, und während er seinen Trieben freien Lauf lässt, hock ich mich derweil auf ein Bankerl und schau ihm zugegebenermaßen nicht ganz freudlos dabei zu. Unser Mühlbach. Schön ist er eigentlich schon, wie er so dahintreibt, ganz langsam. Und dann dieses Moos, das in den wunderbarsten Grüntönen dort am Ufer schimmert. Die Algen, die sich durch die Fluten schlängeln, die Steine, die vom Grund rauffunkeln, und überhaupt, dieses glasklare Wasser. Als Kinder waren wir ständig hier. Besonders an flirrenden Sommertagen, wo alles nach Heu duftet, die Grillen zirpen und man die Hitze förmlich greifen kann. Da haben wir immer unsere Handtücher auf der Wiese unter den Trauerweiden ausgebreitet oder uns in die Sonne geknallt. Sind ins Wasser gesprungen, haben uns gegenseitig und freilich auch den einen oder anderen Passanten nass gespritzt und uns diebisch gefreut, wenn die dann getobt haben. In einem Sommer, ich war so zehn oder elf, da hat uns die Mama vom Simmerl aus ausrangierten Decken und Laken eine riesige Hängematte gemacht, die wir zwischen den alten Bäumen aufgehängt haben. Da haben locker drei, vier Leute reingepasst. Und trotzdem hat es ständig Streit gegeben, wer nun endlich an der Reihe war. Der Höhepunkt aber war jeden Nachmittag so gegen drei, wenn der Eismann daherkam auf seinem Radl. Im Grunde war's ja nur der Sohn vom Bäcker mit so einer neumodischen Kühlbox. Fertig. Doch immerhin hatte er drei verschiedene Sorten Wassereis dabei. Waldmeister, Erdbeere und Zitrone. Zehnerl-Eis hat das damals geheißen. Meine Güte, war das eine Zeit! Die komplette Dorfjugend war damals immer dabei, ein ganzer Haufen Leute, albern, vergnügt und braun gebrannt. Nur der Leopold nicht. Weil der Angst hat vor fließendem Wasser. Und vor Sonnenbrand. Und vor Stechmücken sowieso. Aber egal.

Und dieses Wegerl hier, das bin ich wohl auch Hunderte Male entlanggelaufen oder -geradelt, einfach, weil es die kürzeste Strecke zum Fußballplatz rüber war und obendrein der einzige Radlweg zum Friedhof. Bis zu meiner einsetzenden Pubertät hin bin ich fast jeden Abend mit der Oma dorthin geradelt, um ein Kerzerl anzuzünden für die Mama und den Opa. Meine Mama ist nämlich bei meiner Geburt gestorben, und wahrscheinlich ist das auch der Grund, warum die Oma einen so großen Stellenwert bei mir hat. Und wenn wir zwei bei Regen oder kurz danach unterwegs waren, sind immer unzählige Schnecken mit und ohne Haus auf dem feinen Kies gelegen. Schneckenwegerl hat es deswegen geheißen. Und jetzt soll das alles hier weg? Der Mühlbach und das Schneckenwegerl? Diese ganze Scheißidylle hier? Ich glaub, ich muss dringend mal mit dem Bürgermeister reden.

Am nächsten Morgen bin ich vor der Steffi im Büro. Die ganze Autofahrt lang hab ich wieder und wieder dieses dämliche Bild im Kopf gehabt: die Steffi und der Stahlgruber. Und mich hat es direkt gewürgt bei diesem Gedanken.

»Du, wegen gestern noch, Steffi«, sag ich deswegen gleich mal, kaum dass sie zur Tür drinnen ist, und ich kann ihr dabei kaum in die Augen sehen. Sie aber schaut mich aufmunternd an und nickt fröhlich. »Also wegen der Sache mit dir und dem Stahlgruber …«

»Da ist keine Sache, Franz«, lacht sie und wirft dabei den Kopf zurück. »Manchmal haben wir Sex, okay? Das ist alles. Seine Frau ist wohl nicht gerade die Engagierteste auf diesem Planeten. Ja, und ich bin Single, wie du weißt. Fertig.«

»Aber wir beide, wir hatten doch auch mal so was … Du weißt schon. War das dasselbe?«

»Wie könnte das dasselbe sein? Du bist du und der Stahlgruber ist der Stahlgruber. Aber wenn du darauf hinauswillst, ob du für mich auch nur ein Sexobjekt warst, dann muss ich dir leider sagen: Ja. Hast du schon vergessen, was ich dir gleich am Anfang erzählt hab, Franz? Gleich als wir uns kennengelernt haben, da hab ich dir gesagt, dass ich keinen Mann mehr haben will. Ich bin gern Single und mit meinen Kindern alleine. Aber muss ich deshalb total auf Sex verzichten?«, sagt sie, gibt mir einen Kuss auf die Wange und hockt sich dann allerbestens gelaunt an ihren Schreibtisch.

Das ist ja wohl echt allerhand! Der Franz – ein Sexobjekt!

Den ganzen verschissenen Vormittag lang kann ich mich auf keinerlei Arbeit konzentrieren. Ich starre nur auf meinen Bildschirm und spiel Solitär. Und ab und zu ertapp ich mich dabei, wie ich rüber zur Steffi schiele. Sie ist in ihre Arbeit vertieft und nimmt mich noch nicht einmal wahr. Um fünf vor zwölf verabschiedet sie sich. Sie will noch kurz zu einem Kollegen rein, sagt sie. Ich könnte wetten, ich weiß, wo sie hin will.

Kurz nach meiner Mittagspause stürzt der Stahlgruber zu mir ins Büro. Er kommt gleich, ganz ohne zu klopfen, und hat einen feuerroten Schädel auf. Im ersten Moment bin ich aufs Schlimmste gefasst, und irgendwie wird mir ganz anders, wie er jetzt so vor mir steht. Aber wider Erwarten ist er nicht etwa wegen der Sache mit der Steffi so außer Rand und Band, von wegen Eifersucht oder dass ihm die Steffi womöglich von unserem Gespräch erzählt hätte. Nein, es handelt sich um ein rein dienstliches Anliegen, das ihn so aufgebracht zu mir reintreibt.

»Eberhofer, es ist die Hölle!«, schnauft er, indem er sich in einen Bürostuhl reinfallen lässt. »Wir haben zwei neue Leichen, können Sie sich das vorstellen? Wieder junge Frauen, wieder im Dirndl und wieder furchtbar zugerichtet, auch im Gesicht. Unser neuer OB ist außer sich! Kaum ist er im Amt, schon gibt's hier in München einen Wiesnmord nach dem anderen!«

»Wo?«

»In Freiham draußen, Neubaugebiet. Kennen Sie das?«

»Ja, freilich, das ist doch dort, wo das Augustiner Weißbier gemacht wird, wenn ich mich nicht täusche.«

»Ja, dass Sie sich mit Bier auskennen, das war klar. Wo war ich stehen geblieben? Ach ja. Jedenfalls ist eben in besagtem Neubaugebiet wohl der erste Bauabschnitt grade fertig geworden, und jetzt werden die Fundamente für den zweiten ausgehoben. Ja, und heute … also heute Vormittag praktisch, da hat einer von den Baggerfahrern, also der hat dann sozusagen …«

»… die Leichen gefunden.«

»So isses«, sagt er weiter und streicht sich dabei mit beiden Händen über den Kopf. Mit denselben Händen, wo er vermutlich auch der Steffi über den Kopf streicht. Und ich befürchte, nicht nur über den.

»Gut, und was hab ich damit zu tun?«, frag ich zugegebenermaßen leicht aggressiv und auch relativ überflüssigerweise.

»Wie meinen?«, fragt er mehr als verwundert.

»Ach, vergessen Sie's!«

»Ja, wie dem auch sei, Eberhofer«, sagt er anschließend und steht auf. »Nehmen Sie sich, wen immer Sie brauchen, und fahren Sie da raus, dort nach Freiham. Und machen Sie schnell, so ein Dirndlmord kommt gar nicht gut an, besonders nicht, wenn grade noch Wiesnzeit ist. Verdammt! Ach, ja, und ich weiß nicht, wie lange ich es verhindern kann, bis diese Hyänen von Journalisten von der Geschichte Wind bekommen. Also halten Sie sich ran!«

Wie er endlich weg ist, mach ich mir erst mal ein Haferl Kaffee. Damit hock ich mich ans Fensterbrett rüber und schaue hinaus. Wahre Menschentrauben tummeln sich dort unten in unserer wunderbaren Landeshauptstadt, und gut die Hälfte davon ist in Tracht. Frauen und Männer der verschiedensten Nationen Seite an Seite im Lederlatz und Wadlstrümpfen, mit Kropfketterl und Dirndlschurz. Und mittendrin ein Wiesnmörder. Na bravo!

Kapitel 6

Ich soll mitnehmen, wen ich will, hat der Stahlgruber gesagt. Also ruf ich mal den Birkenberger an. Nicht, dass ich den jetzt so unbedingt dabeihaben möchte. Ganz im Gegenteil, überall mischt er sich ein, drängelt sich vor, und am Ende spielt er noch den Beleidigten. Aber unter den Kollegen hier im Haus will mir erst recht ums Verrecken keiner einfallen, den ich länger als zehn Minuten ertragen könnte. Einfach, weil die sich noch viel mehr in den Vordergrund spielen, als der Rudi es tut, immer der Oberguru sein wollen oder mir im schlimmsten Fall sogar Anweisungen geben. Im Grunde hab ich nur die Wahl zwischen Not und Elend. So entscheid ich mich also fürs Elend.

»Was willst du?«, fragt der Rudi gleich, wie er abhebt, und hat so einen theatralischen Tonfall drauf.

»Wir haben zwei neue Leichen, Rudi.«

»WIR haben keine zwei neuen Leichen, Eberhofer. DU hast zwei neue Leichen. Ich habe einen untreuen Ehemann zu observieren.«

»Okay, dann servus!«

»Warte!«

Ich warte.

»Wie ich ja im Voraus längst gewusst hab, hat es gar nicht lang gedauert, bis du angekrochen kommst. Wann geht das eigentlich mal in deinen verflixten Schädel rein, Franz? Wir sind ein Dreamteam, verstehst! Never change a winning team! Aber du ... du musst ja immer den Einzelkämpfer mimen. Lächerlich ist das, Franz. Absolut lächerlich ...«, lamentiert er mehr so vor sich hin. Ich leg mal den Hörer beiseite und geh kurz aufs Klo. Wie ich wiederkomme, kann ich ein langes »Halloho ...« vernehmen.

»Ja?«, sag ich und muss grinsen.

»Hast du mich eben grad weggelegt, Franz? Hast du mich weggelegt?«, keift er, und ich könnt wetten, er hat Schaum vor dem Mund.

»Dich? Weggelegt? Ja, spinnst du, Rudi. Also, was ist jetzt?«

»Scheiße, Mann. Ich komm zu dir ins Büro«, hör ich ihn grad noch, dann legt er auf. Keine zwei Minuten später steht er auch schon bei mir auf der Matte, was mich durchaus etwas überrascht. Aber er sagt, ganz zufällig wäre sein Ehebrecher just in diesem Moment mit seiner Mätresse ausgerechnet grad hier ums Eck unterwegs gewesen. Und nur deswegen wär es ihm überhaupt erst möglich gewesen, so schnell bei mir aufzuschlagen. Das kann glauben, wer mag.

»Ja, und was ist jetzt mit deiner Observierung, hast du die jetzt einfach abgebrochen, oder was?«, möchte ich anschließend noch wissen.

»Du«, sagt der Rudi und hockt sich auf meinen Schreibtisch. »Das ist gar kein Problem, Franz. Der Typ, der hat eine echt greisliche Frau daheim. Ich weiß das natürlich, immerhin ist sie ja meine Auftraggeberin. Und jetzt ... ja, jetzt hat er sich halt was richtig Schnuckeliges angeschafft, verstehst. Eine echte Sahneschnitte könnte man sagen. Ja, und da bin ich durchaus der Meinung, er sollte doch diese Zeit mit ihr noch ein bisserl genießen, ehe ich dann zum Rundumschlag aushole und seine Gattin informiere, was meinst?«

Der Birkenberger ist ein Perverser, gar keine Frage.

Der Weg nach Freiham raus dauert keine zwanzig Minuten, und doch muss ich auf der Strecke zweimal anhalten, die Beifahrertür aufmachen und den Rudi zum Aussteigen nötigen. Natürlich weigert er sich. Dafür hört er nicht auf, von unserer wunderbaren Zusammenarbeit zu erzählen, und was wir doch für ein Dreamteam wären. Dabei lässt er keinen unserer gemeinsamen Fälle unerwähnt und wird auch nicht müde, von seiner Enttäuschung zu reden. Von der großen Enttäuschung, dass ich, ausgerechnet sein Freund und Lieblingsexkollege, das alles so wenig zu würdigen weiß. Weil ich ihn aber wie meine Westentasche kenne, weiß ich natürlich, dass er mir diesen Monolog nicht ganz grundlos hält, und so lasse ich ihn einfach reden. Klar, ohne ihn läuft halt nix.

»Rudi, halt's Maul!«, schrei ich schließlich, wie ich es wirklich nicht mehr hören kann. Sofort verschränkt er die Arme vor der Brust, starrt durch die Frontscheibe mit düsterer Miene, und fast könnte ich schwören, ihm rinnt ein Tränlein übers Gesicht. Weil ich das aber erstens nicht bestätigt haben will und zweitens die Befürchtung hege, dass, wenn ich ihn ansehe, alles bloß wieder von vorn beginnt, starre ich ebenfalls einfach nur durch die Frontscheibe und wir schweigen uns an.

Glücklicherweise ist auch diese Autofahrt einmal zu Ende und wir erreichen endlich unser Ziel, nämlich Freiham. Wortlos und auch ziemlich erleichtert, muss ich schon sagen. Dem Rudi geht's wohl genauso. Ich hab nämlich die Karre noch nicht einmal in Parkposition, wie er auch schon aus seinem Sitz herausspringt, die Tür zuknallt und von dannen eilt. Ich muss grinsen. Dann steig ich ebenfalls aus und schau mich erst mal in aller Ruhe um.

Der Fundort der beiden Leichen ist bereits großräumig abgesperrt, und ganz offensichtlich sind zwei Leute von der Spusi in ihren flotten weißen Overalls schon eifrig am Werkeln. Neben einem der Laster telefoniert ein Typ mit Helm und Karohemd, fuchtelt dabei wie wild mit seiner freien Hand umeinander und brüllt in den Hörer, dass ihn sogar die Oma ganz prima verstehen würde. Und kaum dass er mich entdeckt hat, ist er augenblicklich still und kommt auch gleich direkt auf mich zu.

»Sind Sie der Kommissar Eberhofer?«, will er erst einmal wissen.

»So ist es.«

»Ja, jetzt ist er da«, knurrt er noch kurz in sein Telefon und hängt dann schließlich auf.

»Na endlich«, sagt er weiter und reicht mir die Hand. »Schnabel. Ich bin der Bauleiter hier. Sagen Sie, wie lange wird denn das hier alles dauern?«

»Der Bauleiter? Also gut. Ja, der Herr Schnabel, jetzt mal schön alles der Reihe nach, gell.«

»Ja, ja, aber ich habe Terminvorgaben, wissen Sie.«

»Es dauert, so lange es dauert, und Schluss. Und wenn wir hier noch weiter rumquatschen, dann dauert es nur umso länger. Klar, oder?«

»Aber ...«

»Nix aber!«

Er nickt, kramt dann eine Kippe aus seiner Hemdtasche, zündet sie an und nimmt einen ganz tiefen Zug. Geht doch!

»Gut. Dann mal von vorne. Also wann genau sind denn die Leichen entdeckt worden? Und von wem?«, frag ich und deute mit dem Kinn in die Richtung, wo grad die Overalls ihr Unwesen treiben.

»Das war gleich heute Morgen, so gegen acht. Ausgerechnet mein bester Baggerfahrer, also der Otto, der hat sie gefunden. Aber der hat ja sozusagen nur ein Bein freigelegt. Danach hat er auch sofort die Bullen gerufen. Also, die Polizei praktisch, Sie wissen schon.«

»Und wo ist der gute Otto jetzt?«

»Im Sanka«, schnauft er und nimmt dabei den Helm vom Kopf. Kaum erwähnenswerte Haartracht. Der Helm kleidet ihn gut.

Ich seh mich kurz um, kann aber ums Verrecken keinen Sanka entdecken. Der Schnabel bemerkt das vermutlich, jedenfalls wirft er jetzt ebenfalls einen Blick durch die Gegend.

»Der Sanka ist wahrscheinlich schon weg«, sagt er dann schulterzuckenderweise. »Mitsamt dem Otto. Verdammt, das ist mein allerbester Mann! Ich hoffe, der ist morgen wieder fit.«

»Wieso morgen?«, frag ich und schau ihm dabei direkt ins Gesicht.

»Was meinen Sie damit? Soll das heißen, dass wir hier morgen nicht weitermachen können?«

Ich schüttle den Kopf.

»Übermorgen?«

Kopfschütteln.

»Nächsten Montag?«

Schulterzucken.

»Verdammt! Wissen Sie eigentlich, was das bedeutet? Wir haben hier ganz exakte Zeitvorgaben, die wir einhalten müssen. Wenn sich der Aushub verzögert, dann verzögert sich alles. Wir haben jede Menge Investoren, verstehen Sie. Die Wohnungen und Häuser sind heiß begehrt und zum Großteil schon längst verkauft. Die Leute wollen doch pünktlich einziehen. Die Geschäfte pünktlich eröffnen, die Schule auch und was weiß ich noch alles!«

Schulterzucken.

Er schmeißt seine Kippe auf den Boden, tritt drauf herum, als wär's eine Tarantel, und knallt sich den Helm wieder auf sein spärliches Haar. Dann starrt er mich an und seine Augen funkeln. Nicht grade freundlich, um es auf den Punkt zu bringen.

»Schauen Sie, Herr Schnabel«, sag ich und versuche dabei, den Tonfall eines Telefonseelsorgers hinzukriegen. »Mein Job zerrt an meinen Nerven, reißt alle Energie aus meinem geschundenen Körper. Sie sehen's ja selber, da drüben liegen zwei Frauenleichen, eine weitere ist bereits in der Gerichtsmedizin. Allesamt ermordet im Dirndl. Ein Wiesnmörder treibt sich hier rum. Glauben Sie da ernsthaft, es interessiert mich auch nur ansatzweise, wann und ob überhaupt jemals Ihre depperten Investoren hier einziehen können? Habe die Ehre«, sag ich grad noch, und dann mach ich mich auch schon auf den Weg. Schließlich bin ich nicht hierhergekommen, um mir die trübsinnigen Alltagssorgen eines cholerischen Bauleiters anzuhören.

Einige Schritte, bevor ich am Leichenfundort eintreffe, kommt mir der Rudi auch schon wieder entgegen.

»Wir können fahren, ich hab alles«, sagt er kurz und knapp, trommelt auf sein Notizbuch und geht dann direkt an mir vorbei in Richtung Streifenwagen. Im Grunde hab ich nichts anderes erwartet.

»Was hast du alles?«, frag ich trotzdem und dreh mich langsam zu ihm um.

»Ja, alles eben«, sagt er, ohne seinen Marsch zu beenden. »Während du ein kleines Pläuschchen mit diesem Baustellenguru gehalten hast, hab ich nämlich die Spusi befragt und den Baggerfahrer ebenfalls.«

»Den Baggerfahrer? Aber der war doch im Sanka auf dem Weg ins Krankenhaus.«

»Das ist er jetzt. Vorher war er im Sanka auf der Baustelle hier. Just zehn Meter vom Fundort entfernt. Ja, Franz, der frühe Vogel fängt den Wurm. Kommst du jetzt?«

Ich taste nach meiner Waffe. Sie ist da. Und sie ist geladen. Nur zwei, drei Handgriffe, dann wär dieses Problem für immer gelöst. Ganz langsam zieh ich sie aus meinem Holster.

»Du willst mich aber jetzt nicht abknallen, oder was?«, sagt der Rudi, kaum dass er sich umgedreht hat, und stemmt die Hände in die Hüften.

»Doch, Rudi, das würde ich gerne. Wenn du dich schön still hältst, dann treff ich auch garantiert schmerzfrei und absolut tödlich.«

»Herrjemine, also, kommst du jetzt endlich – oder was?«, sagt er, dreht sich wieder ab und öffnet die Autotür. Einige Sekunden lang denk ich noch nach, einige Sekunden zu lange. Schließlich knallt er die Tür ins Schloss und ich schieb die Knarre wieder zurück.

Je inniger ich mir auf der Hinfahrt ein Schweigen gewünscht hätte, desto mehr regt es mich jetzt auf. Der Rudi sagt nix. Kein einziges Wort. Sitzt nur neben mir, grinst ein überheblich-selbstgefälliges Grinsen und schaut dabei abwechselnd durch alle Fenster.

»Rudi«, sag ich gefühlte Lichtjahre später. »Hättest du jetzt vielleicht langsam mal die Güte, mit mir zu reden.«

»Aber gerne, Schatz«, sagt er und strahlt mich an. »Ist es nicht herrlich hier? Diese ganze Natur! Schau doch, dort drüben, ein Pferdegut. Ach, wunderbar. Hab ich dir eigentlich schon mal erzählt, dass ich als kleiner Bub unbedingt ein Pferd haben wollte? Jedes Weihnachten hab ich das auf meinen Wunschzettel geschrieben. ›Pferd‹ stand da immer drauf. Jedes Jahr nur ein einziges Wort. Gekriegt hab ich natürlich keines. Wie auch? Wir haben in einer Dreizimmerwohnung im achten Stock gewohnt. Und hier gibt's gleich so viele. Siehst du das, Pferde über Pferde. Ein Gut nach dem anderen. Dazwischen ein paar Bauernhöfe. Ach, ist das schön hier! Ich glaube fast, das ist die schönste Ecke von München, wenn du mich fragst. So idyllisch. Ach, schau mal, da vorne kommt auch schon Aubing.«

Ja, da vorne kommt Aubing. Und Aubing hat eine herrliche Bushaltestelle mitten im Dorfkern. Und genau dort halte ich.

»Raus!«, sag ich, ohne ihn anzusehen.

Der Birkenberger schenkt mir sein freundlichstes Lächeln, tippt sich an die Stirn und verlässt prompt meinen Wagen. Ich kann das gar nicht glauben. Und doch ist es, wie's ist. Ich hocke in meinem Streifenwagen, und der Rudi lehnt dort ziemlich lässig an dieser verdammten Haltestelle und nickt freundlich zu mir rein. Sein Triumph ist ihm direkt ins Gesicht gemeißelt. Nachdem ich kurz still vor mich hingeflucht, tief durchgeatmet und mich auch ein wenig gesammelt habe, trete ich voll aufs Gaspedal und fahre direkt nach Hause. Das heißt: so ganz direkt dann auch wieder nicht, weil ich mich in dieser Scheißidylle einfach nicht auskenne. War ja noch nie zuvor hier. Es dauert fast zwanzig Minuten, ehe ich den Weg auf die Autobahn finde. Dreimal komm ich dabei noch an der Haltestelle vorbei. Zweimal davon winkt mir der Birkenberger zu. Mit einem ziemlich hämischen Grinsen, um genau zu sein. Beim dritten Mal ist er Gott sei Dank weg. Und irgendwann bin auch ich endlich auf dem richtigen Weg. Heim nach Niederkaltenkirchen. Alles andere hätte jetzt eh keinen Sinn. Einfach schon, weil der Rudi alles weiß, was ich längst wissen müsste, und im Moment keine Chance besteht, an diese Informationen zu kommen, ohne ihm dabei die Zähne einzuschlagen. Also heimfahren und hoffen, dass die Oma wenigstens was Feines gekocht hat.

Bedauernswerterweise und als ob das heute nicht alles schon nervig genug gewesen wäre, hat die Oma gar nichts gekocht. Wie ich heimkomm, ist sie nämlich grade dabei, einen Sticker an dem Papa seine alte Latzhose zu nähen. Der sitzt quasi mittig in der Küche auf einem Stuhl, und sie steht vor ihm und fingert mit Nadel und Faden an diesem blauen Latz umeinander.

»Pass bloß auf, dass du mich nicht stichst«, winselt der Papa, ohne dabei ihre Hände aus den Augen zu lassen.

»Was soll das werden, wenn's fertig ist?«, frag ich erst mal und schau dabei zur Sicherheit noch mal in die Töpfe drüben auf dem Herd. Alle leer. Na prima!

»So, fertig«, sagt die Oma schließlich, beißt den Faden ab, geht einen Schritt rückwärts, hält den Kopf schief und betrachtet dann zufrieden ihr Werk. »Schön schaut das aus, gell. Du, sag einmal, Franz, magst vielleicht auch so einen? Vielleicht auf deine Dienstlederjacke drauf?«

Ich geh mal zum Papa und schau auf seinen Latz. »NKK soll bleiben, wie's ist!« steht da auf dem Sticker.

»Nein«, sag ich und schüttle den Kopf. Dann deut ich rüber zum Ofen. »Nix zum Essen heut?«

»Nein, Bub, heut gibt's nix zum Essen«, sagt die Oma und schlüpft in ihre Jacke. Und auch der hat sie bereits solch einen patriotischen Aufnäher verpasst. »Wir gehen jetzt nämlich zur Demo gegen dieses blöde Hotel. Und hinterher in den Landgasthof zum Essen. Wie schaut's bei dir aus, Bub? Gehst mit?«

»Nein«, sag ich wieder und mach mit den Händen das Ich-bin-müde-Zeichen.

»Ein bisserl solltest dich aber schon für deine Heimat interessieren, Franz«, knurrt mir der Papa jetzt her und steht auf. »Schließlich und endlich geht's hier auch um deine eigene Zukunft, 'zefix!«

Wie die zwei irgendwann weg sind und die Luft rein ist, schnapp ich mir den Ludwig und wir drehen unsere Runde. Und wie durch Zufall kommen wir wieder am Mühlbach entlang. Und das ist durchaus nicht uninteressant, wie sich ziemlich rasch rausstellt. Weil nämlich außer uns zwei Hübschen auch der Rest von ganz Niederkaltenkirchen grade dort aufschlägt. Genau dort, auf der Wiese zwischen dem Mühlbach und der Metzgerei Simmerl, scheinen sich momentan all unsere Eingeborenen zusammenzurotten. Und nicht nur das. Ganz offensichtlich sind sie auch noch mit Schildern, Trillerpfeifen und einem Megaphon bewaffnet. Stehen jetzt dort Seite an Seite und protestieren, dass im Vergleich praktisch jede Verdi-Demo zur reinsten Kuscheltherapie degradiert wird. Unser Bürgermeister persönlich, das Metzgerpaar Simmerl und ein paar mir völlig Unbekannte im edlen Zwirn auf der einen Seite. Auf der anderen der Rest der dörflichen Bevölkerung, selbstverständlich unter Anführung von der Mooshammer Liesl. Darunter freilich auch der Papa und die Oma. Ich hock mich einmal auf ein Bankerl und schau mir das an.

»Schleicht's euch! Wir brauchen euer verdammtes Hotel nicht!«, schreit die Liesl jetzt in das Megaphon, und schon beim ersten Wort schießen sämtliche Finger in sämtliche Ohren. Gut, sie merkt's wohl gleich selber. Jedenfalls nimmt sie dieses Teil vom Mund und schreit denselben Satz noch einige Male, jetzt jedoch ohne jegliches Hilfsmittel, in den Pulk, der sie daraufhin ganz frenetisch bejubelt.

»Aber Leute, schaut's doch einmal«, ruft im Anschluss der Simmerl retour. »Wir müssen uns doch auch irgendwann einmal weiterentwickeln, oder nicht? Wir sind doch nicht mehr in der Steinzeit, Menschenskinder. Und von so einem Hotel, da profitieren wir doch alle, weil …«

Weiter kommt er aber leider nicht mehr, weil er jetzt nämlich recht zahlreich mit Tomaten beworfen wird, was zur Folge hat, dass sich zu den Blutflecken auf seiner Schürze nun auch noch Tomatenflecken gesellen. Alles schön Ton in Ton. Das schaut echt scheiße aus. Und als ob das nun nicht schon reichen tät, wird er auch noch am Kopf getroffen. Das wiederum bringt jetzt freilich die Gisela auf den Plan. Die schätzt es nämlich wenig, wenn man ihren Gatten vergrämt. Einfach schon, weil sie dann daheim alles wieder ausbaden kann.

»Der Nächste, der wirft, der kriegt von mir kein Fleisch mehr! Und keine Wurst. Und einen Leberkäs erst recht nicht mehr. Auf Lebenszeit nicht, ich schwör's!«, plärrt sie nur kurz in die Menge, und umgehend ist Schluss mit der Gemüseeinlage.

»Der Einzige, der wo profitiert, das bist doch du selber, Simmerl«, schreit plötzlich einer aus der Meute der Mooshammerin.

»Genau!«, brüllt gleich ein weiterer Mitstreiter. »Und zwar, weil du deine depperte Wiese, wo dir sowieso keine Sau abkaufen wollte, dann endlich mal los bist. Und wahrscheinlich sogar noch für einen ganzen Schubkarren voll Geld.«

»In Gottes Namen, meine Herrschaften«, versucht es nun einer aus der Simmerl-Fraktion, der mir unbekannt und eher unsympathisch ist. »Wollen wir denn nicht alle gemeinsam nach einer vernünftigen Lösung suchen?« Er kann den Satz grade noch so beenden, da fliegen erneut die Tomaten. Und obwohl er sofort sein Köfferchen zückt, um damit abwechselnd Gesicht und Anzug zu schützen, kriegt er einiges ab.

»Nein!«, sagt die Mooshammerin nun aber wieder durch ihre Flüstertüte hindurch. »Das wollen wir nicht! Der Mühlbach bleibt da, wo er ist, und das Schneckenwegerl auch. Und jetzt haut's endlich ab!«

Der Bürgermeister, der bis dato noch gar nicht zu Wort gekommen ist, wechselt mit dem Simmerl und Konsorten ein paar hastige Worte, zuckt mit den Schultern, und Augenblicke später macht man sich dann gemeinsam und im wahrsten Sinne des Wortes vom Acker. Also pfeife ich noch kurz nach dem Ludwig, und nach ein paar letzten fröhlichen Sprüngen durch die Fluten kommt er auch gleich darauf ans Ufer und schüttelt sich kräftig. Und so machen wir uns halt wieder auf den Weg, der uns nun aus zweierlei Gründen erst einmal zum Simmerl führt. Weil erstens brauch ich ja schließlich noch etwas zum Essen. Und zweitens möchte ich schon zu gerne wissen, was es mit diesem Hotel, dem Mühlbach, dem Wegerl und nicht zuletzt seinem Grundstück denn überhaupt so auf sich hat. Vor der Eingangstür stoß ich noch kurz auf die Gisela, die grade dabei ist, auf ihr Radl zu steigen. Und irgendwie wirkt sie recht hektisch im Moment.

»Wohin so eilig, schöne Metzgerin?«, will ich deswegen noch wissen.

»Mir pressiert's, Franz«, ruft sie noch im Wegfahren. »Muss zu den Flötzingers zum Babysitten, verstehst.«

Ja, der Franz versteht. Dann ist wohl heute die erste Tanzstunde für den Gas-Wasser-Heizungspfuscher. Na, der wird eine Freude haben!

Ich sag: »Ludwig, mach Platz!« Und der Ludwig macht Platz. Und dann schreite ich hinein, in die heiligen Hallen unserer Dorfmetzgerei.

Es ist der Max, der heute den Tresen bewacht. Normalerweise ist er hier in Niederkaltenkirchen ja so was wie der Hilfssheriff vielleicht. Ziviler Sicherheitsdienst, um genau zu sein. Aber so ab und zu muss er auch mal im väterlichen Geschäft aushelfen, da kann er so viel Vegetarier sein, wie er mag.

»Servus, Max«, sag ich deshalb erst mal. »Ist dein Vater nicht da?«

»Servus, Franz. Doch, doch, der ist grad eben rein bei der Tür. Voller Tomatenflecken, mitsamt der Mama und einem ganzen Komitee im Schlepptau«, sagt der Max und grinst dabei übers ganze Gesicht. »Die sind hinten im Schlachthaus, kennst ja den Weg.«

»Und jobmäßig? Alles klar?«

»Logo, hab doch alles im Griff hier im Dorf. Und das ist auch gut so, weil ... schau dich doch bloß um hier«, sagt er und deutet auf das komplette Sortiment. »Hier bei all den toten Viechern, da würd ich echt nicht recht alt werden. Nein, da ist mir der Job im Sicherheitsdienst echt tausendmal lieber.«

»Dann ist es schon recht. Ich schau mal nach hinten. Machst mir derweil ein paar Leberkässemmeln? Sagen wir drei.«

»Keinen Kartoffelsalat dazu?«

»Keinen Kartoffelsalat dazu. Weil, weißt, wer einmal ...«

»... ›im Leben den Kartoffelsalat von der Oma gegessen hat, der schaut keinen anderen mehr an‹, ich weiß schon.«

»Genau«, sag ich noch so, und dann mach ich mich auf den Weg nach hinten ins Schlachthaus.

Kapitel 7

Keine zehn Minuten später hab ich bereits alles erfahren, was mich interessiert, und das auch noch völlig problemlos. Sehr kooperativ, diese Herrschaften hier, alle wie sie da sind. Da könnte sich der Birkenberger wirklich mal eine Scheibe davon abschneiden. Ja, sagt der Bürgermeister, es ist tatsächlich geplant, in Niederkaltenkirchen ein Hotel hinzuhauen. Und selbstverständlich gibt's dabei durchaus jede Menge positive Aspekte zu beachten, sagt er weiter. Neue Arbeitsplätze zum Beispiel. Und Gäste, die frischen Wind in unser Nest reinbringen, und obendrein Kohle. Die Steuereinnahmen darf man freilich auch nicht unterschätzen. Und im Übrigen würde das Ansehen in der gesamten Region kolossal steigen. Ja, unser Bürgermeister, der ist ein ganz schlauer Mann.

»Das versteh ich alles klipp und klar«, sag ich, nachdem ich echt aufmerksam zugehört habe. »Aber dafür muss der Mühlbach weg und das Schneckenwegerl auch.«

»Ach, jetzt hör doch auf, Franz«, mischt sich daraufhin der Simmerl ein. »Der Mühlbach! Das Schneckenwegerl! Seid ihr denn wirklich alle noch ganz dicht, oder was? Sentimentaler Schwachsinn ist das doch! Wann, bitt' schön, warst du denn zuletzt am Mühlbach, ha? Denk mal ganz scharf nach!«

»Grade eben.«

»Ja, sehr witzig! Grad eben war ganz Niederkaltenkirchen am Mühlbach, das ist klar. Und davor?«

»Gestern«, sag ich und kann mir einen triumphalen Tonfall nicht wirklich verkneifen. Doch das beeindruckt ihn offensichtlich herzlich wenig. Er zeigt mir nur einen Vogel.

»Ja, Herrschaften«, sagt jetzt der Anzug von vorhin. »Informieren Sie uns doch bitte einfach, wenn Sie sich einig sind. In ein Kriegsgebiet zu investieren macht sowieso keinen Sinn, nicht wahr?«

»Genauso isses und hasta la vista!«, sag ich noch, dreh mich ab und geh dann wieder zum Max nach vorne. Schnapp mir meine Brotzeit und eine Weiße für den Ludwig, der vor der Tür ganz artig wartet, und so machen wir uns auf den Heimweg.

Am nächsten Morgen bin ich schon relativ früh unterwegs. Genau genommen um halb sechs. Weil da zum einen die Autobahn noch frei ist, was aber bloß einen begrüßenswerten Nebeneffekt darstellt. Der deutlich wesentlichere Grund meines zeitigen Aufbruchs ist, dass ich unbedingt den Birkenberger überraschen will. Bei einem so völlig unerwarteten Besuch im Morgengrauen, da hab ich dann eindeutig die Oberhand. Wahrscheinlich schläft er sogar noch. Ziemlich selbstsicher parke ich den Wagen und läute dann schon an seiner Haustür, die auch prompt geöffnet wird. Anscheinend war er wohl doch schon auf. Die Wohnungstür steht sperrangelweit offen, also trete ich ein.

»Einen wunderschönen guten Morgen, Franz«, tönt es aus der Küche heraus. Wieso ist der so scheißgut gelaunt um diese Uhrzeit? »Möchtest du vielleicht auch einen Smoothie?« Ich trete mal ein, und da seh ich den Rudi an seiner schicken Küchenzeile stehen und mit irgendwelchen Blumensträußen hantieren. Nein, es sind gar keine Blumen, eher Kräuter oder sonst so ein Zeug. Er trägt einen Bademantel mit der Aufschrift »Golfhotel Bad Birnbach«, dicke Wollsocken und ein Handtuch um den Kopf wie eine alte Hollywooddiva. Zum Brüllen, wirklich. »Also, was ist jetzt? Smoothie, ja oder nein?«, fragt er und schenkt mir dabei sein freundlichstes Lächeln.

»Was ist ein Schmutie, bitte sehr?«, will ich jetzt wissen und schau ihm mal über die Schultern.

»Nicht Schmutie, Franz! Smoothie, mit Ti-Äitsch, verstehst«, erklärt er mir jetzt mit ausgestrecktem Zeigefinger, und im Anschluss wirft er das ganze Grünzeug in einen Mixer. Den stellt er dann an. Und wieder aus. Und wieder an. Dabei redet er ohne Unterbrechung. Leider kann ich nur die Teile verstehen, die er mir erzählt, wenn der Mixer grad Pause macht. Und das geht so:

»Vitamine sind wichtig Franz, besonders ... im Rohzustand deutlich wirksamer als ... Darmflora entlasten, ich kann dir gar nicht sagen, wie oft ich ... Entgiftung des gesamten Körpers und obendrein ... Vitamin-C-Anteil in größerer ... grad in unserem Alter sind ... gelesen in einem Forum für ... probierst halt mal, danach ... so, fertig!«

Dann füllt er eine kotzgrüne, zähfließende Masse in zwei Gläser und überreicht mir eines davon mit feierlicher Miene. »Zum Wohl!«, sagt er noch, stößt an und kippt sich dann fast auf ex den klumpigen Brei in die Gurgel. Na gut, einige Male muss er schon absetzen und beißen oder schlucken. Dabei versucht er krampfhaft, ein begeistertes Gesicht zu machen, aber in seinen Augen schimmern die Tränen, das kann ich glasklar erkennen. Ich kipp mein Glas in den Ausguss und setz stattdessen Kaffee auf. Wenn es irgendjemand schafft, aus einem Haufen Grünzeug überhaupt was Genießbares zu zaubern, dann ist es die Oma und sonst keiner. Und die braucht garantiert keinen Mixer dazu.

Nachdem der Kaffee durch ist und der Rudi seinen Wutanfall wegen meiner kleinen Ausgussaktion endlich überstanden hat, hocken wir uns auf seinen Balkon raus. Tatsächlich irgendwie schön hier. Die Sonne ist nicht mehr so kräftig wie in den vergangenen Sommermonaten und das Schlachthofviertel erwacht langsam zum Leben. Radlfahrer und Inlineskater sind unterwegs und Mütter mit Kindern und knallbunten Schulranzen. Anzugträger eilen zwischen alten Leuten mit ihren Rollis hindurch. Und Autofahrer stehen und fahren und hupen. Leben halt. Ich schlurf am Kaffee und über den Rand von meinem Haferl beobachte ich den Rudi. Der hat noch einen ganz grünen Streifen um die Oberlippe, und zusammen mit dem Turban ergibt das einfach ein Bild für Götter. Ich mach mal ein Foto.

»Sag mal, spinnst du, oder was«, keift er mir gleich her und deutet dabei auf sein Outfit. »Du kannst mich doch so nicht fotografieren!«

»Offensichtlich schon«, sag ich und zeig ihm das Bild.

»Lösch es! Sofort!«, sagt er, wischt sich den Mund am Ärmel ab und versucht danach, mein Telefon zu ergattern. Natürlich erfolglos.

»Wehe, du zeigst das jemandem!«

»Also, jetzt erzähl mal, Birkenberger. Was hast du denn gestern so alles ermittelt?«, frag ich noch und lehne mich ganz weit in meinem Stuhl zurück.

»Löschst du jetzt bitte endlich das Foto?«, will er etwa eine halbe Stunde später wissen, nachdem er mich artig an seinem Wissensstand teilhaben hat lassen.

»Sobald ich den Fall aufgeklärt habe, Rudi«, sag ich und steh auf.

»Ja, toll! Und wo willst du jetzt hin?«

»In die Gerichtsmedizin, ist ja wohl klar, oder?«

»Darf ich mit?«

»Nein!«

»Bitte!«

»Nein! Und überhaupt, schau mal, wie du aussiehst!«

»Gib mir zwei Minuten! In zwei Minuten bin ich fertig«, sagt er noch so, und schon springt er von seinem Stuhl auf. Und er braucht tatsächlich nur eine Minute, um fertig zu sein. Weiß der Geier, wie er das gemacht hat. Aber immerhin hat sich das zeitige Aufstehen heute wirklich gelohnt, weil ich jetzt zumindest weiß, dass wir drei weibliche Leichen blutjunger Asiatinnen haben, allesamt im Dirndl, und dass es sich hierbei mit großer Wahrscheinlichkeit um ein und denselben Mörder handelt. Die beiden Mädchen von gestern waren nicht gemeinsam vergraben worden. Zwar sehr nah beieinander, aber eben doch einzeln und eine davon vermutlich auch deutlich früher. Der Baggerfahrer hat tatsächlich nur ein Bein ausgegraben, den Rest hat dann die Spusi säuberlichst freigelegt. Das ist für den Moment auch schon alles. Mal sehen, was unser guter alter Freund, der Günter, noch so rausgefunden hat.

»Ja, da schau an, die Herrschaften Eberhofer und Birkenberger«, begrüßt er uns gleich ganz freundlich. »Ich hätte meinen Arsch drauf verwettet, dass ihr beide heute hier aufschlagt. Und sogar gleichzeitig! Ihr werdet ja noch. Kaffee?«

»Für mich nicht, danke«, sagt der Rudi.

»Du hast nicht zufällig einen stinkenden grünen Brei, der sich Smoothie nennt, mit Ti-Äitsch?«, frag ich und muss grinsen.

»Ich habe jede Menge stinkender grüner Breie hier, Eberhofer. Aber sorry, nein, keinen, der sich Smoothie nennt. Weder mit noch ohne Ti-Äitsch«, entgegnet der Günter prompt, reicht mir meinen Kaffee und der Rudi verdreht derweil die Augen in alle Richtungen.

»Und, wie schaut's aus? Hast du schon was für uns?«, will ich jetzt wissen, schließlich und endlich sind wir ja bloß deswegen hier.

»Hab ich schon was für euch? Ja, freilich hab ich schon was für euch, Kinder! Allein schon, weil mir unser nagelneuer OB im Nacken hockt. Also, aufpassen! Das erste Mädchen, das aus dem Container, das ist ja eine relativ frische Leiche. Die zwei aus Freiham dagegen, die sind deutlich älter. Genau genommen ist die Wahrscheinlichkeit extrem hoch, dass die eine bei der letzten Wiesn und die andere bei der vorletzten ermordet worden ist.«

»Du meinst, da läuft ein Typ rum, der jedes Jahr eine asiatische Touristin ermordet?«, frag ich und kann das im Grunde gar nicht recht glauben.

»Ja und nein. Er ermordet asiatische Mädchen, das ist Fakt. Ob es Touristinnen sind, das halte ich persönlich für eher unwahrscheinlich.«

»Ja, ich auch«, stimmt der Rudi jetzt zu und nickt. Er steht vor einer Tafel mit etlichen Fotos drauf, die er ganz aufmerksam betrachtet. Da gesell ich mich doch einmal dazu. Es sind Aufnahmen von den Mädchen oder besser: von deren einzelnen Körperteilen, die natürlich stark verwest sind. Kein schöner Anblick, wirklich. Und trotzdem betrachte ich und betrachte, kann aber beim besten Willen keinen Hinweis drauf finden, warum es sich nicht um Touristinnen handeln sollte.

»Und? Funkt's?«, will der Rudi jetzt wissen und starrt mich erwartungsvoll an. Er hat die Hände ganz tief in den Hosentaschen vergraben und schaut nun zwischen den Fotos und mir hin und her. Mit einer allwissenden Visage.

»Hähä, er kommt nicht drauf!«, grinst er dann zum Günter rüber.

»Ja«, antwortet der und kommt zu uns rüber. »Wir sind

hier nicht im Ratequiz und es gibt auch keinen Joker. Aus dem einfachen, aber verständlichen Grund, weil ich für solche Spielereien keine Zeit habe, meine Herren. Also, Eberhofer, schau dir einfach mal die Fingernägel an auf dem Bild hier. Und diese Unterwäsche, und da die falschen Wimpern. So was trägt normalerweise keine Touristin. Und schon gar keine asiatische.«

»Nicht?«, sag ich und schau noch mal etwas genauer hin.

»Nein!«, kommt es vom Günter und vom Rudi direkt ganz gleichzeitig.

Aha.

»Aha«, sag ich und bei genauerer Betrachtung haben die beiden wohl recht. Wozu braucht man beispielsweise Strapse bei einem Wiesnbesuch? Obwohl ...

»Kann ich die Bilder haben?«, frag ich, weil das rein in kriminalistischer Hinsicht unglaublich hilfreich wäre.

»Hab dir Kopien gemacht, liegen vorn auf meinem Schreibtisch. So, das war's aber auch schon fürs Erste, wenn ich mehr hab, sag ich Bescheid«, murmelt der Leichenfläderer jetzt noch, ist aber schon längst wieder über ein Kühlfach gebeugt. Und so sag ich merci, wir verabschieden uns noch recht artig und machen uns dann auf den Weg. Das heißt, eigentlich machen wir uns schon auf den Weg, müssen ein paar Schritte später aber auch schon wieder zurück.

»Du, Günter«, sagt der Rudi und hat jetzt ganz hektische Flecken in seinem Gesicht. »Kann ich grad noch kurz dein Klo benutzen?«

»Ja, ja, Tür raus, Gang entlang, vierte Tür rechts«, sagt der Günter, ohne den Blick von seiner Leiche zu nehmen. Es ist eine von den meinen.

»Sag einmal, wie kann man jemandem solche Verletzungen zufügen? Und womit?«, frag ich nicht ganz ohne Entsetzen.

»Das würde ich auch zu gerne wissen, Eberhofer. So was hab ich in meinem ganzen Leben noch nie nicht gesehen. Die Form dieser Einstiche macht mich wahnsinnig. Ich kann ums Verrecken keine Tatwaffe zuordnen. Das Einzige, was ich mit ziemlich hoher Wahrscheinlichkeit weiß, ist, dass zumindest dem zeitlich ersten Opfer diese Stiche erspart geblieben sind«, sagt er und legt dann den Kopf des toten Mädchens zur Seite. Das, was früher sicher mal langes, seidig glänzendes Haar gewesen war, fällt jetzt in Büscheln über den Tisch. Und ausgerechnet in diesem kühlen Licht und trotz der gruseligen Verletzungen wirkt die Tote so jung und hilflos und fast noch schön, dass es mir beinahe den Atem verschlägt. Was für ein krankes Hirn ist da draußen bloß unterwegs?

»So, fertig!«, sagt der Rudi, gleich wie er wieder bei uns aufschlägt, und sein Gesicht ist deutlich entspannter.

»Und, alles gut gelaufen, Mr. Smoothie?«, will ich jetzt wissen und kann mir ein Grinsen nicht wirklich verkneifen.

»Sehr witzig«, brummt er mir her, wendet sich dann aber vertrauensvoll und im Flüsterton direkt an den Günter. »Euer Klopapier, das ist voll scheiße, Mann. Da hast du echt das Gefühl, dir den Hintern mit einer Kreissäge zu wischen. Und außerdem sind noch nicht mal Feuchttücher da.«

»Sag bloß!«, entgegnet der Günter und schaut den Rudi durch die Gläser seiner Schutzbrille ganz mitfühlend an. »Das werde ich natürlich gleich weiterleiten. Das nächste Mal ist alles da, was du brauchst, Birkenberger. Feuchttücher und Softpapier, drei- oder vierlagig? Und brauchst du noch Puder oder Salbe?«

»Nein, Feuchttücher sind prima, danke. Und vierlagig wäre mir lieber.«

»Raus jetzt!«, brüllt der Leichenfläderer ein klein wenig ungehalten. Und so heben wir die Hand zum Gruße und sind schon weg.

Wie es meine Pflicht und Schuldigkeit und obendrein auch meine Aufgabe ist, lasse ich die Steffi großzügig an meinen frisch erworbenen Kenntnissen Anteil haben. So breite ich auch die Bilder von den Leichen aus, die sie anschließend ganz aufmerksam betrachtet. Hinterher sortiert sie die aus, wo die Gesichter drauf sind oder das, was davon übrig ist, und verspricht mir, noch einmal exakt alle Vermissten durchzugehen. Da bin ich froh und dankbar, weil Schreibtischarbeit einfach so gar nicht mein Ding ist. Das macht mich müde oder gelegentlich sogar aggressiv, kommt ganz auf den Fall an. Nein, ich bin ein Mann für die Straße, keine Frage.

»Müsstest du nicht schon längst unterwegs sein, Steffi?«, frag ich mit einem Blick auf die Uhr. Es ist halb zwei, mittlerweile also tiefster Feierabend für sie.

»Die Kids sind für ein paar Tage bei meinen Eltern, weißt du. Der Stahlgruber, der will nämlich diesen Fall so schnell wie möglich vom Tisch haben. Ja, und ehrlich gesagt, mir tun ein paar Überstunden schon auch ziemlich gut, dann kann ich zwischen Weihnachten und Silvester komplett zu Hause bleiben. Das ist perfekt.«

Ja, das hört sich durchaus ziemlich perfekt an.

»Verstehe«, sag ich und beug mich ein bisschen nach vorne. »Dann könnten wir zwei Hübschen ja später vielleicht eine Kleinigkeit essen oder so.«

»Mal sehen«, sagt sie und widmet sich nun wieder den Fotos.

»Oder hast du schon was anderes vor?«, frag ich, weil mir urplötzlich die Sache mit ihr und dem Stahlgruber wieder in den Kopf schießt.

Dann aber läutet das Telefon. Und es ist das von der Steffi. Sie meldet sich brav und lauscht einen kurzen Moment.

»Ja, ja, ich komm schon«, sagt sie noch und hängt auf.

»Der Boss will einen Status quo. Und zwar sofort. Und zwar in seinem Büro.«

»Und warum kommt er dann nicht hierher?«

»Weil er dich nicht leiden kann«, sagt sie noch, schenkt mir ihr bezauberndstes Lächeln und huscht samt den Bildern zur Türe hinaus.

Der Boss will einen Status quo! Jetzt wird mir gleich übel! Was der will, das weiß ich genau. Wichser, blöder!

Kapitel 8

Wie ich am Abend meine Runde mit dem Ludwig drehe, stoße ich unterwegs auf den Flötzinger. Er joggt durch die heimatlichen Wälder, das tut er so ab und an. Praktisch immer dann, wenn er denkt, dass er dringend mal wieder was für sein Äußeres tun muss. Oder anders gesagt, immer dann wenn er irgendeine neue Tussi auf dem Radar hat. Weil, seine Mary, die ist, ja, wie soll ich sagen, seit der Geburt der drei Kinder so zwischenmenschlich eher ausgeknipst. Wie Kind zwei und drei zustande gekommen sind, ist mir noch bis heute völlig schleierhaft. Das nur zum besseren Verständnis, damit man halt weiß, warum der Flötzinger öfters mal auf ehelichen Abwegen wandelt.

»Flötzinger, lass mich raten«, sag ich deshalb gleich, wie wir aufeinandertreffen. »Eine neue Kuh im Stall?«

»Franz«, keucht er, ohne jedoch seine Beine still zu halten. Er hopst von einem Fuß auf den anderen und schaut dabei ganz angespannt auf seinen Pulsmesser. »Das kannst du dir überhaupt gar nicht vorstellen! In diesem Tanzkurs gestern ... eine Zuckerschnute neben der anderen. Lauter Eins-a-Weiber. Und einige sogar ohne Tanzpartner. Mit ein paar davon hab ich dann tanzen müssen. Quasi der Gerechtigkeit halber, du verstehst.«

»Also ist der Tanzkurs gar nicht so scheiße, oder?«

»Der Tanzkurs ist die Hölle, Franz! Eins, zwei, tipp. Eins,

zwei, drei, Drehung nach links, nach rechts, Arm rüber, runter, rauf! Und das Schlimmste ist, alles muss der Mann übernehmen, die Frau, die muss sich nämlich nur führen lassen. Kann ihr Gehirn praktisch an der Garderobe abgeben und muss sich nur noch führen lassen. Aber der Mann! Der musst nachdenken: Wie war das gleich noch? Wo kommt der Fuß hin? Wo muss der Arm auf ihrem Rücken liegen? Drehung nach links oder doch eher nach rechts? Da kommst du ins Schwitzen, Hölle, verstehst! Aber dann eben diese wunderbaren Weiber, wie sie da vollkommen auf dich angewiesen sind und in deinen Armen liegen!«

Oje. Jetzt schaut er ganz versonnen ins Nichts und scheint seinen Erinnerungen zu erliegen. Der Ludwig und ich, wir machen uns jetzt doch lieber wieder auf den Heimweg. Und wir sind schon ein gutes Stück gegangen, wie ich mich umdrehe und der Flötzinger noch völlig unverändert dasteht und ganz verklärt in die Wipfel der Bäume glotzt.

Beim Eintreffen in die heimatlichen Sphären ist ein Tohuwabohu bei uns am Hof, das kann man gar nicht glauben. Die Mooshammerin ist da und die Oma auch. Und die hat meine kleine Nichte, die Uschi, auf dem Arm. Der Leopold steht nebst Gattin vor seinem Wagen, und der arme Papa droht ernsthaft an dessen Umarmung zu ersticken. Sofort läuft der Ludwig mit wedelndem Schwanz und Begrüßungsgebell in Richtung Panida und springt an ihr hoch. Das kann ich auch ziemlich gut verstehen. Weil die Panida erstens eine ganz wunderbare kleine Thailänderin ist und sie zweitens immer ein Gutti für den Ludwig dabeihat. Also meist einen Knochen. Den schnappt er sich auch gleich mal und bringt ihn in Sicherheit. Ich für meinen Teil geh ebenfalls zuerst mal zu ihr hin. Der Leopold, der hasst es nämlich tierisch, wenn ich seine Frau abknutsche. Und das allein schon ist Grund genug.

»Servus, Schwägerin! Lass dich drücken«, sag ich, und sie lässt sich drücken, wirft den Kopf zurück und lacht aus vollem Halse. Und plötzlich muss ich irgendwie an meine drei toten Mädchen denken. Sie hatten alle miteinander die gleiche Statur, die gleichen Haare und vermutlich ein ganz ähnliches herzerfrischendes Lachen, wie es die Panida hat, das aber niemand mehr hören wird, das von meinen drei Mädchen. Und jetzt läuft mir ein Schauer über den Rücken. Es ist meine süße Nichte, die mich aus diesen Gedanken reißt. Einfach deshalb, weil sie mich endlich entdeckt hat und nun freilich sofort vom Arm runter will. Die Oma setzt sie ganz vorsichtig ab.

»Onkel Franz!«, ruft die kleine Sushi recht lautstark und rennt auch gleich auf mich zu. Mit ihren winzigen Haxerln und den niedlichen Schlitzäuglein könnte man sie wirklich vom Fleck weg fressen. Sie sieht ihrer Mama schon ziemlich ähnlich, nur ist sie vielleicht nicht ganz so asiatisch, schon rein von der Nase her nicht. Vom Leopold aber hat sie so gut wie gar nichts, ja, da hat sie wohl echt Glück gehabt. Wenn man's genau nimmt, kommt sie eigentlich viel eher nach mir. Oder ist da der Wunsch der Vater des Gedanken? Blödsinn!

»Onkel Fanz!«, quietscht die Sushi jetzt und klatscht mir dabei ihre Händchen ins Gesicht. »Machst du den Flieger mit mir? Bittebittebitteee!«

»Nein, Uschilein«, mischt sich umgehend der Leopold ein. »Der Onkel Franz, der macht keinen Flieger mit dir. Sonst wird dir bloß wieder schlecht.«

»Freilich machen wir den Flieger, Mäuschen«, sag ich noch so, pack sie an der Hand und am Fuß, und schon wirbelt sie durch die Luft.

Drei Minuten später muss sie leider kotzen. Aber nur ein ganz kleines bisschen, und außerdem sagt sie ständig und allen Erfahrungen zum Trotz, dass es soooo lustig war.

»Du bist und bleibst ein Arschloch, Franz«, knurrt der Leopold relativ vorwurfsvoll, während er seiner kleinen Tochter den Mund abwischt.

»Das darf man aber nicht sagen, Papi«, sagt der Zwerg prompt und lässt sich dann artig die Nase putzen.

»Weißt du, Sushi, der Papi ist böse, weil der dumme, dumme Onkel nicht auf ihn gehört hat«, sag ich nicht ganz ohne Reue. Es tut mir nämlich schon ziemlich leid, das mit dem ganzen Gekotze.

»Der Papi, der wird gleich noch viel böser, wenn …«, versucht es der Leopold noch einmal in einem fast schrillen Tonfall.

»Schluss jetzt!«, unterbricht ihn der Papa aber gleich.

»Machts doch nicht so ein Theater«, mischt sich dann auch noch die Liesl ein. »Sie wird schon nicht sterben. Die Kleine ist doch schließlich nicht aus Zucker, Herrschaftszeiten!«

»Du, Liesl, kümmerst dich bitte recht schön um deinen eigenen Dreck und lässt uns mit deinen schlauen Sprüchen in Ruh«, knurrt jetzt der Papa. Irgendwie kommt hier grad so gar keine entspannte Stimmung mehr auf. Deswegen ruf ich lieber mal nach dem Ludwig und begeb mich in die Küche. Eine riesige Tupperschüssel mit Wurstsalat steht dort auf dem Tisch und ein Korb voll mit ganz reschen Brezen. Aber auch jede Menge Teller. Da ich aber momentan auf größere Gesellschaften so gar keine Lust habe, schnapp ich mir meine zugegebenermaßen ziemlich große Ration und vier Brezen und mach mich damit auf den Weg in meinen Saustall rüber. Wie ich unsren Hof durchquere, besteht die Sushi steif und fest drauf, mit dem Onkel Franz zu essen. Und so hock ich einige Minuten später völlig entspannt auf meinem Kanapee, hab den Zwerg Nase am Schoß und wir zwei verputzen die ganze Schüssel, und zwar komplett. Ja, gut, das eine oder andere Wurstradl kriegt der Ludwig freilich auch noch ab und schleckt sich hinterher ewig lange das Maul. Und die Sushi, die tunkt ihre Brezen am liebsten in den Essigsud und dann nuckelt sie dran.

»Ist es dir jetzt nicht mehr schlecht?«, frag ich sie, grad wie ich mir eine Gabel Wurst in den Rachen schiebe. Sie schüttelt den Kopf. »Dann isses ja gut«, sag ich ehrlich erleichtert. Nach dem feinen Mahl albern wir zwei noch ein bisserl auf dem Kanapee rum, doch irgendwann reibt sich die Kleine die Augen, und schließlich schläft sie ein. So heb ich sie vorsichtig auf, geh mit ihr übern Hof und übergeb sie im Wohnhaus an ihre Erzeuger. Die Panida strahlt übers ganze Gesicht. Und der Leopold ... der grollt so still vor sich hin. Weil er hat das schlicht und ergreifend nur satt, dass seine zwei Mädchen so auf mich abfahren.

Bestens gelaunt geh ich anschließend rüber zum Wolfi und treff dort auf den Simmerl. Der sitzt da ganz allein am Tresen, und das, obwohl die Bude voll ist bis zum Gehtnichtmehr. Hockt nur da und starrt in sein Bierglas.

»Na, einsamer Krieger«, sag ich deswegen erst mal und deute dem Wolfi an, dass ich Durst hab wie ein Tier und er mir doch bitte gleich eine Halbe bringen möge. Die steht auch postwendend vor mir, hell und kühl im beschlagenen Glas, und ist mit einem einzigen Zug in meiner Gurgel verschwunden. Doch prompt kommt auch die zweite.

»Hast einen rechten Durst heut, Eberhofer?«, fragt der Metzger und stößt mit mir an.

»Und du? So allein hier? Warum redet denn keiner von denen mit dir?«, frag ich und deute mit dem Kinn an die umliegenden Tische.

Der Simmerl zuckt mit den Schultern.

Erst beim vierten Bier wird er langsam gesprächig.

»Alles Idioten, so weit das Auge reicht«, sagt er ziemlich laut und sein Blick schweift dabei durch den Raum. »Niederkaltenkirchen ist ein echtes Scheißkaff, verstehst, Franz? Und was machen unsere werten Mitbürger hier? Die laufen mit einem Sticker durchs Land, wo draufsteht: Dieses Scheißkaff soll so bleiben, wie's ist! Neandertaler, sag ich da bloß. Weiterentwicklung, Fehlanzeige. Infrastruktur, Fehlanzeige. Arbeitsplatzbeschaffung, Fehlanzeige. Mich wundert's direkt, dass die nicht noch in Fellen und mit Speeren durch unsere Wälder jagen.«

»Höhöhö!«, tönt's jetzt von den Nachbartischen rüber.

»Ja, weil's wahr ist!«, schreit der Simmerl und äfft mit seinen Armen einen Gorilla nach. Das macht er gar nicht so schlecht. Es ist schon was dran: Der Mensch, der stammt vom Affen ab. Wenigstens einige davon.

»Meinst nicht, dass du das alles ein wenig einseitig betrachtest, Simmerl?«, fragt jetzt der Wolfi gläserpolierenderweise. »Du willst dein Brachland loswerden, das ist alles. Und wennst ehrlich bist, dann kann da halt mal niemand bauen, der keine Kohle hat. Weil niemand den Bach umleiten kann und das Fundament trocken kriegt. Aber die Berliner, die können das schon. Und das ist der einzige Grund, warum du so scharf bist auf dieses Hotel und urplötzlich den Fortschritt von Niederkaltenkirchen heraufbeschwörst.«

Applaudierende Kommentare von den Nebentischen.

Simmerlsche Blicke in Richtung zum Wirt: tödlich!

Anschließend schmeißt er sein Geld auf den Tresen und verlässt wortlos das Lokal. Aber er kommt noch mal ganz kurz zurück.

»Wir werden schon sehen, wer am längeren Hebel hockt«, keift er noch durch den Türspalt hindurch, dann aber ist er endgültig weg.

»Machst mir noch eine Halbe«, sag ich zum Wolfi und leere mein Glas.

Zu späterer Stunde sind wir zwei irgendwann ganz allein im Lokal.

»Sag mal, gibt's eigentlich was Neues von der Susi?«, will der blöde Wirt jetzt plötzlich wissen. Er betont das auch gar nicht richtig wie eine Frage. Vielmehr so, als wüsste er was von der Susi, und will nun herausfinden, ob ich es ebenfalls weiß.

Ich kneife die Augen zusammen und schüttle den Kopf.

»Jackie?«, fragt er und greift auch gleich hinter sich zur Flasche Jack Daniels.

»Und AC!«, sag ich und reich ihm die AC/DC-CD.

Wie ich weit nach Mitternacht endlich aufbrech, hab ich noch immer keinerlei Informationen in Sachen Susi. Einfach, weil der Wolfi vehement darauf beharrt, dass es tatsächlich nur eine einfache Frage gewesen wäre. Eine ganz einfache Frage, weiter nichts. Er selber hat keinerlei Ahnung, was die Susi betrifft. Woher auch?

Das stellt mich nicht wirklich zufrieden, muss ich schon sagen. Deshalb mach ich auf dem Heimweg noch kurz auf dem Spielplatz halt. Ich hock mich wieder auf die Schaukel und schaukle. Wähle die Nummer von der Susi und lausche in den Hörer. Schon während des Klingelns rufe ich ständig ihren Namen. Weil ich es irgendwie kaum noch erwarten kann, endlich ihre Stimme zu hören.

»Eberhofer!«, tönt es vom Nachbarbalkon her, aber das ignoriere ich einfach.

»Susi! Susilein«, rufe ich wieder und wieder.

»Eberhofer, ich warne dich!«

»Ja, warne mich nur, du Arschloch!«

Genau bei dem Wort Arschloch nimmt die Susi ab. Das ist jetzt aber echt eine blöde Ausgangsposition. Und ganz erwartungsgemäß kreischt sie mir jetzt erst mal sekundenlang voll laut ins Ohr.

»Fängst du jetzt auch noch mit Beschimpfungen an, oder was? Du bist echt das Allerletzte, Franz«, sagt sie dann irgendwann, und ich kann nicht recht ausmachen, ob sie dabei lacht oder weint.

»Warte kurz. Bitte!«, fleh ich sie an und begeb mich erst mal aus dem Spielplatz raus und zum Balkongeländer meines nächtlichen Freundes hinüber. Dort kraxle ich hinauf, erklär ihm kurz und knapp den momentanen Sachverhalt und reich ihm schließlich mein Telefon.

»Susi?«, sagt er gleich drauf in die Muschel. »Mit Arschloch warst nicht du gemeint, sondern ich, verstanden. Weil es mir echt langsam auf den Sack geht, dass der Eberhofer hier ständig nachts rumhängt und mir mit seinem blöden Liebesgesäusel jedes Mal wieder den Schlaf raubt. Ende der Durchsage. Servus.«

»Merci«, sag ich ganz artig, wie er mir den Hörer zurückreicht, und gehe zurück zur Schaukel.

»Susimaus«, sag ich und versuch dabei so laut wie nötig und so leise wie möglich zu reden. »Susimaus, was genau weiß eigentlich der Wolfi über dich?«

»Das geht dich nichts an, Franz. So wie dich mein ganzes Leben nichts mehr angeht, verdammt!«

»Bitte!«

»Gute Nacht, Franz. Ach ja, ich krieg eine neue Handynummer, in ein oder zwei Tagen. Du kannst dir also in Zukunft diese Anrufe sparen, verstanden!«

Klack – Leitung tot.

Ein paar Tage später, grad wie ich im Büro erscheine, läutet mein Telefon, und der Günter ist dran. Er hätte ein paar Neuigkeiten für mich. Und so schalte ich erst mal den Lautsprecher ein, damit die Steffi mithören kann und ich ihr hinterher nicht alles wiedergeben muss. So sitzen wir zwei also lauschenderweise an unseren Schreibtischen einander gegenüber, und die Steffi, die macht dabei sogar noch fleißig Notizen.

Am Ende des Gespräches bedanke ich mich beim Leichenfläderer recht herzlich, und dann häng ich ein. Danach hol ich mir erst mal ein Haferl Kaffee.

»Das ist aber echt grausam«, sagt die Steffi und gesellt sich zu mir an die Maschine.

»Na, grausam ist jetzt vielleicht ein bisserl übertrieben, Steffi. Gut, ich hab den letzten Kaffee genommen, aber man kann doch schließlich auch einen neuen aufsetzen, oder?«

»Ich mein doch nicht den Kaffee, Blödmann. Ich mein diese Brutalität, mit der unser Mörder diese Mädchen so zugerichtet hat, kapiert«, antwortet sie leicht genervt, beginnt aber prompt, frischen Kaffee aufzusetzen.

»Ach so, ja, das ist allerdings heftig.«

Während der Kaffee so durch die Maschine blubbert, geht die Steffi zurück zu ihrem Schreibtisch und wirft einen Blick in ihre Notizen. Ganz nachdenklich runzelt sie dabei die Stirn, schüttelt den Kopf, und irgendwie hat sie grad einen ziemlich angewiderten Gesichtsausdruck drauf.

»Also, pass auf«, sagt sie schließlich und setzt sich nieder. Ich geh mal zum Waschbecken rüber und schütte heimlich meine Tasse aus. Der Inhalt schmeckt schal, also praktisch genau so, wie Kaffee eben schmeckt, wenn er zuvor ewig lang auf der heißen Platte vor sich rumgedümpelt hat. Danach füll ich meine Tasse wieder auf und bring auch der Steffi ein Haferl hinüber. Aber das merkt sie gleich gar nicht, einfach, weil sie ganz offensichtlich so dermaßen mit Denken und Reden beschäftigt ist, dass alles andere untergeht. »Unsere erste Leiche, also die vom Birkenberger, die ist ja im Grunde genommen unsere letzte.«

»Wie, unsere letzte?«, frag ich, weil mir das jetzt wirklich zu hoch ist. Die Erste ist die Letzte? Hä? Die Letzten werden die Ersten sein, oder was?

»Mensch, Eberhofer, jetzt reiß dich doch mal zusammen! Die Leiche, die wir zuerst gefunden haben, das ist die, die zuletzt ermordet wurde. Ist das jetzt klar?«

»Glasklar!«

»Gut. Leiche Nummer zwei ist die kleinste von allen. Und vermutlich auch noch die Jüngste. Die ist im letzten Herbst ermordet worden und so wohl mit ziemlich hoher Wahrscheinlichkeit auch während der Wiesn. Die dritte Leiche, die ist sonderbarerweise eigentlich noch fast besser erhalten als die zweite. Weil sie in diesem bestimmten lehmigen … wie hieß der Untergrund gleich noch, in dem sie gelegen hat?«

»Keine Ahnung«, sag ich.

»Ja, vielen Dank auch für deine Hilfe. Aber ist auch egal. Jedenfalls ist sie plus/minus zwei Jahre lang tot. Also vermutlich ebenfalls ein Wiesnopfer. Getötet wurden alle drei auf völlig unterschiedliche Art und Weise oder zumindest mit verschiedenen Tatwaffen. Nur diese Stichverletzungen, die sind ja irgendwie ähnlich. Also unsere erste Leiche zum Beispiel …«

»… die eigentlich ja die letzte war.«

»Stimmt. Gut, wir sollten ihnen Namen geben, dann bringen wir nichts mehr durcheinander. Fällt dir was ein?«

»Alpha, Berta, Cäsara?«, schlag ich so vor.

»Passt! Und wer kriegt welchen?«

»Wir machen das in der Reihenfolge der Morde, sonst kommen wir komplett aus dem Tritt. Also das erste Opfer, das von vor zwei Jahren, heißt dann meinetwegen ab sofort Alpha.«

»Perfekt! Wie wir ja schon lang wissen, ist Cäsara mit einer Eisenstange erschlagen worden. Berta dagegen wurde mit einem Stein erschlagen. Und Alpha ... die ist irgendwo dagegengeknallt. Was hat der Günter gesagt? Ach ja, auf eine Bordsteinkante oder etwas in der Art. Hätte also wohl auch gut ein Unfall sein können.«

»Was aber irgendwo gar keinen Sinn macht, oder? Angenommen, es war tatsächlich ein Unfall, ist dann der Täter dabei auf den Geschmack gekommen, oder was? Hat sich gedacht: Ach, das war aber jetzt spannend! Das mach ich ab sofort jedes Jahr auf der Wiesn.«

»Mensch, Eberhofer«, sagt die Steffi und verdreht die Augen. »Kann das sein, dass du das hier alles nicht ernst nimmst?«

Just in diesem Moment erscheint der Stahlgruber im Türrahmen. Erst lugt er nur etwas verschlagen herein, genau wie ein Dieb, der überprüft, ob die Luft auch wirklich rein ist. Schaut zuerst mich an und danach rüber zur Steffi, und erst dann tritt er ganz langsam ein.

»Nun sagen Sie schon, Eberhofer. Kann das sein, dass Sie das hier alles nicht ernst nehmen?«, will er gleich wissen und stützt sich dabei auf meinem Schreibtisch ab. Und er atmet mich jetzt an. So was kann ich nicht haben. Beim besten Willen nicht. Deswegen erheb ich mich auch sofort und stell mich genau vor ihn hin. So stehen wir also Brust an Brust und es passt kein Blatt Papier mehr dazwischen.

»Wenn Sie wieder mal Ihren Status quo brauchen, Stahlgruber, dann steht Ihnen meine werte Kollegin sicherlich gern zur Verfügung. Mich braucht ihr zwei Hübschen dazu bestimmt nicht. Außerdem hab ich wirklich was Wichtigeres zu tun. Da draußen, da läuft nämlich ein Irrer frei rum. Also, habe die Ehre zusammen«, sag ich noch so, und schon bin ich draußen.

»Wagen Sie es ja nicht ...«, hör ich es durch die Gänge grollen, und hundertfach kommt es von den Wänden zurück.

Nachdem ich mir durch Unmengen Trachtenträger hindurch einen Weg zu meinem Streifenwagen gebahnt habe, fahre ich aus der Feuerwehranfahrtszone und mach mich dann direkt auf den Weg nach Freiham raus. Wir haben also jetzt drei Leichen junger asiatischer Mädchen, allesamt auf die eine oder andere Art ermordet, und zwei von ihnen mit unzähligen Stichen übersät. Wir haben keine Vermissten, keine Tatwaffen, kein Motiv und keinen Täter. Ganz toll, wirklich. Weniger kann man praktisch gar nicht haben. Ich rufe den Birkenberger an. Gut, sagt er, wir können uns ja später kurz treffen. In unserem Stammlokal, so gegen sechs. Jetzt im Moment hat er überhaupt keine Zeit, weil er nämlich gleich mit seiner Auftraggeberin in genau der Pension aufschlägt, wo deren Gatte in jeder Mittagspause seine Mätresse besteigt. Und heute … heute werden die beiden, also quasi er selber und die gehörnte Ehefrau, zu diesem delikaten Tête-à-Tête dazustoßen. In flagranti sozusagen. Den Zimmerschlüssel hat er bereits, der Rudi. Und jetzt pressiert's ihm freilich ganz furchtbar. Dann legt er auf.

Wie ich auf der immer noch abgesperrten Baustelle ankomm, rennt mir schon der Bauleiter entgegen, trägt selbiges kariertes Hemd wie neulich, und deshalb bete ich inständig, dass es zwischenzeitlich wenigstens einmal die Waschmaschine von innen gesehen hat.

»Eberhofer, gut, dass Sie da sind«, sagt er gleich, nimmt den Helm vom Kopf und streicht sich mit der Hand das spärliche Haar nach hinten. Der Geruch seiner Achseln weist meine Gebete als unerhört aus. »Ich hab schon x-mal Ihren Vorgesetzten angerufen, diesen Vollidioten, Entschuldigung, aber Sie wissen schon, den …«

»… den Stahlgruber?«

»Genau den!«

»Sie müssen sich nicht entschuldigen. Man kann das Kind ruhig beim Namen nennen«, sag ich und muss grinsen. Er grinst nicht. Stattdessen schaut er mich etwas verwirrt an und scharrt leicht verlegen mit den Schuhen im Kies.

»Wie dem auch sei«, fährt er schließlich fort und deutet dann rüber auf die rot-weißen Absperrbänder. »Wie lange wird das denn noch dauern? Wir sind schon total im Verzug, wissen Sie. Und dieser Stahlgruber, der will uns halt ums Verrecken die Baustelle nicht freigeben.«

Ich hol mal mein Telefon hervor und ruf die Kollegen von der Spusi an. Ja, heißt es dort, sie sind schon längstens fertig hier und im Grunde war eh nichts Brauchbares zu finden. Ein paar Haare, abgebrochene Nägel, aber die waren ohnehin allesamt von den Opfern selber. An vielen der Steine klebt wohl Blut, aber auch dieses ist eindeutig den Mädchen zuzuordnen. Warum der Stahlgruber die Baustelle weiterhin absperrt, das wissen die Geier. Danke, sag ich noch und verabschiede mich. Anschließend wähle ich die Nummer von unserem kriminalistischen Oberguru.

»Stahlgruber!«, meldet er sich zackig und schroff, und fast könnte ich schwören, er haut dabei sogar seine Hacken zusammen. Auf meine Frage nach der ominösen Sperraktion, erklärt er mir ernsthaft, man könne ja immerhin nicht ausschließen, dass dort noch weitere Leichen verscharrt wären. Ja, sag ich, das sei durchaus im Bereich des Möglichen, könne aber nur herausgefunden werden, wenn hier wieder gebaggert werde. Dann leg ich auf. Keine zehn Sekunden später läutet mein Telefon. Es ist der Stahlgruber, das seh ich sofort, und so stell ich erst mal den Klingelton aus.

»Machen Sie die Bänder ab und baggern Sie los, Schnabel«, sag ich und mach mich auf den Weg zum Fundort rüber. »Aber baggern Sie vorsichtig, haben Sie mich verstanden? Es ist durchaus nicht auszuschließen, dass …«

»Grundgütiger! Ja, ja, verstehe. Wir werden mit Samthandschuhen baggern, versprochen«, sagt er noch, wirkt plötzlich wie befreit und beginnt auch gleich wie wild zu telefonieren.

Die beiden Mädchen waren etwa zehn bis zwölf Meter weit voneinander begraben. Und trotz dieser Nähe ist die Bodenbeschaffenheit der jeweiligen Fundorte tatsächlich völlig unterschiedlich. Während die eine Stelle eher lehmig und schwer ist, ist die andere sandig und mit Kies durchzogen. Im Übrigen sind beide Leichen ziemlich tief gelegen. Wer immer die zwei dort verscharrt hat, es muss eine elendige Arbeit gewesen sein und er wollte in jedem Fall auf Nummer sicher gehen. Da fragt man sich natürlich, warum er dann das dritte Opfer, also unsere Cäsara, bloß einfach in einen Container geworfen hat.

Ich warte schon geschlagene zwanzig Minuten in unserem Lokal, wie der Rudi endlich dort ankommt. Und sonderbarerweise trägt er eine Sonnenbrille, obwohl es längst schon dämmrig ist, und ein Käppi, ganz weit ins Gesicht gezogen. Kaum dass er mich begrüßt und sich hingesetzt hat, vergräbt er sein Antlitz hinter einer Speisekarte und kommt auch die nächste Zeit nicht mehr dahinter hervor. Die lockige Bedienung kommt, stellt uns beiden ein Bier hin und nimmt mein aufgrund der langen Wartezeit bereits leeres Glas wieder mit.

Da es keinerlei Anzeichen dafür gibt, dass der Birkenberger jemals wieder hinter dieser dämlichen Speisekarte rauskommt, greif ich nach dem Teil und will es ihm wegziehen. Aber er hält daran fest, als hinge sein Leben davon ab.

»Rudi!«, sag ich dann zerrenderweise. »Jetzt lass schon los!«

»Nein!«

Gut, dann beende ich eben das alberne Spiel, streck mich ganz durch und versuche krampfhaft, über die Karte hinweg seinen Blick zu erhaschen.

»Wenn du die Güte hättest«, sag ich in meiner kerzengeraden Haltung. »Und erzählst mir vielleicht einfach mal, was das ganze Theater hier soll. Und überhaupt: wieso du so spät dran bist, dann auch noch eine Sonnenbrille trägst und dazu diese echt fiese Kappe. ›Erlebnishotel Jacqueline‹ steht da drauf. Weißt du das eigentlich?«

Aber er zuckt nur kurz mit den Schultern und hält die Karte nur noch etwas höher. Die Bedienung erscheint jetzt wieder und fragt nach dem Essen. Na gut, ich will einen Grillteller haben und mein Vis-à-Vis murmelt, dass er einfach gerne dasselbe hätte. Jetzt möchte das Lockenköpfchen freilich die Karten einsammeln, und selbstverständlich reich ich ihr meine sofort. Der Rudi jedoch, der kann sich noch immer nicht so recht davon trennen. Und wieder hält er sich daran fest, als würde er eines Schatzes beraubt. Ein paar Augenblicke lang zerrt er an dem einen Ende der Karte und die resolute Kellnerin am anderen, was wirklich zu komisch ausschaut. Doch dann, mit einem plötzlichen Ruck, entreißt sie ihm schließlich das Teil und geht als Siegerin vom Platz.

»Sag mal, Rudi, bist du noch ganz dicht, oder was?«, frag ich nun erst mal und beuge mich dabei ganz weit nach vorne. »Und jetzt nimm doch mal diese verdammte Sonnenbrille ab!«

Er schüttelt den Kopf.

»Rudi!«

»Nein!«

»Hast du ein blaues Auge, oder was?«

»Nein!«, sagt er grad noch, aber da schnapp ich mir auch

schon die blöde Brille von seiner Nase. Und ja, er hat recht. Er hat nicht ein blaues Auge, er hat zwei. Und auch die Nase ist etwas in Mitleidenschaft gezogen. Und freilich steht ihm das nicht sehr gut.

»Arschloch!«, knurrt mir der Rudi jetzt her, holt sich die Brille zurück und verbirgt seine Blessuren umgehend wieder hinter dem Glas.

»Dein Auftrag von vorhin?«, frag ich und muss grinsen.

Er nickt. Und dann beginnt er zu erzählen. Ja, sagt er, mitsamt seiner Auftraggeberin und mithilfe des Zimmerschlüssels wär er eben wie geplant zu diesem Schäferstündchen dazugestoßen. Und das, wie's der Teufel will, auch noch genau im passendsten aller Momente. Nämlich genau da, wo das Liebespaar geradezu ekstatisch übereinander hergefallen ist. Die Situation war dermaßen eindeutig, dass jegliche Ausrede so überflüssig gewesen wär wie ein Kropf. Doch wie reagiert seine werte Klientin darauf, das undankbare Stück? Anstatt – der Situation angemessen – dem Rudi zufrieden die Hand zu schütteln und danach einen Scheck zu zücken, drischt sie plötzlich auf ihn ein. Völlig ohne jede Vorwarnung. Nicht etwa auf ihren Ehemann, der sie grad aufs Übelste betrogen hat, nein, auf den armen Rudi drischt sie ein! Früher oder später aber ist dem die Sache freilich auch zu blöde geworden, das kann man ja auch wirklich verstehen. Und so hat er halt einfach irgendwann zurückgeschlagen. Selbstverständlich nicht sehr fest, immerhin war's ja eine Frau, aber trotzdem. Und jetzt ... jetzt folgt der Knaller. Jetzt nämlich kommt der Ehemann auch noch zum Einsatz. Der ist da wohl irgendwie total empfindlich, was seine Frau angeht. Geliebte hin oder her, wer seiner Gattin auch nur ein Härchen krümmt, der kriegt's knüppeldick ab. Hab ich eigentlich schon erzählt, dass es sich bei ihm um einen ehemaligen Zehnkämpfer handelt? Nein? Wie dem auch sei, jedenfalls hat der Rudi jetzt zwei Blinker und eine angeknackste Nase und kann wohl froh und dankbar sein, wenn er für diesen etwas zweifelhaften Einsatz überhaupt noch seine Kohle kriegt.

Dann aber kommt auch schon unser Essen. Und es schmeckt großartig. Feurig scharf, schön resch und heiß. Ein Traum! Dem Rudi schmeckt's weniger, weil ihm das ganze Gesicht wehtut und er beim Beißen echt starke Schmerzen verspürt. Ja, wenn das Unglück schon da ist, gesellt sich das Pech gern dazu, gell.

Kapitel 9

Dann läutet mein Telefon, und der Papa ist dran. Er will, dass ich auf dem Heimweg unbedingt noch beim Simmerl Halt mach, weil der fünfundzwanzig Prozent gibt, auf sein komplettes Fleisch- und Wurstsortiment. Praktisch auf alles. Das ist ziemlich ungewöhnlich für den Simmerl. Der ist nämlich ansonsten schon eher hochpreisig, könnte man sagen. Freilich ist er der beste Metzger in der ganzen Hemisphäre, aber eben nicht billig. Und da frag ich mich jetzt logischerweise, was ihn dazu bewogen hat, seine Kundschaft auf so großzügige Art und Weise zu beglücken. Aber wurst, fahr ich halt hin. Ja, diese Sorte von Großeinkäufen bleibt leider immer wieder an mir hängen. Selber fahren will der Papa nämlich nicht, weil er seinen alten Opel Admiral nur für größere und besondere Momente schonen möchte. Und nachdem der Rudi und ich bezahlt und uns anschließend verabschiedet haben, mach ich mich auch gleich auf den Weg nach Niederkaltenkirchen.

Wie ich eine knappe Stunde später vor der Metzgerei anhalte, ist von irgendwelchen Prozenten hinten und vorne nichts zu lesen. Weder auf der Schaufensterscheibe noch auf der Tafel vor dem Eingang. Woher also will der Papa überhaupt davon wissen? Es hilft alles nix, ich muss da mal rein.

»Servus, Franz«, begrüßt mich der Metzger gleich höchstpersönlich und wischt sich seine Wurstfinger an der Schürze ab. »Hat er's also nicht vergessen, dein Vater?«

»Was genau soll er nicht vergessen haben?«

»Ja, dass er dich eben anruft. Damit er dir sagt, dass du herkommen sollst. Also wegen den Prozenten quasi, verstehst?«

»Nein«, sag ich, weil ich echt keinen blassen Schimmer hab. »In deiner Auslage, da steht aber gar nix von Prozenten. Und auf der Tafel dort auch nicht.«

»Ja, logo. Das hat schon alles seine Richtigkeit, weißt. Weil ein jeder, der kriegt ja auch keine Prozente nicht.«

»Sondern?«

»Mei, Franz, wie das halt so ist im Leben. Eine Hand wäscht die andere, gell. Und jeder, der sich in meine Liste einträgt, der kriegt auch postwendend die fünfundzwanzig Prozent, kapiert?«

»Welche Liste?«

»Geh, das ist doch jetzt vollkommen wurst, oder? Was darf ich dir denn Schönes anbieten? Ein feines Schweinefilet vielleicht, schlachtfrisch? Oder das Rollbraterl hier, ganz besonders ...«

»Welche Liste, Simmerl?«

»Ja, einfach eine Liste halt, verdammt und zugenäht!«

Ich streck mal meine Hand über den Tresen, und der Simmerl weiß gleich, was ich jetzt haben will. Er schnauft ganz tief durch, geht rüber zur Anrichte, öffnet das oberste Schubfach und kramt daraus einen Zettel hervor. Den reicht er dann zu mir rüber.

»Bürgerinitiative Niederkaltenkirchen. Mit dem Fortschritt Schritt halten!«, steht da sozusagen als Überschrift drauf. Im Briefkopf selber ein Bild von der Metzgerei Simmerl und dahinter die Darstellung eines niegelnagelneuen Hotels. Und ein paar Unterschriften sind drauf. Um genau zu sein, eins, zwei, drei… siebzehn, achtzehn. Die vorletzte ist die von der Oma. Ich kann es nicht glauben! Ich blick vom Zettel hoch und dem Simmerl direkt ins Gesicht. Der ist rot wie ein Feuermelder und starrt auf den Boden.

»Was hast du ihr denn so geboten, der Oma, für ihr Autogramm?«, frag ich, weil ich haargenau weiß, dass die Oma ihre Seele nicht einfach für einen Apfel und ein Ei verkaufen würde. Nein, da muss schon mehr rausspringen.

»Ja, was wohl? Die fünfundzwanzig Prozent halt, wie bei allen anderen auch.«

»Und wie lang ist dieses edle Angebot gültig?«

»Eine ganze Woche lang«, antwortet er jetzt mit stolzgeschwellter Brust.

»Ich mein natürlich, wie lange dieses Angebot für die Oma gilt?«

Schulterzucken. Ich kann warten. Er schaut mich an. Ich schau ihn an. ›Spiel mir das Lied vom Tod‹ Dreck dagegen.

»Auf Lebenszeit, Mann!«, sagt er kaum hörbar.

»Auf die Lebenszeit von wem?«

»Auf die von eurer Sushi«, sagt er kleinlaut und schaut wieder in den Boden.

Ja, das war klar. Da lässt sich die Oma doch nicht verarschen. Und ich muss sagen, bei genauerer Betrachtung, da ist diese Vorstellung ja erst mal durchaus verlockend. Andererseits aber wird der Simmerl freilich sowieso nie nicht so lang rumwursteln, wie die kleine Sushi lebt. Ja, und sein Max, der macht schon rein aus vegetarischer Sicht heraus keinerlei Anstalten, in die Fußstapfen seines Vaters treten zu wollen. Und überhaupt, NKK soll bleiben, wie's ist! Und aus! Gut, dann bestell ich uns wohl erst mal einen ganzen Schwung an Vorräten und einen Großteil davon lass ich mir auch gleich einschweißen. Einfach weil dann die Oma alles prima einfrieren und so nach und nach portionsweise wieder auftauen kann. Das ist wirklich perfekt. Und nachdem mir der Simmerl äußerst kundenfreundlich meine Tüten zum Auto gebracht und im Fond verstaut hat, bezahl ich ihm seine Rechnung natürlich abzüglich der fünfundzwanzig Prozent, und im Anschluss zerreiß ich die dämliche Liste direkt vor seinen Augen.

»Du Arschloch!«, ist das Letzte, was ich noch höre. Aber eigentlich bin ich auch schon wieder unterwegs.

Auf den letzten paar Metern zu unserm Hof treff ich auf die Mooshammer Liesl, die mir auf dem Radl entgegenkommt. Gleich wie sie mich sieht, hält sie an, steigt vom Sattel ab und winkt mich heran. Und so bleib ich kurz stehen und kurbele das Fenster herunter.

»Ihr seid's aber nicht zufällig reingefallen auf den miesen Trick vom Simmerl, oder?«, fragt sie gleich ohne Begrüßung und betrachtet dabei über meine Schulter hinweg sämtliche Tüten, die dort auf meiner Rückbank liegen.

»Welchen miesen Trick denn, Liesl?«

»Jetzt tu doch nicht so scheinheilig, Eberhofer. Ihr habt doch beim Simmerl noch nie was auf Vorrat gekauft. Höchstens dann, wenn irgendwas im Angebot war. Und jetzt ist nichts im Angebot. Außer, man trägt sich in diese Liste ein. Du hast dich doch nicht etwa in diese blöde Liste eingetragen?«

»Es gibt keine Liste«, sag ich wahrheitsgemäß. Und dann tret ich aufs Gaspedal und fahre unserem Hof entgegen. Die Oma, die freut sich, wie sie all meine Einkäufe entdeckt. Mit wehenden Fahnen und ebensolcher Schürze beginnt sie gleich auszuladen, zu sortieren und abwechselnd den Kühl- und Eisschrank zu bestücken. In der Zwischenzeit erzähl ich dem Papa von meinen diversen Begegnungen. Bei der Sache mit dem Simmerl, da schüttelt er den Kopf und sagt, dass dem wohl gar nichts mehr heilig ist. Und über die Mooshammerin, da kann er im Grunde nur noch ganz milde lächeln.

»Wie hat denn die Oma überhaupt Wind bekommen von dieser Liste?«, will ich am Ende noch wissen.

»Mei, sie hat uns heut Mittag ein paar Leberkässemmeln geholt und hinterher gesagt, dass es halt Prozente gibt und ich dich deswegen anrufen soll. Das war eigentlich alles. Von einer Liste, da hat sie gar nichts erwähnt.«

»Fleischpflanzerl gibt's heut, Bub«, sagt jetzt die Oma mit feurigen Wangen und holt schon mal die Pfanne raus. »Das Hackfleisch ist ganz frisch durchgelassen, das seh ich genau. Das wird ein Schmaus!«

Und so schnapp ich mir erst mal den Ludwig und wir drehen unsere Runde. Wir brauchen tatsächlich nur eins-siebzehn dafür, was eindeutig der Vorfreude auf die Pflanzerl zuzuschreiben ist.

Anschließend mach ich den Tisch zurecht. Die Oma ist grade dabei, den Kartoffelstampf zu stampfen, und aus der Pfanne heraus duftet es göttlich. Vom Wohnzimmer rüber tönen die Beatles in gewohnter Lautstärke, sodass es wenig Sinn macht, nach dem Papa zu rufen. Also begeb ich mich rüber zur Wohnzimmertür und öffne sie einen ganz kleinen Spalt. Der Papa hockt dort auf der Couch, hat die Augen geschlossen und singt leise mit: »Here comes the sun ...«

»Essen ist fertig!«, schrei ich dann aus Leibeskräften, und prompt öffnet er seine Augen, schaut mich kurz an und nickt. Und nur Sekunden später kommt er auch schon zu uns in die Küche geschlurft.

Nach dem wirklich erstklassigen Essen geh ich erst mal rüber zum Wolfi. Schließlich schwebt da ja noch eine Frage im Raum, die unbedingt geklärt werden muss. Ich bin der erste und einzige Gast, und so setz ich mich erst mal relativ relaxed an den Tresen und ordere Bier. Doch irgendwie ist er ganz komisch heute, der Wolfi. Grad so, als würde er ein bisserl in sich hineinlachen oder so. Schaut ganz danach aus, als hätte er einen echt guten Tag gehabt. Das kann mir im Moment ja nur recht sein.

»Wie komm ich zu der Ehre deiner häufigen Besuche, Eberhofer?«, will er gleich wissen, wie er mir mein Bier herstellt.

»Mei, was heißt da häufige Besuche«, sag ich und bemühe mich redlich, eher desinteressiert rüberzukommen. »Ich bin doch sonst auch da.«

»Ja, ja«, sagt er, poliert einen der Tische blank, und wieder hab ich das Gefühl, er grinst irgendwie in sich rein.

»Ist irgendwas?«, frag ich deswegen nach.

»Nein, nix. Was soll schon sein?«

»Hätte ja sein können.«

»Ja, ja, aber ist nix.«

Danach schweigen wir ein wenig, einfach weil ich nicht recht weiß, wie ich anfangen soll. So poliert er seine Tische und ich trink derweil mein Bier und starr auf das Wandregal mit den ganzen Schnäpsen drin. Mannomann, wie muss man sich wohl fühlen, wenn man das alles wegsäuft?

»Machst mir noch eine Halbe?«, frag ich nach einer Weile und stell mein leeres Bierglas ab.

»Freilich«, antwortet er artig und begibt sich auch prompt zum Zapfhahn. Zapft Bier und stellt es genau vor mir ab. Dann schaut er mich an.

»Ist was?«, frag ich deshalb noch einmal.

»Wie gesagt, bei mir nicht. Und bei dir?«

»Bei mir? Mei, was soll schon sein?«

Dann dreht er den Wasserhahn auf, hält seinen Lappen ein Weilchen darunter und anschließend wringt er ihn ordentlich aus. Wir nicken uns zu, was wohl echt ziemlich dämlich ausschauen muss. Aber außer uns ist ja Gott sei Dank keiner da.

»Du«, sag ich eine schiere Ewigkeit voller Schweigen und Nicken später. »Wegen der Susi neulich …«

»Ja?«

»Du hast also echt keinen blassen Schimmer …«

»Keinen blassen Schimmer!«

»Mhm. Und nur mal angenommen, ich würde dir hier mal das Gesundheitsamt vorbeischicken? Oder sagen wir das Gewerbeaufsichtsamt? Also rein hypothetisch.«

Jetzt hört er kurz auf mit Polieren und schaut mich an.

»Also nur mal angenommen«, sag ich und quetsch mir ein Lächeln ab.

»Wie gesagt …«

»Keinen blassen Schimmer, ich verstehe«, unterbrech ich ihn gleich und leg ihm mein Geld auf den Tresen.

»Ja, gut, dann servus«, sag ich noch so.

»Servus, Eberhofer.«

Anschließend geh ich durch diese blöde Wirtshaustür, ums Hauseck rum und nach hinten zum Fenster. Und zwar genau dort hin, wo sein Büro drinnen ist. Und das Telefon eben auch. Und wo sommers wie winters dieses Fenster einen Spalt auf ist aus dem einfachen Grund, weil es schon jahrzehntelang klemmt. Ja, da steh ich nun also davor, und es dauert gar nicht so lange, und bingo, dann trifft exakt das ein, was ich auch vermutet habe!

»Servus, Susi, du, ich bin's, der Wolfi.«

Pause.

»Ja, ja, heute schon wieder. Der glaubt echt, dass ich auf der Brennsuppe daherkomm und er von mir was erfährt, haha. Aber da hat er sich gebrannt, gell.«

»Nein, auf mich kannst dich schon verlassen, Susi. Kein Sterbenswörtchen, ich schwör's! Heut hat er mir sogar mit dem Gewerbeamt gedroht, der Depp. Aber ich hab geschwiegen wie ein Grab.«

Pause.

»Ja, danke, dir auch. Grüße an die Miriam! Servus, Bussi, Bussi!«

Wie der Wolfi in die Gaststube zurückkommt, da lehn ich schon an seinem Schnapsregal und bin eifrig damit beschäftigt, es in Bewegung zu bringen. Und das ist gar nicht so leicht. Man muss nämlich tierisch aufpassen, dass man es nicht übertreibt. Die Flaschen sind ja alle gefüllt, die einen mehr, die anderen weniger, und man kann kaum berechnen, wie stark man dran zerren und schieben kann, ehe eine davon auf den Fußboden knallt. Oder sogar mehrere. Bisher aber hab ich noch alles ganz gut im Griff. Doch wer weiß, wie lange noch?

»Wage es ja nicht, Eberhofer«, wimmert der Wolfi jetzt, ohne dabei sein Trinkgut aus den Augen zu lassen.

»Wie viel ist das wohl wert, Wolfi? Tausend Euro? Zweitausend? Ein Jammer, wirklich«, sag ich und schieb weiter und zerre. Das Regal gerät bedenklich ins Wanken.

»Okay, Blödmann, dann knall's doch auf den Boden! Mach doch meinetwegen, was immer du willst«, sagt er ganz trotzig, doch dabei hat er Tränen in den Augen.

»Wer ist die Miriam?«

»Woher … woher weißt du von der Miriam?«, fragt er zuerst recht irritiert, kapiert aber schnell und schaut dann zur Bürotür rüber.

»Bussi, Bussi – also?«, bohr ich nach.

Ja, jetzt hat er es wohl endgültig verstanden. Das Regal wankt und wankt.

»Ja, Scheiße, Mann! Die Miriam, das ist einfach eine Freundin von der Susi. Mit der ist sie schon in die Schule gegangen«, knurrt er mich an.

»Die Passauer Miriam? Ja, die kenn ich doch auch. Und was ist mit der? Was hat die mit der Susi zu tun?«

»Ja, Mensch, bei der wohnt sie im Moment halt jetzt, die Susi. Das ist alles! Und jetzt hau endlich ab, du Arschloch!«

»Sie wohnt bei der Miriam? Wieso denn das? Und überhaupt, was ist mit diesem Vollidioten, mit dem sie bei unserer Hochzeit durchgebrannt ist?«

»Gar nichts ist mit dem, du Ignorant. Und mit dem war auch nie was. Der hat sich da wohl irgendwie falsche Hoffnungen gemacht, keine Ahnung. Jedenfalls hat er sie am Ende einfach nur zur Miriam fahren dürfen. Das war alles«, sagt der Wolfi genervt und schnauft ganz tief durch. Da erst merke ich, dass nun das Regal nicht mehr wackelt. Was aber auch schon wieder relativ gut ist, weil mir zugegebenermaßen mittlerweile der Arm ziemlich wehtut.

»Und wo genau wohnt die Passauer Miriam jetzt?«, will ich schließlich noch wissen. Da aber streikt er, der Wolfi. Weil er eh schon viel mehr gesagt hat, als er eigentlich wollte, und ich mich nun endlich verpissen soll. Gut, das kann ich auch irgendwie verstehen. Im Übrigen kommt auch grad eine größere Blase Menschen ins Lokal rein, sodass ich mich jetzt zumindest teilbefriedigt auf den Heimweg machen kann.

Die Susi! Mein lieber Schwan! Sie ist mir also gar nicht mit diesem miesen Computerarsch durchgebrannt! Da schau einer an.

Keine zehn Minuten später, kaum, dass ich wieder mal auf meiner Schaukel hocke, muss ich sie deshalb freilich sofort anrufen. Der Nachbar ist wieder mal dort auf seinem Balkon und raucht gemütlich seine Zigarette. Und weil es aber noch nicht des Nächtens ist, wink ich nur kurz und ohne den Hauch eines schlechten Gewissens zu ihm rüber.

»Du, Susi, leg nicht auf! Wir müssen unbedingt reden«, sag ich, kaum dass sie abgenommen hat.

»Franz, zur Abwechslung heute mal ganz nüchtern? Wie

konnte denn das passieren?«, fragt sie, und ich kann ihren schnippischen Unterton durchaus sehr gut raushören.

»Susi, ich habe nur diese blöde Hochzeit verpennt, sonst nichts. Ich bin nicht fremdgegangen, hab keinen Mord begangen, keine Bank ausge…«

»Aber du sagst es doch gerade: Diese blöde Hochzeit! Franz, bitte! Tu mir bitte, bitte einen Gefallen und lass mich endlich und ein für alle Male in Ruhe.«

»Susi!«, schrei ich jetzt in den Hörer, einfach weil ich Angst habe, dass sie das Gespräch unterbricht. Doch dann will mir plötzlich ums Verrecken nichts mehr weiter einfallen. Sie ist noch dran, ich höre ihr Atmen. Und natürlich hat sie recht. Blöde Hochzeit. Wie konnte mir das nur rausrutschen, wenn ich es nicht auch wirklich so meine?

»Susi«, versuch ich es noch mal, doch im gleichen Moment wird mir einfach der Hörer aus der Hand gerissen. Es ist der Balkonnachbar, der jetzt vor mir steht und in die Muschel spricht.

»Susi«, sagt er und schaut dabei in den Himmel, als würde er um göttlichen Beistand bitten. »Du, Susi, bitte, sei so gut und komm endlich wieder zurück. Es ist nicht mehr auszuhalten mit dem Kerl hier, wirklich! Und ich glaube ganz fest, dass er es ernsthaft bereut. Oder anders gesagt, wenn er nicht bald aufhört mit dieser Dreckstelefoniererei, dann kann ich für nichts mehr garantieren, verstanden.«

Danach gibt er mir das Telefon wieder zurück, doch die Leitung ist bereits tot. Ganz toll, wirklich.

Ich bin noch keine zehn Schritte gegangen, da läutet es aber auch schon wieder. Und zugegebenermaßen bin ich jetzt ziemlich siegessicher, wie ich rangeh.

»Ja, Susimaus?«, sag ich und muss grinsen.

»Nix, Susimaus«, hör ich eine Frauenstimme, die wirklich nicht das Mindeste mit der von der Susi zu tun hat. Es ist ein schroffer Ton und geht auch leicht ins Hysterische rein. Und selbst in ihren allerdüstersten Momenten hätte die Susi nie nicht diesen fiesen harten Klang in der Stimme. Im Grunde fällt mir auch nur ein einziger Mensch ein, zu dem diese Stimme passt. Jedenfalls wenn sie ärgerlich ist, was durchaus schon mal vorkommt.

»Gisela?«, frag ich deswegen erst einmal nach.

»Ganz exakt, Eberhofer. Und wo immer du auch grad bist, beweg sofort deinen Arsch hierher. Weil sie bei uns nämlich grad in die Schaufensterscheibe reingeschossen haben.«

»Geschossen?«

»Geschossen!«

»Nicht dein Ernst, oder?«

»Hör ich mich vielleicht so an, als würde ich scherzen?«

Nein, das tut sie nicht, die Gisela. Und weil ich ja eh schon mal unterwegs bin und mich auch irgendwie die Neugier packt, mach ich mich auch gleich auf den Weg zur Metzgerei. Gut, unterwegs treff ich noch kurz auf den Flötzinger, der seinen Leibesertüchtigungen nachgeht und das dringende Bedürfnis verspürt, mir noch einmal in aller Ausführlichkeit von den Vorzügen seiner diversen Tanzpartnerinnen vorzuschwärmen. Und auch, dass die Mary jetzt durchaus wieder williger ist, was so das Zwischenmenschliche angeht. Quasi genau jetzt, wo sie praktisch schon merkt, dass der Marktwert ihres Gatten gar nicht mal so übel ist. Dann aber muss ich ihn leider irgendwann unterbrechen und ihn von den Simmel'schen Vorkommnissen informieren. Da will er natürlich gleich mit, und so wandern wir los. Ein Stress ist das wieder hier in Niederkaltenkirchen, das kann man kaum glauben. Es hat sich schon eine kleine Menschentraube vor der Metzgerei versammelt, wie wir dort ankommen, und alle reden und fuchteln quer durcheinander. Mittendrin freilich die Mooshammerin. Sie hat die Arme verschränkt und man kann ihrer Miene eine gewisse Schadenfreude ziemlich deutlich anmerken.

»Ja, sag einmal, Eberhofer, bist du über Rosenheim gelaufen, oder was?«, begrüßt mich nun gleich mal die sympathische Metzgersfrau. Sie steht dort in der Eingangstür und hat ihre Hände in die Hüften gestemmt. Im Schaufenster daneben ist tatsächlich ein Loch, könnte gut und gerne von einem Einschuss stammen. Dort geh ich jetzt mal hin und luge hindurch. Drinnen hockt der Simmerl auf einem Schemel und hält sich ein Tuch an die Stirn. Der Bürgermeister steht daneben, hat den Arm um dessen Schultern gelegt und redet ganz ruhig auf den lädierten Metzger ein.

»Hat er was abgekriegt, oder was?«, frag ich die Gisela mit Blick auf ihre bessere Hälfte.

»Nein, nix«, sagt sie und wirft einen kurzen Blick nach drinnen. »Ein Schock halt, sonst nix. Der soll bloß nicht so ein Gstell machen, schließlich lebt er ja noch, oder?«

Ich lug wieder durch das Loch hindurch, und Augenblicke später schon kann ich an der Wand vis-à-vis die Kugel entdecken. Sie steckt dort in einer der Fliesen, und auf den ersten Blick würde ich sagen, die Kugel ist total zerdatscht. Also quetsch ich mich mal an der Gisela vorbei und begeb mich nach drinnen.

»Servus«, sag ich schon rein anstandsmäßig, geh nach hinten an die Fliesenwand und überprüfe den Einschuss. Die Tatwaffe kann man aufgrund der total demolierten Kugel kaum noch zuordnen, doch ich würde meinen Arsch drauf verwetten, dass es sich um eine Art Jagdgewehr handelt. Hier im Dorf hat so gut wie jeder ein Jagdgewehr im Schrank, muss man wissen. Das ist einfach so. Punkt. Die Frage ist aber jetzt: Wer ist der Besitzer von dieser Waffe, und hat diese Sache hier rein zufällig was mit diesem blöden Hotel zu tun oder nicht?

»Geht's wieder, Simmerl?«, will jetzt der Bürgermeister wissen.

»Ja, ja, passt schon«, sagt der Simmerl recht wehleidig, steht auf und geht in die Richtung vom Tresen. Auf Höhe der Einschussstelle bleibt er kurz stehen und wimmert ein bisschen.

»Ich hätte tot sein können«, sagt er und schaut rüber zur Gattin.

»Bist du aber nicht«, antwortet sie kurz und knapp. Anschließend schlurft er hinter ins Kühlhaus und kommt mit einem ganzen Haufen prall gefüllter Tüten zurück. Die übergibt er dann mit einem tapferen Lächeln unserem werten Herrn Bürgermeister.

»Bezahlt hab ich ja schon alles, gell«, sagt der leicht verlegen und verabschiedet sich. Und kaum dass er seinen Hintern durch die Metzgertür durch hat, da wird er auch schon angepöbelt. Hotelmafia ... Spezlnwirtschaft ... Bestechung ... Korrupte Sau ... das sind nur einige der Fetzen, die ich aufschnappen kann. Und es sind auch noch die harmloseren.

»Herrjemine, haben sie euch etwa ins Fenster reingeschossen?«, kann ich urplötzlich die Oma vernehmen. Sie steht jetzt direkt draußen vorm Schaufenster und schreit dort die Gisela an. Da geh ich mal raus.

»Ja, schau nur genau hin, Lenerl, solche Gratler!«, schreit die Gisela zurück. »Wenn man sich vorstellt, dass man mit so einem elendigen Gschwerl in ein und demselben Dorf leben muss, da kann's einem schon schlecht werden!«

»Höhöhöhö!«, tönt's nun vielfach und lautstark von den Schaulustigen, und die ansonsten so treue Kundschaft scharrt förmlich mit ihren Hufen. Es wirbeln Hände durch die Luft, manch einer spuckt empört auf den Boden, und selbstredend fallen hier und da Schimpfworte der deftigsten Sorte. Aber nur ganz kurz. Einfach, weil ich glücklicherweise ausgerechnet heute meine Dienstwaffe dabeihab. Und die hab ich dabei aus dem einfachen Grund, weil ich halt ums Verrecken was über die Susi rauskriegen wollte – und für den Fall, dass der Wolfi nicht kooperiert, hätte ich ihm schlicht und ergreifend ein paar von seinen Schnäpsen zerschossen, was sich im Nachhinein aber Gott sei Dank als völlig überflüssig entpuppt hat. Wär ja schon auch schad drum, um das gute Zeug. Jetzt wiederum ist es wieder gar nicht so überflüssig, dass ich die Knarre dabeihab, weil ich damit dann erst mal in die Luft schieße, und freilich ist es daraufhin augenblicklich vollkommen ruhig hier. Bloß die Oma, die hat wieder nichts mitgekriegt. Nicht das Geringste.

»Solche Sauhund!«, schreit sie ganz aufgebracht in die Stille und starrt dabei empört auf das Loch.

»Also, Herrschaften«, sag ich und trete mal in die Mitte der aufgebrachten Meute. »Wer immer das hier fabriziert hat, der erscheint umgehend vor Ort, und zwar mit seinem Gewehr. Ansonsten werde ich sofort um Unterstützung bitten und meinetwegen die ganze Nacht hindurch eure verdammten Gewehre überprüfen lassen. Ist das jetzt klar? Und alle anderen verpissen sich, und zwar pronto, wenn's recht ist!«

Brummenderweise löst sich die Rebellion auch umgehend auf, was den Bürgermeister noch zu einem Nachruf nötigt.

»Ja, geht's schön heim, ihr Nostalgiker, und seid's froh und dankbar, dass ich euch nicht auch noch eine achtspurige Autobahn direkt durchs Dorf bau!«, schreit er der abziehenden Menge hinterher.

Es sind der Simmerl samt Gattin, der Bürgermeister, der Flötzinger, der von einem Fuß auf den anderen steppt und dabei ständig auf seinen Pulsmesser starrt, selbstverständlich die Oma und meine werte Wenigkeit, die jetzt noch vor der Metzgerei verharren und ein paar belanglose Worte wechseln, wie der Simmerl Max ums Eck schleicht. Er trägt Kopfhörer und singt in einer schier unerträglichen Tonart irgendeinen neumodischen Scheiß, hält dann kurz inne und schaut uns an. Anschließend registriert er das Einschussloch sofort, und daraufhin beginnt er zu grinsen. Nimmt die Hörer ab und kommt danach auf uns zu.

»Hat euch endlich mal der Vebu einen Denkzettel verpasst?«, fragt er und deutet mit dem Kinn auf das Loch.

»Der wer?«, fragen wir alle ziemlich gleichzeitig.

»Der Vegetarierbund Deutschland«, sagt er ganz stolz.

»Ich geb dir gleich einen Vegetarierbund, und einen Denkzettel kannst dir auch gleich abholen«, schreit jetzt der Simmerl und holt mit der Hand aus. Die aber kriegt die Gisela gleich zu fassen.

»Geh, das meint er doch gar nicht so, der Bub«, versucht sie zu besänftigen, jedoch nicht ohne ihrem Prinzen bedrohliche Blicke zu senden. »Gell, Max, das meinst du nicht so?«

»Doch, das mein ich schon so«, sagt der Junior schulterzuckenderweise und geht dann relativ lässig ins Haus hinein.

»Wie ich immer schon gesagt hab, der ganze Bub ein Depp«, knurrt jetzt sein Erzeuger und schüttelt den Kopf.

Gleich darauf, da fällt ein Schuss. Danach ein weiterer und noch einer. Und plötzlich ganz, ganz viele. Was ist denn nun wieder los? Schlagartig sind alle Blicke auf mich gerichtet und es sind durchaus auch ängstliche drunter. Mit Ausnahme von der Oma freilich. Die steht relativ entspannt an der Schaufensterscheibe und betrachtet dieses Loch recht interessiert.

»Eberhofer«, keucht der Bürgermeister schließlich. »Was ist hier los, zum Teufel?«

Doch noch bevor ich überhaupt antworten kann, wird oben ein Fenster geöffnet. Es ist der Max, der jetzt zu uns runterschaut.

»Waren das Schüsse, oder was?«, möchte er wissen.

»Schaut ganz danach aus«, ruf ich zu ihm rauf. »Vermutlich ist grad der ganze Vegetarierbund auf dem Weg zu euch her.«

»Sehr witzig!«, kommt es von oben, dann macht er sein Fenster auch schon wieder zu.

Und noch bevor ich überhaupt einen klaren Gedanken fassen kann, da löst sich dieses Mysterium von ganz alleine auf. Weil nämlich jetzt so nach und nach alle möglichen Niederkaltenkirchner hier erscheinen und allesamt haben sie ihre Gewehre dabei. Am Ende sind es knapp fünfzig Männer und zwei Frauen, die da im Kreis um uns stehen und ihre Gewehre mit dem Lauf nach oben in die Luft halten. Das schaut echt irre aus.

»Was soll das werden, wenn's fertig ist?«, frag ich jetzt erst mal.

»Ich hab auf das Schaufenster geschossen, Eberhofer!«, ruft gleich einer aus der zweiten Reihe. »Hier, du kannst mein Gewehr gern überprüfen.«

»Meins auch, ich war's nämlich«, drängt sich darauf gleich ein anderer vor.

»Ich hab auch geschossen«, mischt sich nun noch ein Dritter ein. Ja, herzlichen Dank! Ganz wunderbar!

Eine Minute später ist klar, dass jeder von ihnen auf dieses dämliche Schaufenster geschossen hat. Das nenn ich mal Solidarität! Ja, Niederkaltenkirchen soll bleiben, wie's ist!

Kapitel 10

Wie ich am nächsten Morgen dienstbeflissen in mein Büro reinkomme, hockt der Rudi schon drin, mitsamt seiner Sonnenbrille und dem depperten Käppi. Die Steffi zwar auch, aber das ist ja immerhin ihre Pflicht und Schuldigkeit. Wenngleich überhaupt nicht der Eindruck entsteht, dass sie von ihren beruflichen Aufgaben geradezu aufgezehrt wird. Eher im Gegenteil. Die zwei hocken gemeinsam an ihrem Schreibtisch, nuckeln gemütlich am Kaffee und verzehren dabei Butterbrezen. Ja, Stress sieht tatsächlich anders aus.

»Guten Morgen, zusammen«, sag ich, wie ich durch die Tür reingehe. »Und schon fleißig am Ermitteln?«

»Hm, Morgen, Franz«, begrüßt mich der Rudi gleich mal und versucht dabei krampfhaft, seinen vollen Mund unter Kontrolle zu kriegen. »Du, die Steffi und ich, also wir reden grade so über Beziehungen, weißt du. Da kannst du doch auch was beitragen, oder? Grad, was so Trennungen betrifft. Immerhin kannst du doch da auch auf einen gewissen Erfahrungswert zurückgreifen.«

Ich schau ihn kurz an und zeig ihm den Vogel. Die Steffi grinst.

»Nein, im Ernst, Franz. Wer fährt seine Beziehung denn bitte schön öfter an die Wand als du? Siehst du. Und die Steffi, die ist der Meinung, um das von vornherein im Keim zu ersticken, fängt sie gar nichts Festes erst an. Dann kann man praktisch auch nicht enttäuscht werden.« Klugscheißer. Ich geh dann erst mal zur Kaffeemaschine rüber und schau in die Kanne.

Leer! Na, toll!

Was kann jetzt noch kommen?

Ich hätt's mir denken können: der Stahlgruber. Der steht nämlich urplötzlich dort im Türrahmen und er hat die Oma untergehakt.

»Da bist ja, Bub!«, schreit sie mir gleich her. »Ich hab dich fei gar nicht finden können in diesem riesen Trumm Haus. Aber dieser nette Kollege da, der hat mich dann im Gang getroffen und hierhergebracht«, sagt sie weiter und anschließend schlenzt sie dem Stahlgruber recht ausgiebig die Wange. Das hat mir grad noch gefehlt.

»Ja, Eberhofer«, sagt der, wie er schließlich seine leicht gerötete Backe zurückhat. »Schaut wohl ganz nach Familienbesuch aus.« Dann verabschiedet er sich noch zackig und verlässt den Raum. Jetzt hat die Oma den Rudi entdeckt. Und das ist vielleicht ein Remmidemmi, das kann man kaum glauben. Wie dann dieses Begrüßungszeremoniell irgendwann vorüber ist, frag ich nach dem Papa. Weil irgendwie muss sie ja hergekommen sein, die Oma.

»Jessas, der Papa! Den hab ich ja ganz vergessen«, ruft sie gleich und widmet sich damit endlich wieder meiner Person. »Ja, der düst schon zigmal um diese blöde Löwengrube, weil er hinten und vorne keinen Parkplatz findet. Ein Gschiss ist das in diesem München, das kannst dir gar nicht vorstellen. Weil eigentlich wollten wir ja nach Hellabrunn raus, aber da war's genauso, hinten und vorne einfach kein Parkplatz nicht. Nicht ums Verrecken.«

Ich hake sie unter, sie wirft noch einen kurzen Abschiedsgruß durch das Büro, und anschließend wandern wir Seite an Seite die heiligen Hallen entlang und dem Ausgang entgegen. Unterwegs erzählt sie mir dann, dass sie halt gestern in der Abendschau zusammen mit dem Papa einen Bericht angeschaut hat. Wunderbar ist der gewesen, wirklich ganz wunderbar. Ein Bericht aus dem Tierpark Hellabrunn nämlich, über zwei nagelneue Eisbärenbabys. Mei, die sind vielleicht goldig, sagt die Oma ganz verklärt. Ja, und drum hätten sie eben heute beim Frühstück kurzerhand beschlossen, dort hinzufahren. Dort nach Hellabrunn raus, um eben diese beiden Bärenkinder bestaunen zu können. Gut, aber diese großartige Idee hatten wohl zehntausend andere auch. Drum war eben der Parkplatz voll bis zum Gehtnichtmehr. Und so hat meine werte Verwandtschaft halt ganz spontan umdisponiert und beschlossen, den Wagen hier bei mir zu parken und im Anschluss mit der U-Bahn in den Tierpark zu düsen.

Draußen angekommen, finden wir den Papa relativ schnell. Zum einen, weil so ein uralter Admiral natürlich auffällt wie die rote Sau, zum anderen, weil auch niemand in München so dermaßen langsam fährt. Ständig wird er von fluchenden Autofahrern hupenderweise überholt.

»Das ist ja zum Kotzen«, sagt er gleich zur Begrüßung und tupft sich den Schweiß von der Stirn. »Nix ist frei. Und wo was frei ist, da steht drauf: Nur für Dienstfahrzeuge.«

»Steig aus«, sag ich, und er wirkt ziemlich erleichtert und gehorcht mir aufs Wort. Dann park ich seine dämliche Kiste genau neben meinem Streifenwagen, den ich gleich darauf öffne und meine Winkerkelle raushol. Die leg ich dem Papa dann hinter die Frontscheibe, und somit ist der alte Admiral jetzt ein Einsatzfahrzeug, und aus. Hinterher zeig ich den beiden noch schnell die beste U-Bahn-Verbindung zum Tierpark raus, und schon sind sie weg. Meine Güte, wie soll man denn da einen Dreifachmord klären?

Wie ich ins Büro zurückkomme, haben meine zwei eifrigen Kollegen mittlerweile ihr Frühstücksritual beendet und sich ganz offensichtlich den wesentlichen Aufgaben gewidmet. Jedenfalls hocken sie gemeinsam am Schreibtisch und betrachten aufmerksam ein paar Bilder, die dort vor ihnen liegen.

»Was ist das?«, frag ich und schau rüber zur Kaffeemaschine, weil es hier nun ganz eindeutig nach frischem Kaffee duftet. Und ja, es ist wahr. Es geschehen noch Zeichen und Wunder.

»Das hat uns der Günter gerade geschickt«, sagt die Steffi, während ich mein Haferl fülle. »Es sind Rekonstruktionen der Leichen. Auch die der beiden älteren, Alpha und Berta, sind ganz passabel geworden.«

»Wer hat sich denn eigentlich diese idiotischen Namen ausgedacht?«, will der Rudi jetzt wissen. Doch ich ignoriere die Frage einfach und schnapp mir stattdessen die Bilder vom Schreibtisch. Hübsche Mädchen sind das gewesen, ein Jammer, wirklich. Ich muss an die Panida denken und auch an unsere kleine Sushi, und irgendwie wird mir grad ganz schlecht bei diesem Gedanken.

»Außerdem hat der Günter noch gesagt, die zwei stammen vermutlich von den Philippinen. Wogegen die Letzte, also die Cäsara, wohl eine Thailänderin ist«, sagt die Steffi jetzt weiter und schaut ganz konzentriert auf ihren Bildschirm.

»Ja, ja«, mischt sich der Rudi wieder ein. »Eine Thailänderin namens Cäsara.«

»Rudi!«, sag ich, weil's langsam wirklich reicht. »Wenn du dich an dem Fall ernsthaft beteiligen willst, dann verkneif dir endlich diese dämlichen Texte. Ansonsten hau ab und lass dich von einer gehörnten Gattin verhauen!«

Darauf zieht er sein Käppi noch tiefer in die Stirn, verschränkt bockig die Arme und versinkt ganz tief in seinem Bürostuhl. Memme.

»Gut, zwei Philippininnen, eine Thailänderin«, sag ich, einfach um wieder aufs Thema zu kommen. »Wenn wir jetzt mal das Gesamtbild betrachten, können wir das horizontale Gewerbe nicht ganz ausschließen, oder?«

»Das seh ich auch so«, stimmt die Steffi zu.

»Welches Gesamtbild, wenn die Frage gestattet ist?«, brummt der Rudi aus seinem Sessel heraus. Die Steffi und ich tauschen Blicke. Ist der jetzt wirklich so blöd oder tut er nur so?

»Der Nagellack, die Unterwäsche, die ja im Grunde alles andere als Unterwäsche war ...«, sag ich leicht genervt.

»Reizwäsche nennt man so was, Franz«, korrigiert mich die Steffi.

»Ach«, sagt nun der Rudi und steht auf. »Und nur weil die Mädels heiße Wäsche und Nagellack getragen haben, müssen es gleich Nutten sein, oder was? Das hatten wir doch schon.«

»Müssen nicht, aber es ist durchaus möglich«, versucht meine schlaue Kollegin zu erklären. »Und irgendwo müssen wir ja schließlich anfangen.«

»Ganz abgesehen davon«, muss ich noch schnell loswerden, »dass du das mit den Nutten gar nicht so abfällig betonen brauchst. Die machen einfach ihren Job, wie jeder andere auch!«

»Ja, ja, Herr Oberklugscheißer«, knurrt mir der Birkenberger noch her und nimmt wieder Platz.

Sonderbarerweise klappt aber im Anschluss unsere Kommunikation ganz hervorragend. Nachdem wir noch einmal alle uns bekannten Anhaltspunkte Revue passieren lassen und jeder seinen mehr oder weniger brauchbaren Senf dazugibt, werden zuletzt die Aufgabenbereiche verteilt. So was nenn ich nun mal Teamwork. Großartig, wirklich. Da staunt sogar der Stahlgruber ernsthaft, wie er wieder mal völlig unangekündigt seinen Schädel durch die Bürotüre schiebt.

»Status quo?«, frag ich ihn, worauf er nur den Kopf schüttelt und uns auch prompt wieder verlässt. Die Steffi grinst kurz zu mir rüber. »Gut«, sagt sie dann wieder ernst. »Wie besprochen, ich mache hier das Pflichtprogramm, und ihr geht raus und macht dort die Kür.« Was so viel heißt, wie dass sie sich um den lästigen Bürokram kümmert, und der Rudi und ich, wir gehen raus in die Welt und suchen nach diesem verdammten Mörder. Nachdem wir uns noch die Bilder unserer drei Mädchen kopiert und eine Liste von mehr oder weniger einschlägigen Etablissements ausgedruckt haben, teilen wir uns die Tour nach den jeweiligen Stadtgebieten auf. Der Rudi übernimmt die südliche Seite von München und ich krall mir die nördliche. Einfach schon, weil da der Heimweg nach Niederkaltenkirchen deutlich näher liegt.

Wenn man bedenkt, dass wir bei unserer Recherche allein auf dreiundsechzig Bordelle gestoßen sind, werden wir in den nächsten Tagen wohl ganz gut zu tun haben. Ganz abgesehen davon, dass es sich bei dieser Zahl auch nur um die Clubs handelt. Da ist der Straßenstrich noch gar nicht mit drin. Ein Scheißstress ist das bei der Polizei. Und ich wundere mich ehrlich, dass bei den Münchnern an sich eine derart große Nachfrage an Dienstleistungen dieser Art besteht. Aber gut. Bei uns daheim, da gibt's eigentlich gar kein Bordell. Also, nicht dass ich wüsste. Allerdings haben wir da so eine Massagepraxis ganz in der Nähe. Und wenn ich mich richtig erinnere, dann ... aber lassen wir das.

Die Puffs, die der Rudi abzuklappern hat, die sind ihm fast alle vertraut. Weil schließlich und endlich schon mal die eine oder andere Observierung in eben solch einem Haus endet. Ich persönlich dagegen bin ein absoluter Debütant, was das betrifft. Ich kenn diese Schuppen im Grunde nur von außen, und selbst das ist schon Lichtjahre her. Damals, wo ich als ganz junger Spund relativ dienstgeil immer ganz geduldig davor gewartet hab, um anschließend den Gästen auf ihrem Heimweg den Schein abzuzwicken. Erfolgsquote extrem hoch. Stolz bin ich rückblickend nicht drauf. Nein, Jugendsünden halt.

Zwei Prosecco und drei Champagnergläser später schaut die Sache aber schon anders aus. Weil ich natürlich nicht so als Bulle quasi wie die Axt im Walde vorgehen will, mach ich eher einen auf schüchternen Interessenten und frage mich diskret durch sage und schreibe fünf ziemlich noble Betriebe. Die Dominique, die Shila und die Roxette sind fast schon traurig, wie ich mich hinterher jedes Mal von ihnen verabschiede. Und ich muss immer hoch und heilig versprechen, ganz bestimmt wiederzukommen. Kaum hock ich in meinem Wagen, um nach diesem anstrengenden Tag endlich nach Hause zu fahren, da läutet mein Telefon und der Rudi ist dran.

»Und? Wie ist es gelaufen? Hast du was rausgefunden?«, will er gleich einmal wissen.

»Ja und nein«, sag ich, grad wie ich auf die Autobahn fahre. »Es sind echt nette Mädels dort in diesen Puffs. Aber unsere Toten hat keine von ihnen gekannt.«

»Sag mal, hast du was gesoffen, Eberhofer?«

»Nein!«

»Gut, das wär auch echt total unprofessionell. Bei mir, da war's ziemlich ähnlich. Keine Infos über unsere Opfer. Aber die Preise sind deutlich gestiegen. Ich hab für ein kleines Mineralwasser fast sieben Euro bezahlt.«

Da hätte er mal lieber Champagner gesoffen, der war nämlich gratis. Zumindest meiner, was aber auch daran liegen könnte, dass ich ein echter Charmebolzen bin. Und so verabreden wir uns für morgen um die gleiche Zeit zum telefonischen Abgleich der Lage und wünschen uns gegenseitig mehr Erfolg als wir heute hatten.

Wie ich wenig später durch Niederkaltenkirchen fahre, kann ich sehen, dass der Simmerl sein Grundstück abgesperrt hat. Und somit ist der Trampelpfad vom Mühlbach her ins Dorf rein wohl Geschichte. Wo sonst die Eingeborenen immer und gerne die Abkürzung genommen haben, da flattert jetzt ein rot-weißes Plastikband. Und ja, wie könnte es anders sein, freilich hat diese Aktion auch schon wieder eine kleine Demo ausgelöst. Der Simmerl selber, der steht mit verschränkten Armen vor seiner Metzgerei und blickt grantig auf das rebellische Volk. Ich halte mal an und lass das Fenster runter.

»Meinst nicht, dass du das jetzt langsam übertreibst, Simmerl?«, frag ich ihn erst mal. Aber er schüttelt den Kopf.

»Das ist mein Grundstück, verstanden. Und da latscht ab sofort keiner mehr durch, und aus!«, sagt er mit einem Blick auf den Mob. »Die haben allesamt gute Haxen und können prima außen rum laufen. Sind sowieso alle viel zu fett, wennst genau hinschaust. Und wenn mir die jetzt noch länger herspinnen, dann bau ich ihnen ein Asylantenheim direkt vor die Nase. Hab mich schon kundig gemacht, hundert Leut krieg ich da locker unter.«

»Ja, ja, ist schon recht«, sag ich noch so im Wegfahren und mach mich dann erst mal auf den Weg in unser Rathaus. Der Bürgermeister ist momentan nicht anwesend, weil er dem Dettenbohrer Quirin zum Hundertsten gratulieren muss. Umso besser. So kann ich ganz ungestört mit dem Max reden. Der sitzt nämlich brav an seinem Schreibtisch, der ehemals der meine war, hat die Haxen auf der Tischplatte und spielt mit seinem Handy rum.

»Servus, Max«, sag ich, kaum dass ich zur Tür drin bin, und ganz erschrocken nimmt er prompt seine Füße vom

Tisch. »Du, während du dich hier der Lethargie ergibst, ist bei deinem Vater schon wieder der Teufel los. Das halbe Dorf steht vor euerm Laden, weil der alte Depp sein Grundstück abgesperrt hat.«

»Weiß ich schon«, sagt der Max und legt sein Telefon weg. »Aber was soll ich da machen? Glaubst, der hört auf mich, oder was?«

»Man müsste ihn halt vielleicht einfach boykottieren«, schlag ich so vor.

»Man kann ihn nicht boykottieren, das weißt du genau. Er hat das beste Sortiment weit und breit. Und der nächste brauchbare Metzger ist der Mehrwald, und der ist fünfunddreißig Kilometer entfernt. Glaubst du echt, die Niederkaltenkirchner fahren jeden Tag eine Stunde durchs Land, bloß wegen Wurst und Fleisch?«

»Es muss ja nicht jeder Einzelne fahren. Und auch nicht jeden Tag«, sag ich so und setze mich mal auf seinen Schreibtisch. Und dann erkläre ich ihm meinen Plan. Die Augen vom Max werden größer und größer. Und weil er ja schließlich kein kompletter Vollidiot ist, scheint er es auch schon recht bald zu kapieren.

»Du meinst also, ich soll ein Rundschreiben aufsetzen, wo alle aufgefordert werden, ihr Fleisch zukünftig nicht mehr beim Papa zu kaufen, daran eine Einkaufsliste hängen, wer was will und wie viel, hinterher den Transporter vom Flötzinger holen und einen Fahrer organisieren, der zweimal die Woche die Lieferung holt?«, fasst er schließlich zusammen.

»Fast richtig, Max. Einen Fahrer organisieren brauchst du allerdings nicht. Du übernimmst diesen Part.«

»Ich fahre sicherlich kein Fleisch durch die Gegend, das kannst du gleich knicken! Außerdem kann ich meinem Alten echt nicht so dermaßen in den Rücken fallen, verstehst.«

»Ich an deiner Stelle würde das schon machen, Max«, sag ich noch so und mach mich dann auch schon auf den Weg. »Irgendwer muss ihn ja schließlich mal wieder zur Vernunft bringen, ehe noch mehr passiert.«

Ein paar Tage und viele Chantalles, Ginas und Moniques später gesellt sich in die Kette des pausenlosen Kopfschüttelns endlich ein Augenblitzen und ein zaghaftes Nicken. Es ist Lola, die jetzt an der Bar neben mir sitzt und an ihrem Sektglas nuckelt.

»Ja, ich glaube, ich kenne dieses Mädchen«, sagt die kleine Brasilianerin fröhlich, blickt vom Foto hoch und strahlt mich an. »Ich glaub, das ist Nila. Aber warum fragst du nach ihr?«

»Die Nila, aha. Bist du sicher?«

»Ich glaube schon. Aber warum fragst du nach ihr?«

Nun also ist die Stunde der Wahrheit gekommen und ich muss mich wohl als Bulle outen. Ein paar tiefe Atemzüge später mach ich das auch, doch sie nimmt es gelassen.

»Echt?«, sagt sie und lacht. Aber nur kurz, dann blickt sie wieder auf das Bild, und ihr gescheites Gesicht wird plötzlich ganz ernst. »Ist was mit ihr?«, fragt sie mich ganz leise, fast so, als ahnte sie die Antwort schon längst und wollte sie lieber gar nicht erst hören. Ich nicke.

»Was … was ist passiert?«, will sie jetzt wissen, und drum erzähle ich ihr eben so viel wie nötig und so wenig wie möglich, und trotzdem beginnt sie zu weinen. Am Ende kann ich ihr grad noch schnell meine Karte zustecken und sie bitten, morgen zu mir ins Büro zu kommen, ehe uns einer der Aufpasser hier trennt und das Mädchen eindringlich auffordert, die blöde Flennerei zu lassen.

Kapitel 11

Anderntags warte ich den ganzen verdammten Vormittag lang darauf, dass die Tür aufgeht und meine kleine Brasilianerin erscheint. Aber nix. Natürlich geht die Tür auf, dreimal sogar. Und jedes Mal reiße ich meinen Kopf in die Höhe, in der Hoffnung, dass sie es ist. Doch es sind nur die Steffi, der Stahlgruber selbstverständlich und unsere dicke Putzfrau, die Olga, die mir immer wieder mal einen von ihren selbst gebackenen Kuchen mitbringt. Und die ... die sind einfach göttlich. Die trockenen ja sowieso, also ein Gugelhupf beispielsweise oder ein Zitronenkuchen mit richtig fett Zuckerguss drauf. Einfach der Hammer. Zum Reinknien aber sind ihre unübertrefflichen Torten. Da kann noch nicht mal die Oma mithalten. Die Mokkacreme meinetwegen oder die Schoko-Vanille-Torte. Da trieft dir schon allein beim Anschneiden der Zahn, keine Frage. Dazu ein feines Haferl Kaffee, und dann sitzen wir zwei dort an meinem Schreibtisch und haben unsere Nasen ganz tief in der Sahne vergraben. Ein Traum. Heute hat sie allerdings leider gar nichts dabei – was meine Stimmung auch nicht grade hebt.

Aber wenigstens war die Steffi fleißig und hat bei den werten Kollegen von der Sitte schon mal rausfinden können, dass man die Mädchen aufgrund ihrer Beschreibung nirgends identifizieren konnte in den einschlägigen Etablissements und somit eine große Wahrscheinlichkeit besteht, dass sie wohl doch eher in so einem »privaten« Club tätig waren. Girls-WGs nennt sich das dann, und meistens sind Etablissements dieser Sorte in der Tat in ganz unscheinbaren Wohnblöcken untergebracht. Was die Angelegenheit sicherlich nicht leichter macht.

Um Punkt zwölf verlasse ich die Löwengrube dann, um mich wenigstens in der Mittagspause kulinarisch ein wenig zu verwöhnen. Die Wiesn ist endlich vorüber, und somit sind auch die Touris wieder da, wo sie hingehören, nämlich zu Hause. Was bedeutet, dass man beim Metzger nicht mehr so lange anstehen muss und auch in den Wirtshäusern rundherum neuerdings tatsächlich einen freien Platz ergattert. Also schlendere ich grad relativ zielorientiert durch das Tor, wie ich an der Hauswand gegenüber und völlig unerwarteterweise die Lola entdecke. Sie lehnt dort drüben an der Mauer, wirkt ziemlich unauffällig und dabei schaut sie ganz konzentriert zu unserem Eingang rüber. Kaum dass sie mich entdeckt hat, läuft sie auch gleich auf mich zu.

»Ich hab auf dich gewartet«, sagt sie und lächelt mich an.

»Warum bist du nicht reingekommen?«, frag ich, und wir schlagen gleich mal den Weg in Richtung Viktualienmarkt ein.

»Ich kann da nicht rein.«

»Du bist illegal hier?«

Sie senkt ihren Kopf und nickt kaum merkbar.

»Verstehe«, sag ich und leg einmal meinen Arm um sie. »Von mir wird es keiner erfahren. Hast du Hunger?«

Sie nickt wieder kurz, und ein kleines Lächeln huscht ihr übers Gesicht. So wandern wir Seite an Seite ganz gemütlich durch die Fußgängerzone hindurch, vorbei am Rathaus und dem Alten Peter und schnurstracks dem Vikimarkt entgegen. Beim Ochsenbrater kriegen wir tatsächlich einen erstklassigen Platz in der Sonne, und weil das Wetter für Anfang Oktober einfach nur großartig ist, passt das alles ganz wunderbar. Wir entscheiden uns für Bratwürstl mit Kraut und ein Radler, und der freundliche Ober mit Tracht und Maximalpigmentierung spricht astreines Bayrisch vom Allerfeinsten.

»Hast du noch mal nachgedacht, Lola?«, will ich jetzt erst einmal wissen und hole noch mal das Bild hervor. »Ist das die Nila?«

Sie wirft einen ganz kurzen Blick drauf und nickt.

»Und wo hast du sie kennengelernt?«, frag ich und schieb mir ein Stückerl Breze in den Mund.

»Na, wie alle Mädchen eben, im Club«, sagt die Lola und schaut mir direkt in die Augen. Sie hat grad einen kleinen Senfstreifen an ihrer Oberlippe, und das schaut wirklich ganz umwerfend aus. »Die Mädchen kommen und gehen, weißt du. Sie werden in andere Clubs geschickt und ausgetauscht. Keine bleibt lange im selben. Die Kunden wollen ja Frischfleisch, verstehst du. Außerdem geht's dabei wohl auch um die Behörden. Die meisten von uns arbeiten ja schwarz. Die wenigsten sind ordentlich angemeldet. Da geht's um viel Kohle.«

»Verstehe«, sag ich und muss kurz überlegen. »Sag mal, kannst du dich erinnern, wann du sie zuletzt gesehen hast?«

»Hm, das ist schon eine Weile her. Vielleicht ein halbes Jahr oder so. Wir haben ja auch nur zwei oder drei Wochen lang zusammen gearbeitet. Und haben uns auch gar nicht richtig kennengelernt. Da war die Zeit einfach zu kurz.«

Ihr Deutsch ist fast akzentfrei, und doch kann man ein kleines bisschen raushören, wo sie herkommen muss. Das macht sie gleich noch sympathischer. Jetzt nimmt sie die Serviette und wischt sich den Senf ab. Ein Jammer.

»Verstehe«, sag ich noch einmal, schon allein, um mich wieder aufs Wesentliche konzentrieren zu können. Irgendwie macht sie mich ganz wirr. »Und du weißt nicht, wo sie hingekommen ist?«

»Nein«, lacht sie, und es klingt durchaus etwas höhnisch. »Das erfahren wir doch nicht. Wir sind Ware, schon vergessen? Sonst nichts. Und die kann man verschieben, wie und wohin man will.«

»Geht es euch … geht es euch schlecht dort, wo ihr seid?«

»Nein, nein. Es ist alles in Ordnung. Wir haben gutes Essen, bekommen Alkohol und Zigaretten und haben saubere Unterkünfte. Das ist schon alles ziemlich okay. Und das Wichtigste, wir werden anständig behandelt und verdienen Geld – nur einbezogen in das, was mit uns passiert, das werden wir nicht.«

»Warst du denn auch schon mal in so einer Wohnung? Also in keinem offiziellen Club, sondern …?«

»Ich weiß, was du meinst«, unterbricht sie mich und nimmt dann einen kleinen Schluck Radler. »Nein, da war ich noch nicht. Unser Chef, der hat sechs Clubs, und die sind alle mehr oder weniger offiziell. Diese privaten Sachen hat er nicht. Aber es kommt schon vor, dass Mädchen dorthin gehen oder eines von dort kommt. Manchmal wird auch einfach durchgetauscht. Wie gesagt, wir sind einfach Ware, und das ist alles ein Geschäft.« Sie streicht sich eine Haarsträhne aus der Stirn und kramt dann ein Päckchen Zigaretten aus ihrer bunten Handtasche hervor. Das Feuerzeug klickt kurz und sie nimmt einen ganz tiefen Zug.

»Sechs Clubs, sagst du?«, frag ich und muss kurz überlegen. »Könnte es sein, dass die Nila in … ja, sagen wir, so einer anderen Filiale war?«

»Möglich ist das schon. Kann ich aber rausfinden. Weißt du, irgendwie sind die meisten von uns ganz gut vernetzt.

Viele der Mädchen haben Kontakt untereinander. Also wenn du das wissen willst …«, schlägt sie vor und drückt danach die Kippe aus. Ihre Finger sind winzig, sehr schmal und mit ganz kleinen Nägeln, fast wie von einem Kind. Sie schaut mich an mit ihren braunen Augen und ein unsicheres Lächeln huscht ihr übers Gesicht.

»Ja, natürlich will ich das«, sag ich. »Und noch was anderes, Lola: Wenn ich irgendwas für dich tun kann, dann …«

»Das ist lieb«, unterbricht sie mich und legt ihre Hand kurz auf die meine. »Aber es ist wirklich alles in Ordnung. Mein Leben ist gut so, wie es ist, verstehst du?«

Ich nicke und dann wink ich den farbenfrohen Ober heran und bezahle die Rechnung. Und weil er erstens unglaublich nett ist, zweitens hammermäßig ausschaut und drittens meiner wunderbaren Muttersprache mächtig ist, bin ich mit dem Trinkgeld mehr als großzügig. Haben tu ich allerdings nichts davon, dafür aber die Lola. Die nämlich kriegt von ihm ein Bussi auf die Backe. Gut, darauf kann ich auch prima verzichten. Sie aber kichert. Anschließend brechen wir auf und schlendern zurück. Wie wir auf Höhe vom Alten Peter sind, muss ich sie einfach noch schnell fragen, ob sie denn da schon mal oben war. Sie schüttelt den Kopf. Und so hol ich uns kurzerhand zwei Tickets, und schon wandern wir die Stufen hinauf. Und zwar alle verfluchten dreihundertsechs Stück hoch. Oben angekommen schnauf ich wie ein Walross, aber die Schinderei hat sich wirklich gelohnt. Uns bleibt beiden die Luft weg bei dieser grandiosen Aussicht. Und weil uns das Glück hold ist und wir Föhn haben, können wir nicht nur München von oben, sondern auch ganz großartig unsere wunderbaren Alpen bewundern. Wir gehen einmal komplett um den Aussichtskranz rum und freuen uns wie die Kinder. Dann aber begeh ich den folgenschweren Fehler, einmal nach unten in die Tiefe zu blicken, und da wird mir schlagartig schlecht. Anschließend muss mich die arme Lola dann leider an der Hand nehmen und nach unten führen, weil mir auf dem Weg durch das enge gewundene Treppenhaus nämlich nur noch viel, viel schlechter wird. Das ist mir ziemlich peinlich. Erst eine halbe Stunde später habe ich meine reguläre Gesichtsfarbe zurück und bin somit endlich in der Lage, meine kleine Brasilianerin zur nächsten S-Bahn-Station zu bringen. Sie wird sich bei mir melden, sobald sie neue Infos hat, sagt sie am Ende noch. Und so kehr ich relativ kleinlaut erst mal in mein Büro zurück.

Den späteren Nachmittag verbring ich dann wieder in diversen Puffs. Weil ja wirklich jede Information wichtig sein kann, verzichte aber heute auf Prosecco und Konsorten, schließlich will man ja nicht unprofessionell rüberkommen, gell. Doch wie ich schon befürchtet habe, ist der Informationsfluss wohl direkt vom Alkoholeinfluss abhängig und dementsprechend heute mager. Die Mädchen haben wenig Verständnis für wassertrinkende Männer ohne jegliches sexuelles Verlangen, sind deshalb eher gelangweilt und froh, wie ich endlich die Segel streiche. Ganz abgesehen davon, dass ich in manche Betriebe erst gar nicht reinkomm, weil man da nämlich Mitglied sein muss. Mein Scherz, ich wäre »mit Glied«, kommt auch nur mäßig an, und so brech ich dann lieber bald ab und mach mich auf den Heimweg. Das Telefongespräch mit dem Rudi hätte ich mir auch getrost sparen können, weil er genauso wenig rausgefunden hat und mir nur herjammert, dass er beim besten Willen keine Nutten mehr sehen kann.

Wie ich daheim zur Tür reinkomme, laufen aus dem Wohnzimmer heraus die Beatles, und die Oma ist in der Küche grad eifrig damit beschäftigt, eine Liste auszufüllen. Ich schau ihr mal über die Schulter und muss grinsen. Der Simmerl Max, also doch! Hat der pfiffige Metzgerbub also tatsächlich meinen Ratschlag befolgt und ganz Niederkaltenkirchen zum Boykott gegen die väterliche Metzgerei aufgefordert. Da schau einer an!

»Ah, Franz, bist schon da«, sagt die Oma und schaut von ihrer Lektüre auf. »In Zukunft gibt's das Fleisch vom Mehrwald. Weil die Marotten vom Simmerl, die haben wir allesamt langsam satt.«

Ich schau mal in die Töpfe. Gemüsesuppe mit total ohne Fleisch.

»Sind denn die Vorräte vom Simmerl alle schon weg?«, frag ich die Oma und gestikuliere ihr dementsprechend.

»Ja, mei«, sagt sie. »Ihr hauts ja auch rein wie die Schleuderaffen. Und einen Teil davon hat ja der Leopold noch mitgenommen, für die Panida und die kleine Uschi. Und der Rest, wo noch da ist, der wird jetzt gut eingeteilt, gell. Außerdem muss man auch nicht jeden Tag ein Fleisch essen, das ist fei gar nicht gesund.«

Ganz prima, wirklich. Ja, diese vegetarische Mahlzeit hab ich mir wohl in erster Linie selbst zuzuschreiben. Aber zum Glück seh ich im Ofenrohr noch einen Apfelstrudel brutzeln. Damit kann man schon leben. Also geh ich zum Küchenkasten rüber und mach einmal den Tisch zurecht.

Keine zwei Minuten später kommt die Mooshammerin in die Küche gestampft, und sie hat eine Leiter dabei.

»Servus, miteinander«, schnauft sie und plumpst gleich auf die Eckbank nieder.

»Servus, Liesl«, sag ich mit Blick auf die Leiter. »Gehst heut noch zum Fensterln, oder was?«

»Geh, Depp, ich geh doch nicht zum Fensterln! Bei wem auch? Wenn ich zu dir reinwollte, dann bräuchte ich doch gar keine Leiter nicht. Du wohnst ja ebenerdig.«

Wo sie recht hat, hat sie recht. Ganz abgesehen davon, dass es mir kalt den Buckel runterläuft bei dem Gedanken, dass diese alte Schachtel wirklich bei mir einsteigen würde. Da tät ich mir lieber die Fenster zumauern. Jede Wette.

»Magst vielleicht mitessen, Liesl«, will die Oma jetzt wissen und gibt dabei Salz in die Suppe.

»Was gibt's denn Feines?«, fragt daraufhin die Mooshammerin.

»Eine Gemüsesuppe«, sag ich und verteil die Teller auf dem Tisch.

»Nein, nein, passt schon«, schüttelt die Liesl den Kopf und ich muss grinsen.

»Also, die Leiter?«, hake ich nach.

»Ja, für die Absperrung halt. Die beim Simmerl. Der hat doch wohl ein Loch im Kopf, oder? Glaubt der ernsthaft, dass ich da außenrum latsch? Ha, das wär ja noch schöner!«

»Aha«, sag ich. »Und dafür schleppst lieber die Leiter durchs ganze Dorf?«

»Freilich. Das spart mir fuchzehn Minuten und bringt mir die Aufmerksamkeit aller Mitbürger ein. Außerdem, und das hab ich ihm auch schon gesagt, dem alten Spinner, wenn ich da runterfallen sollte und mir was tu, dann mach ich ihn fertig. So viel Wurst kann der in seinem Leben gar nicht verkaufen, wie ich ihn dann koste.«

Jetzt kommt der Papa in die Küche geschlurft und hockt sich an seinen Platz. Und nachdem die Mooshammerin samt Leiter wieder von dannen ist, können wir endlich essen. Der Apfelstrudel ist ein Gedicht. Ehrlich.

Am Sonntagmorgen läutet dann mein Diensttelefon, grad wie ich so gemütlich mit meinen Spiegeleiern am Frühstückstisch hocke, und dran ist der Simmerl Max. Er hört sich recht aufgeregt an und sagt, dass ich unbedingt gleich zur Kirche kommen muss, weil da momentan wohl der Teufel los ist. Mehr kann ich eigentlich rein akustisch auch gar nicht verstehen. Die Hintergrundgeräusche sind einfach so dermaßen laut, dass ich kurzerhand einhäng, die restlichen Eier in mich reinschaufle und schließlich losfahr. Wie ich kurz darauf hinkomm, kann ich es schon sehen. Direkt auf der Wiese vor unserer Kirche hauen drei Ministranten wie wild aufeinander ein, und mittendrin sind der arme Max, der völlig hilflos um sie rumrennt und mit den Armen fuchtelt, und unser werter Herr Pfarrer ebenfalls, der ist weiß wie die Wand. Drumherum stehen die Schaulustigen im Halbkreis und feuern die Burschen freilich noch recht frenetisch an. Eigentlich ein Bild für Götter, wirklich. Der völlig überforderte Metzgerbub und diese drei hitzköpfigen Grünschnäbel mit geballten Fäusten in ihren schneeweißen Kitteln. Na gut, so schneeweiß sind sie jetzt gewissermaßen nicht mehr, es sind schon etliche Gras- und Blutspuren drauf. Doch wohl grade deswegen ist der Anblick zum Brüllen, und ich muss mich kolossal zusammenreißen, hier nicht die Arme zu verschränken und das ganze Spektakel schlicht und ergreifend bloß zu genießen. Doch es ist der Max, der mich zu neuen Taten drängt, denn der steht plötzlich neben mir und wirkt durchaus recht aufgeregt.

»Ja, sag einmal, geht's noch?«, schreit er mich mit hochrotem Schädel an. »Jetzt mach halt was!«

Gut, dann mach ich halt was. Ich zieh meine Dienstwaffe aus dem Holster und schieß einmal in die Luft. Normalerweise wirkt das ja immer auf Anhieb und im Nullkommanix kehrt umgehend Ruhe ein. Heute eher nicht. Diese drei Kampfhähne sind so dermaßen auf Krawall gebürstet, dass ich sage und schreibe viermal in die Luft ballern muss, ehe sie endlich voneinander ablassen. Dann schieb ich meine Waffe zurück und geh erst mal zu ihnen rüber. Und da stehen sie nun vor mir mit ihren blutigen Nasen, Wunden und Schrammen, verschwitzt und erschöpft und einer sogar mit einem abgebrochenen Schneidezahn.

»Grundgütiger!«, murmelt unser zitternder Pfaffe einige Male und wankt bedenklich hin und her. Woraufhin zwei Glotzer aus dem Halbkreis kommen, ihn unterhaken und vom Schlachtfeld führen.

»Was hat dieser Auftritt grade zu bedeuten?«, frag ich jetzt und schau zwischen den hitzigen Gesichtern hin und her. So richtig kriminell würd ich hier keinen von den dreien einschätzen, aber ich hab auch schon Pferden kotzen sehen. Eine Antwort kommt erwartungsgemäß keine, weshalb ich erneut zu meiner Waffe greife.

»Es ist alles nur wegen dem blöden Hotel«, sagt dann der sommersprossige Rotschopf mit dem kaputten Zahn, und er lispelt ein bisschen.

»Name?«, frag ich und zücke mein Notizbuch.

»Was?«

»Dein Name?«

»Bode. Justus Bode.«

»Dir ist aber schon klar, dass du nicht der James Bond bist?«, frag ich.

»Was?« Offensichtlich steht er ein bisschen auf der Leitung, der Justus. Dafür grinsen seine beiden Kontrahenten recht breit übers ganze Gesicht.

»Und was genau hat das alles bitt' schön mit dem Hotel zu tun, meine Herrschaften?«

»Ja, weil der Vater vom dem da, der hat doch die große Fußbodenhandlung, draußen an der Landshuter Straße«, sagt jetzt der kleinste der drei Musketiere, und dabei läuft Blut aus seiner Nase.

»Der Brunstetten?«, frag ich weiter und reiche ihm ein Taschentuch.

»Genau«, antwortet er, greift dann zögerlich nach meinem Tuch und tupft sich damit das Blut ab. Hinterher beäugt er relativ intensiv das Resultat.

»Weiter!«, bohr ich nach und reiße ihn so aus seiner Recherche.

»Ja«, sagt er schließlich wieder und steckt das Taschentuch ein. »Und der ist natürlich voll scharf drauf, dass dieses depperte Hotel gebaut wird. Weil seine drei Bodenleger dann endlich wieder mal Arbeit haben. Und dort kann er nämlich zehntausend Quadratmeter Fliesen und Parkett verlegen und verdient sich dabei natürlich einen goldenen Arsch, der Gratler. Der und der Simmerl, das sind die Einzigen, die den ganz großen Reibach machen, und vielleicht noch der Flötzinger. Aber alle anderen schauen mit dem Ofenrohr ins Gebirge und haben bloß so einen greislichen Bunker mitten im Dorf stehen.«

»Hat das dein Vater gesagt?«, will ich jetzt wissen, weil mir der Wortlaut von so einem Rotzer nicht wirklich glaubhaft erscheint. Er zuckt mit den Schultern und bestätigt somit meinen Verdacht. Ja, einen so erfahrenen Bullen wie mich täuscht keiner mehr. Und so ein Hosenscheißer schon gar nicht.

»Und dein Name wäre dann?«, frag ich noch nach.

»Schuhmacher, Dustin«, erwidert er prompt, und das notiere ich freilich.

»Und du bist dann wohl der Brunstetter Bub?«, widme ich mich jetzt dem dritten im Bunde und er nickt artig. »Vorname?«

»Franz«, brummt er leise, und damit hat er freilich alle meine Sympathiepunkte auf seiner Seite. Schön, dass es noch vernünftige Eltern gibt, die ihren Kindern vernünftige Namen verpassen. Wenn man vom Teufel spricht …

Keine zwei Minuten später rollt ein Wagen hier an, kurz

drauf der nächste, und zuletzt erscheint ein weiteres Ehepaar, welches zu Fuß hier angewackelt kommt und zu allem Überfluss noch einen kläffenden Zwergpudel im Schlepptau hat. Und umgehend widmen sich die aufgeregten Eltern sofort der jeweiligen Brut. Die Mütter schauen nach Verletzungen, spucken auf Tempos und wischen damit über die ziemlich angewiderten Gesichter ihrer Söhne. Ich kenn das, die Oma hat das früher bei mir auch immer gemacht. Und die Väter, die machen das, was Väter eben so machen. Sie stehen zornentbrannt Bierbauch an Bierbauch, fuchteln mit den Händen und drohen mit ihren Anwälten. Alles total normal.

»Ich geb euch allen miteinander eine einzige Minute«, brüll ich relativ laut in das ganze Gezeter hinein. »Dann knall ich ab, was immer mir vor die Nase kommt.«

Das verfehlt seine Wirkung nicht. Sofort zerren alle drei Buben an den Jacken ihrer Erzeuger, und nur wenige Augenblicke später hat sich das Schlachtfeld aufgelöst. Nur der Pudel bleibt noch kurz zurück und scheißt einen Haufen schön in die Mitte vom Kirchenvorplatz.

Kapitel 12

Am Montagmittag steht wieder meine kleine Brasilianerin vor dem Tor zur Löwengrube. Sie winkt kurz, kommt dann auch gleich auf mich zu und gibt mir spontan ein Bussi auf die Backe. An Pausenbegleitungen dieser Art könnte ich mich gut und gerne gewöhnen. Leider aber wächst auch schon Sekunden später der Birkenberger urplötzlich aus dem Kopfsteinpflaster und betrachtet uns beide kurz und mit einem relativ perplexen Gesichtsausdruck, wie ich meine. Was ich aber durchaus verstehen kann, weil schließlich hab ich auch nicht täglich solche Sahneschnitten an meiner Seite.

»Sag mal, Eberhofer, hab ich irgendwas verpasst, oder so?«, will er auch gleich wissen, starrt nun die Lola völlig ungeniert an, und ich hab echt Angst, dass er hier gleich das Sabbern anfängt. Doch vermutlich ist sie an derlei Blicke mehr als gewöhnt, zumindest lächelt sie freundlich und reicht ihm die Hand.

»Hallo, ich bin die Lola«, sagt sie ganz fröhlich.

»Birkenberger, habe die Ehre«, stammelt der Rudi jetzt, und auf einmal wirkt er wie ein ganz kleiner Bub. »Also Rudolf Birkenberger, ähm, Rudi sozusagen.«

Ich muss grinsen.

»Schön, Rudolf Birkenberger Rudi«, lächelt die Lola. Sie ist zum Anbeißen, wirklich.

»Ja, schön, ja, und … äh, und was machen Sie so, Lola«, stottert der Rudi ziemlich hilflos und auch so mehr vor sich hin.

»Lola«, muss ich mich jetzt einmischen. »Das ist der Rudi, und er ist ein Exkollege von mir.«

»Also wirklich, Franz!«, knurrt er gleich total beleidigt. »Ein Exkollege, wie sich das anhört! Ein Freund bin ich. Und vermutlich sowieso der einzige, den du überhaupt hast!«

»Rudi, das ist die Lola, und sie hilft mir ein bisschen bei meinen Ermittlungen.«

Zuerst blickt er relativ verwirrt zwischen unseren Gesichtern hin und her, und ich merke genau, wie seine Gehirnzellen rotieren. Dann verändert sich schlagartig seine Miene, er schaut sie von oben bis unten und durchaus leicht abschätzend an und kommt mir näher, als ich das vertrage.

»Du meinst, sie ist … also, sie ist eine Nutte?«, flüstert er mir anschließend ins Ohr, doch die Lola hat wohl echt gute Ohren. Jedenfalls lacht sie gleich darauf aus vollem Hals.

»Rudi, jetzt reiß dich mal zusammen, verdammt!«, fahr ich ihn an, weil's einfach nur noch peinlich ist.

»Ja, entschuldige bitte«, sagt er nun wieder lauter, und dabei wird deutlich, dass er sich schon ein bisserl geniert. »Aber sie steht da mit ihrem Pferdeschwanz und in Sweatshirt und Turnschuhen, da kann man doch wirklich nicht davon ausgehen, dass …«

»Privat trage ich gern Sweatshirts und Turnschuhe, manchmal sogar Jogginghosen«, grinst jetzt die Lola, und ich bin echt froh, dass sie so entspannt reagiert. Ich selber kann über den Birkenberger momentan leider nur die Augen verdrehen. Doch nachdem die zwei nun ja fast schon so was wie Freunde sind, beschließen wir halt einfach, die Mittagspause gemeinsam zu verbringen, und machen uns auch gleich auf den Weg in Richtung vom Bayerischen Hof, was auf dem Rudi seinem Mist gewachsen ist. Weil erstens kann er das gut und gerne als Spesen verrechnen, wie er sagt, und zweitens möchte er wohl seinen Fauxpas von soeben einfach wieder etwas gutmachen. Ich befürchte aber, so richtig gelingt ihm das nicht, weil er nämlich unterwegs kundtut, dass er es sich doch nicht nehmen lässt, so eine brasilianische Chica einmal richtig fesch auszuführen. Aber wie gesagt, die Lola nimmt's gelassen, vermutlich ist sie noch ganz andere dämliche Bemerkungen gewohnt.

Wie wir endlich gemütlich im noblen Palais-Keller vor unserer Leberknödelsuppe hocken, beginnt sie auch gleich zu erzählen, was sie alles rausgefunden hat seit unserem letzten Treffen. Und das ist durchaus nicht uninteressant. Die Nila nämlich, die ist tatsächlich vom Chef in eine andere Filiale verschoben worden. Und das hatte wohl auch einen ganz plausiblen Grund. Da wäre nämlich plötzlich so ein neuer Freier aufgetaucht, sagt die Lola. So ein älterer Dickwanst mit Sepplhut und Tracht, und der wär dem Boss langsam, aber sicher etwas suspekt vorgekommen. Zwei-, dreimal in der Woche wär der in den frühen Morgenstunden im Club aufgetaucht und hätte jedes Mal drauf bestanden, die Nila in seinem alten Mercedes mitnehmen zu dürfen, was eigentlich gar nicht so gern gesehen wird. Doch da er aber auch äußerst großzügig war, hat der Boss immer wieder ein Auge zugedrückt.

»Aber warum denn, zum Geier?«, will der Rudi jetzt wissen. »Vögeln hätte er sie doch auch in dem Puff können, oder?«

Die Gäste an den Nebentischen wenden die Köpfe und werfen sonderbare Blicke zu uns rüber.

»Also, die Ronja, das ist die … das war die beste Freundin von Nila«, fährt die Lola jetzt fort und versucht zu flüstern,

»ja, und die hat mir erzählt, dass dieser Typ nicht nur ausschließlich Sex haben wollte.«

»Sondern?«, fragen der Rudi und ich direkt gleichzeitig.

»Na ja, wie soll ich sagen? Der … der hatte wohl eine mehr oder weniger romantische Ader, sagt man das so? Und er hat auch immer drauf bestanden, dass die Nila so ein Dirndl trägt. Komisch, ich weiß, aber das war ihm wohl echt irgendwie wichtig. Und jedes Mal hat er ihr Blumen mitgebracht. Und wenn sie dann aufgebrochen sind, wollte er immer zuallererst mit ihr über das ganze Oktoberfest laufen, obwohl ja schon längst alles geschlossen war um diese Uhrzeit.«

»Das ist allerdings ziemlich seltsam«, murmel ich so mehr vor mich hin und hab gut zu tun, die Informationen in meinem Notizbuch zu fixieren. Der Ober kommt und serviert uns den zweiten Gang, ein Schaschlik mit Reis.

»Also, wenn ich das richtig verstehe, dann ist sie mit dem Kerl durch die Wiesn gelatscht, und dann? Das wird doch nicht alles gewesen sein, oder?«, will der Rudi nun wissen, und dabei hängt ihm ein Zwiebelring aus dem Mund. Ich geb ihm lieber mal ein Zeichen.

»Nein, nein, hinterher, da gab's wohl immer so ein Sektfrühstück in seinem Wagen«, erzählt die Lola weiter, während sie in ein Fleischstück sticht. Ihr schmeckt es richtig gut, das kann man sehen. Die Wangen sind rot und ihre Augen funkeln bei jedem einzelnen Bissen. »Und, ja, er hatte auch immer alles Mögliche mit dabei, wisst ihr. Also Champagner und Erdbeeren und lauter so Zeug. Und ständig hat er irgendwelche Geschenke mitgebracht. Ein Parfum zum Beispiel oder sauteure Pralinen. Keine Ahnung. Jedenfalls muss er von Anfang an sehr aufmerksam und lieb zu ihr gewesen sein, so zumindest hat's mir die Ronja erzählt.«

»Und kein Sex, oder was?«, fragt der Rudi und stochert recht lustlos in seinem Teller umeinander.

»Doch!«, lacht die Lola mit vollem Mund und versucht dann erst mal runterzuschlucken. »Natürlich gab's Sex. In seinem Wagen. Nach der Wiesnrunde gab's jedes Mal Sex, dann das Sektfrühstück, und danach hat er sie einfach wieder in den Club zurückgebracht. Das ist alles, was ich auf die Schnelle rausfinden konnte. Und wie gesagt, dem Jack, äh, also unserem Boss, dem hat das gar nicht so recht gepasst.«

»Kann man mit dieser Ronja auch mal reden?«, kommt mir der Rudi zuvor. Die Lola überlegt kurz und nickt.

»Ja, das denke ich doch«, sagt sie. »O Gott, ich platze gleich!«

»Noch einen kleinen Espresso? Vielleicht lieber oben im Dachgarten?«, schlägt der Rudi noch vor, und mittlerweile frag ich mich echt, warum er so dermaßen auf die Pauke haut heute.

»Für mich nicht, danke. Scheiße, ich muss auch zur Arbeit!«, entgegnet die Lola mit einem Blick auf die Uhr und schnappt sich auch gleich ihre Tasche. Dann bedankt sie sich noch kurz, aber sehr höflich beim Rudi, verabschiedet sich und verschwindet auch schon die Treppen hinauf.

»Kannst du mir eigentlich mal erzählen, warum du dich heute so wahnsinnig ins Zeug gelegt hast?«, frage ich den Rudi, gleich nachdem wir unter uns sind.

Die Erklärung kommt prompt und ist durchaus einleuchtend. Die betrogene Gattin von neulich, die den Rudi so dermaßen verhauen hatte, die hat sich nun telefonisch bei ihm entschuldigt und ihn sogar um die Rechnung für seine Dienste gebeten. Und weil der Rudi ja nicht nachtragend ist und außerdem den Geschäftsführer von hier recht gut kennt, der ihm jegliche Rechnung vor- oder nachdatieren würde, hat mein geschätzter Exkollege halt schlicht und ergreifend beschlossen, dieses vorzügliche Mahl noch seiner Auftraggeberin unterzujubeln. Denn schließlich und endlich hat ja deren Gatte sein Gspusi schon das eine oder andere Mal genau hier im Bayerischen Hof fürstlich verwöhnen lassen. Ja, wenn der Rudi kein Hund ist!

»Noch ein kleines Dessert und ein Schnapserl?«, fragt er abschließend.

»Ja, warum nicht«, sag ich und verlange beim Ober noch mal nach der Karte.

Nach der komfortablen Mittagspause ruf ich gleich mal die Steffi an, damit auch sie in den Genuss unserer neuesten Erkundigungen kommt. Und zwar ruf ich sie zu Hause an. Das mag sie ja eigentlich nicht so sehr, weil Job ist Job, und mit drei kleinen Kindern ist alles Private wahrscheinlich nur umso wichtiger. Aber es hilft alles nix.

»Halloho!«, kann ich eine Kinderstimme durch den Hörer hindurch vernehmen und muss mich erst mal kolossal konzentrieren, weil ich in der Regel eher weniger Telefongespräche mit Kleinkindern führe. Vermutlich ist es der Bub, der dran ist, die beiden Mädchen sind ja schon größer, gehen schon zur Schule und sind demnach wohl in der Lage, einen Anruf ordentlich entgegenzunehmen.

»Ja, hier auch Hallo«, sag ich erst mal. »Ist deine Mama da?«

»Jaha!«, hör ich grad noch, dann wird aufgelegt.

Zweiter Versuch.

»Nicht auflegen, hörst du«, sag ich jetzt ganz langsam und deutlich, also ungefähr so, wie ich mit der Oma immer rede. Die Leitung steht noch! »Du, ich bin ein Kollege von deiner Mama und muss ihr was ganz Dringendes sagen.« Die Leitung steht immer noch, ich hör es am Atmen. Sagen tut das kleine Arschloch jedoch keinen einzigen Ton. »Ist sie denn da, deine Mama?«

Zack, aufgelegt!

Dritter Versuch, meine Toleranzgrenze ist mittlerweile deutlich überschritten.

»Hör mal zu, du kleiner Pisser!«, schrei ich ihn jetzt an. »Du gibst mir jetzt sofort deine Mama, hörst du! Sonst komm ich nämlich gleich mal vorbei bei dir, und zwar mit Tatütata, und sperr dich in den Knast! Verstanden?«

Nun kann ich ein lautstarkes Heulen vernehmen, danach ein kurzes Rascheln in der Leitung, doch irgendwann ist die Steffi dran.

»Was zum Teufel hast du denn grade zu meinem Sohn gesagt, dass er jetzt so weint?«, will sie auch gleich wissen, kaum dass ich mich zu erkennen gegeben habe.

»Gar nichts! Ich hab ihn nur gebeten, dich ans Telefon zu holen, ich schwör's!«, lüg ich. »Vielleicht ist er Männern gegenüber einfach ein bisschen sensibel, weißt du. Grade wenn er so gar keinen Umgang mit ihnen hat.« Dann schnauf ich erst mal tief durch. Doch das Glück ist mir hold. Denn so wie's ausschaut, ist momentan die Neugierde meiner Kollegin deutlich größer als ihre Mutterliebe, zumindest möchte sie den Grund für meinen Anruf erfahren. Und so gebe ich mein Wissen großzügig an sie weiter, und an ihrer Reaktion kann ich gut ausmachen, dass sie sich freut.

»Na, endlich!«, sagt sie erleichtert, und im Hintergrund kann ich die Geräusche einer langen und gründlichen Nasenputzaktion vernehmen. »Ja, jetzt lauf schon, alles wieder gut«, sagt die Steffi noch.

»Und wo genau soll ich hinlaufen?«, frag ich und muss grinsen.

»Du doch nicht, du Spinner. Na, so wie's ausschaut, haben wir jetzt jedenfalls mal was, wo wir ansetzen können.«

Ja, genau so schaut's aus. Wir verabschieden uns und ich leg auf.

Es ist der Birkenberger, der tags darauf schon in aller Herrgottsfrüh anruft, das kann ich schon glasklar am Klingelton erkennen. Und obwohl ich grad unter der Dusche stehe und jede Menge Shampoo in den Haaren habe, zwingt mich allein meine Neugierde schon dazu, sofort ranzugehen. Einfach weil ich ganz genau weiß, dass der Rudi um diese Uhrzeit nicht anrufen tät, bloß um einen Ratsch rauszuhauen. Und weil ich jetzt freilich gespannt bin wie ein Laken, schnapp ich mir bloß schnell mal ein Handtuch, hock mich mit meinem Kaffeehaferl aufs Kanapee rüber und lausche gespannt in den Hörer.

»Morgen Franz«, sagt der Rudi, und ich kann ihn schlürfen hören.

»Morgen. Schmeckt dein Smoothie mit Ti-Äitsch?«

»Caffè Latte. Aber wurst. Du, hör mal zu, ich war gestern Nacht noch in diesem Puff und wollte mir den Boss dort, also diesen Jack, mal vornehmen.«

»Wow, das nenn ich aber fleißig«, sag ich und rubbele mir mit dem Handtuch kurz über den Kopf. »Und was hat er gesagt?«

»Na, sehr gesprächig war er jedenfalls nicht, eher irgendwie genervt. Im Grunde hat er meine Fragen alle nur mit Ja oder Nein beantwortet. Also, alles was wir von der Lola schon wissen, das ist wohl ziemlich korrekt. Dieser Kerl im Lodenanzug, der ist eben tatsächlich so zwei-, dreimal die Woche dort aufgekreuzt. Das erste Mal, das war gleich zu Beginn von der Wiesn. Und im Grunde ist das überhaupt kein Verbrechertyp gewesen, sagt dieser Jack, eher so ein altbackener Spießer, aber ganz geheuer war er ihm trotzdem irgendwie nicht.«

»Aha, verstehe. Und dieser Jack selber? Was macht der für einen Eindruck auf dich? Und hast du ihn nach seinem Alibi für die Tatzeit gefragt?«

»Was macht der für einen Eindruck? Hm, gute Frage. Eigentlich sieht er eher so aus wie ein sehr erfolgreicher Geschäftsmann, würd ich sagen. Nicht so der typische Zuhältertyp, aber eben doch ein bisschen skurril. Also, wenn du mich fragst, ich persönlich mag ihn nicht. Und freilich hab ich auch nach seinem Alibi gefragt, Schlaumeier. Doch da hat er nur gelacht. Ob ich wirklich denke, dass er noch wissen würde, was er vor drei Wochen gemacht hat. Er hat sechs Läden und wäre jede verdammte Nacht in jedem verdammten Laden. Lächerlich, das recherchieren zu wollen, hat er gesagt. Aber trotzdem wird er sich die Mühe machen und drüber nachdenken.«

»Aha«, sag ich und muss kurz überlegen. »Und … und wann genau ist sie verschwunden, die Nila?«

»Am zweiundzwanzigsten September hat er sie das letzte Mal gesehen, sagt er. Da war sie gegen Mitternacht mit ihrer Schicht fertig und ist nach Hause gegangen. Danach gab es angeblich kein Lebenszeichen mehr.«

»Verstehe. Aber warum hat er denn dann keine Vermisstenanzeige gemacht, wenn das Mädchen plötzlich weg war?«

»Keine Ahnung, Mann. Wie gesagt, er war nicht sehr gesprächig. Aber vermutlich, weil die meisten Mädchen illegal hier sind. Und die Nila eben auch.«

»Na, viel ist das nicht«, sag ich noch so, und danach leg ich auf. Saudummerweise hab ich dann tatsächlich vergessen, mir das Haarshampoo vom Schädel zu spülen, und das schaut wirklich scheiße aus. Merken tu ich das leider erst, wie ich in München im strömenden Regen aus dem Wagen steige und mir lauter kleine Schaumwölkchen über die Schultern schweben. Der Weg zum Herrenklo hat dann auch etwas von einem Spießrutenlauf, weil es den lieben Kollegen einfach eine wahre Wonne ist, die eine oder andere völlig überflüssige, aber saublöde Bemerkung abzuliefern. Ich will da gar nicht näher drauf eingehen. Am Ende halte ich meinen Kopf unter den Wasserhahn und bin froh und dankbar, dass ausgerechnet jetzt die Olga hier putzt und mir einfach bloß kommentarlos ein sauberes Handtuch hinhält.

»Sie sind ein Schatz, Olga«, sag ich noch, und anschließend föhne ich mir die Haare unter dem Händetrockner.

»Schon gut, Eberhofer«, antwortet sie. »Es steht übrigens eine Käsetorte auf Ihrem Schreibtisch drüben.« Dafür kriegt sie noch ein Bussi auf die Backe – und dann bin ich auch schon weg.

Kapitel 13

Nach dem Abendessen und der Runde mit dem Ludwig (wir brauchen eins-einundzwanzig dafür, weil ich halt irgendwie grad so in Gedanken noch mal den ganzen Fall durchgehe und dementsprechend eher schlendere als laufe), beschließe ich, noch kurz beim Wolfi vorbeizuschauen. Schließlich muss in so einem stressigen Job auch einmal das Hirn frei werden, gell. Und im Übrigen ist mir auch tierisch nach Bier. Und zwar ohne dabei die Anwesenheit von der Mooshammer Liesl oder den Beatles ertragen zu müssen. Drum eben Wolfi. Ich bin noch gute fuchzig Meter weit vom Wirtshaus entfernt und trotzdem kann ich es schon hören. Nicht wirklich so laut wie sonst, eher gediegen. Und dennoch eindeutig. »Du hast mich tausendmal betrogen …«, tönt da grade die gute alte Andrea Berg durch die Nacht, und dabei ist es noch nicht einmal acht. Das ist äußerst ungewöhnlich für diese Uhrzeit. Normalerweise läuft da nämlich überhaupt keine Musik, weil sich der normale Durchschnittswirtshausbesucher halt viel lieber in aller Ruhe und ohne jegliche musikalische Untermalung unterhalten will. Erst viel, viel später wird dann aufgedreht, aber das ist irgendwie auch abhängig vom jeweiligen Alkoholkonsum. So rein nach dem Motto: Kein Schnaps, keine Musik. Wenig Schnaps, keine Musik. Viel Schnaps, AC/DC. Ganz viel Schnaps, Marianne Rosenberg oder – im Härtefall – eben Andrea Berg. Und da frag ich mich natürlich jetzt, wer um diese Zeit denn schon so dermaßen besoffen ist. Also schau ich erst mal durch das Fenster. Und im ersten Moment kann ich echt gar nicht recht glauben, was ich da sehe. Im zweiten eigentlich auch noch nicht, aber es ist wohl, wie's ist. Der Wolfi und der Flötzinger schrammen dort drinnen nämlich Arm in Arm über den Wirtshausboden, zählen wieder und wieder gemeinsam bis drei und starren dabei äußerst konzentriert auf ihre Füße runter. Schmidtchen Schleicher Dreck dagegen.

»Na, schau mal, Wolfi, es geht doch schon ganz gut«, sagt jetzt der Flötzinger und strahlt seinen Tanzpartner aufmunternd an. »Jetzt nur noch die Schultern straffen und den Rücken gerade halten, du hockst doch schließlich nicht auf dem Scheißhaus, oder?«

Der Wolfi streckt und strafft sich sofort durch, grad so, als wär er bei der Königsgarde, und kommt dadurch aber leider gleich total aus dem Schritt. Doch unser Heizungspfuscher scheint geduldig mit seinem Schüler. »Grundposition einnehmen!«, sagt er mit einem milden Lächeln auf den Lippen, und so begeben sich die beiden gleich wieder mittig in den Raum, zählen erneut einstimmig bis drei, und danach beginnt der Wahnsinn aufs Neue. Trotzdem: Ich muss da jetzt rein.

»Heute geschlossene Gesellschaft«, hängt dort am Eingang. Lächerlich. Weil die Tür aber erwartungsgemäß nicht verschlossen ist, trete ich ein, beobachte anschließend die zwei Travoltas ein ganzes Weilchen relativ amüsiert und werde schließlich vom Wolfi entdeckt.

»Sag mal, kannst du nicht lesen?«, keift er mir gleich her und kriegt dabei die Farbe von einem Feuerwehrauto.

»Doch«, sag ich grinsenderweise. »Ich kann schon lesen, aber du kannst nicht tanzen.«

»Deswegen üben wir ja auch«, mischt sich jetzt der Flötzinger ein.

»Machst mir eine Halbe, Wolfi«, sag ich und hock mich dann erst einmal nieder.

»Nein, verdammt!«, knurrt mir der blöde Wirt relativ mürrisch her. »Wir haben heute …«

»Ja, ja, ich weiß schon«, muss ich ihn gleich unterbrechen. »Eine geschlossene Gesellschaft, du und der Flötzinger. Und ich werde sie auch gar nicht öffnen, eure Gesellschaft. Ich möchte nur schlicht und ergreifend hier sitzen und ein Bier trinken. Hast du damit ein Problem, oder was?«

»Und dich über uns lustig machen«, sagt der Wirt ein kleines bisschen wehleidig.

»Nein, das werd ich nicht, ich schwör's!«, entgegne ich und versuche krampfhaft, ernst zu bleiben.

»Du machst dir deine Regeln immer so, wie es dir grad passt, gell, Eberhofer«, brummt der Wolfi weiter, zapft aber schon artig mein Bier. Das knallt er dann vor mir auf den Tisch, dass fast die Hälfte überschwappt.

»Geh, Wolfi, jetzt spinn halt hier nicht rum«, sag ich so ein bisschen beschwichtigend, weil man es sich mit dem einzigen Wirt weit und breit besser nicht verscherzen sollte. »Und außerdem, warum willst du denn überhaupt plötzlich tanzen lernen. Es reicht doch völlig, wenn sich einer hier zum Affen macht, oder?«

Der Flötzinger stutzt kurz, dann schaut er mich mit riesigen Augen durch seine Hornbrille hindurch an.

»Meinst du mich damit, Franz?«, will er auch gleich wissen. »Jetzt sag schon, hast du grade mich damit gemeint?«

Ich nehm mal einen Schluck von meinem recht übersichtlichen Bier und grinse ein wenig in mich rein.

»Franz!«, knurrt dann der Flötzinger weiter. »Das ist eine Gemeinheit, eine echt bodenlose. Aber warum reg ich mich eigentlich auf? Dass einer, der wo ständig bloß blöd in der Gegend rumballert, keinerlei Interesse hat an irgendeiner Art von Kultur, das wundert mich gar nicht. Ganz abgesehen davon, dass du gar keine Ahnung hast, worum es hier überhaupt geht. Und zwar nicht die geringste!«

Huihuihui!

»Ja, dann hast du vielleicht die Güte und klärst mich kurz auf«, schlag ich noch so vor, einfach schon, um ihn wieder irgendwie runterzukriegen.

Am Anfang zickt er noch ein bisschen umeinander, doch dann wird er gesprächig. Und im Anschluss erfahr ich, dass am kommenden Wochenende dem Wolfi sein Bruder, also, dass der praktisch heiraten wird. Und offenkundig mit dem vollen Programm. Mit Musik und Tanz und allem möglichen Pipapo. Und weil die zwei Brüder halt leider keinen Vater mehr haben, der die Braut auf die Tanzfläche schleifen könnte, ja, drum muss halt jetzt unser armer Wirt diese undankbare Aufgabe übernehmen. Fröhlich macht ihn das nicht, keine Frage. Aber er kann halt auch ums Verrecken nicht recht raus aus der Nummer, weil er sich's mit seinem Bruder nicht verscherzen will. Wenn ich mir das recht überlege: Diese Gefahr würde bei mir persönlich gar nicht erst entstehen.

»Wenn du dann bitte so gut bist und würdest deinen Arsch wieder in Bewegung setzen«, sagt der Wolfi am Ende, kaum dass mein Bier leer ist, und reißt mir auch schon das Glas aus der Hand. Also Manieren sind das hier! So mach ich mich also wieder vom Acker, jedoch nicht, ohne noch mal vor dem Fenster stehen zu bleiben und die beiden Spinner bei ihren Steppmanövern zu beobachten. Der Flötzinger scheint total in seiner Rolle als Tanzlehrer aufzugehen. »Eins, zwei, Tipp … Schultern … Armstraffung … prima! Nicht auf die Füße schauen … Drehung nach links … nach links, hab ich gesagt …« Und der arme Wolfi im Schweiße seines Angesichts versucht, all diese Anweisungen gleichzeitig zu befolgen. Und als ob das nicht alles schon genügte, dazu ständig: »Du hast mich tausendmal betrogen …«. Der Wahnsinn, wirklich. Und plötzlich steht der Simmerl neben mir.

»Warum schaust du durchs Fenster und gehst nicht rein?«, will er auch gleich wissen. So trete ich mal zur Seite und gebe großzügig den Blick frei.

»Heute geschlossene Gesellschaft«, sag ich.

»Was machen die zwei da?«

»Wonach sieht es denn aus?«

»Keine Ahnung, nach einem Ringkampf?«

Ich schüttle den Kopf und informier den arbeitslosen Metzger über die aktuellen Wochenendpläne von unserem Wirt.

»Der Ärmste«, sagt der Simmerl daraufhin aufrichtig mitfühlend. »Und was ist mit Bier?«

»Ach, Bier wird's sicherlich geben dort. Bier gibt's doch auf jeder Hochzeit.«

»Ich mein doch nicht die blöde Hochzeit, Depp. Ich mein jetzt. Wo kriegen wir jetzt Bier her?«

»Ach so. Ja, das haben wir gleich«, sag ich noch so und mach mich auch prompt auf den Weg in den Wirtsraum zurück.

»Raus!«, schreit der Flötzinger, gleich wie er mich sieht, und sein Tonfall geht durchaus ins Hysterische rein.

»Keine Panik. Bin gleich wieder weg, Mr. Astaire«, sag ich so, zapf uns noch ganz schnell zwei Halbe, und dann bin ich auch schon wieder draußen. Und so stehen der Simmerl und ich trotz der Kälte noch ein Weilchen vor dem Fenster, genießen das Bier und reißen ein paar dämliche Witze über das Spektakel da drinnen.

»Und, wie laufen die Geschäfte?«, frag ich dann irgendwann nach.

»Das weißt du doch haargenau, Franz«, antwortet er, ohne jedoch seinen Blick vom Fenster abzuwenden. »Aber da hab ich einen langen Atem, weißt.«

»Niemand im Dorf hat ein Interesse an diesem dämlichen Hotel, Simmerl. Außer dir, dem Bürgermeister und dem Bodenleger, und der auch bloß, weil er dann erst mal Tausende Quadratmeter Boden verlegen kann.«

»Dass du dich da mal nicht täuschst. Was ist mit dem Flötzinger zum Beispiel, hä?«, sagt der Simmerl und deutet mit dem Kinn in Richtung Dancing King.

»Ja, gut, der kann dann Kloschüsseln und Duschkabinen einbauen bis zum jüngsten Tag.«

»Genau!«

»Und du hast endlich deine unrentable Wiese los!«

»Genau«, sagt er noch, dann drückt er mir das leere Glas in die Hand und geht. Und weil mir nun langsam, aber sicher die Kälte in die Knochen kriecht, brech ich hier auch ab und mach mich auf den Heimweg.

Einen Tag später erscheint die Lola erneut am Eingangstor zur Löwengrube, und wieder ist es um die Mittagszeit rum. Heute jedoch hat das kluge Mädchen auch noch ihre Kollegin mitgebracht, eben diese Ronja. Und die ist fast der gleiche Feger wie die Lola selbst, wenn sie auch ein bisschen traurig und müde aussieht. Leider weigert aber auch sie sich, die Löwengrube zu betreten, und zwar aus den gleichen schon bekannten Gründen heraus. Drum beschließen wir kurzerhand, einfach zum Augustiner rüberzuwackeln, es ist nämlich grad furchtbar nieselig und kalt, und der Augustiner ist eben nur ums Eck rum. Gleich am Eingang finden wir einen erstklassigen Platz, und das ist grade richtig genial. Weil mir jetzt eben die zwei garantiert heißesten Mädels unserer wunderbaren Landeshauptstadt gegenübersitzen und zu mir rüberlächeln. Das ist einfach der Hammer. Und der eine oder andere Typ, der nun so an uns vorübergeht, der schaut erst fasziniert auf meine zwei Gazellen hier und danach neidvoll in mein Gesicht. Und in vier besonders schlimmen Fällen kriegen die Ärmsten am Ende dafür auch noch die Handtaschen ihrer Weiber in die Rippen geschlagen. Ich genieße das sehr.

Wie dem auch sei, wir drei haben es schön hier und geben die Bestellung auf. Und nachdem die Ronja und ich uns erst mal so richtig bekannt gemacht und ein paar Nettigkeiten ausgetauscht haben, komm ich auch gleich auf den Punkt.

»Sag mal, Ronja, kannst du dich an diesen Kerl vielleicht noch erinnern, der die Nila immer mitgenommen hat?«, frag ich und blick ihr direkt in die Augen. Sie hat ein paar winzige Sommersprossen auf dem kleinen, blassen Näschen – und zwischen den oberen Schneidezähnen eine Lücke, wo gut und gern ein Eisstangerl durchpasst.

»Ja, natürlich kann ich das«, antwortet sie artig, und ihre Augen werden ganz feucht. »Ich habe ihn ja x-mal gesehen.«

»Prima, dann kannst du ihn wahrscheinlich auch ganz gut beschreiben, oder?«

»Ja, das würde ich wohl hinbekommen, aber warum? Wenn du wissen willst, wie er aussieht, das ist kein Problem. Ich hab ein Foto von ihm«, sagt sie und zieht ihr Handy hervor.

»Du hast was?«, frag ich und bin fassungslos.

»Na, ich hab ein Foto von ihm gemacht«, sagt sie, lächelt ganz zaghaft und reicht mir das Telefon rüber. »Es ist sogar ziemlich scharf, man kann ihn ganz gut erkennen.«

»Machst du das öfter? Ich meine, dass du die Freier fotografierst?«, will ich nun wissen.

Sie nickt.

»Klar, das machen wir alle gegenseitig, wenn wir gegen

einen saftigen Aufpreis tatsächlich mal das Haus verlassen. Nur so als Sicherheit, verstehst du, man weiß ja nie.«

»Verstehe«, sag ich, und nachdem ich das Foto auf meinem eigenen Handy empfangen habe, gebe ich ihr das ihrige gleich wieder zurück. Es ist ein eher blasser, leicht untersetzter Mann mit hängenden Schultern und schlechten Zähnen, wenn man bei diesen gelben Stumpen überhaupt noch von Zähnen reden kann. Anfang, Mitte sechzig würde ich mal schätzen. Ein Bierbauch, nicht allzu ausgeprägt, aber vorhanden. Zu seinem Trachtenanzug trägt er eine Brille, Marke Kassengestell aus den Siebzigern, und einen lichten Haarkranz in Aschblond. Ein Adonis schaut anders aus, gar keine Frage. Was aber wiederum wurst ist. Tatsache ist, dass wir nun ein Foto haben. Ein Foto von unserem Hauptverdächtigen. Wenn das kein Ass ist!

»Weißt du sonst noch was über den Kerl, Ronja?«, frag ich jetzt noch nach. »Hatte er vielleicht noch Kontakt zu anderen Mädchen?«

»Nein. Das glaub ich eigentlich nicht. Wir haben ja nicht ständig im selben Club gearbeitet, weißt du. Aber irgendwie war der so auf die Nila fixiert, das war ja schon nicht mehr normal. Er hat ihr ja sogar einen Heiratsantrag gemacht.«

»Einen Heiratsantrag? Das ist ja der Wahnsinn! Und weiter ... ich mein, was hat sie drauf gesagt?«

»Ehrlich gesagt, hab ich keine Ahnung. Sie hat's mir nur so kurz zwischen zwei Freiern erzählt, da war keine Zeit für ein längeres Gespräch. Abgesehen davon, dass der Kerl ja erst mal an Jack vorbeigemusst hätte. Dem hätte nämlich eine fette Ablöse zugestanden, das ist ja wohl klar.«

Das sind ja echt einmal Informationen! Ich notiere alles ganz sorgfältig in meinem Notizbuch.

»Gut, noch was anderes. Wir wissen, dass dieser Typ einen Mercedes fährt. Du hast nicht zufällig das Kennzeichen für mich parat?«, will ich jetzt noch wissen. Doch sie schüttelt den Kopf und kämpft erneut mit den Tränen. »Nein, tut mir leid, hab ich nicht. Ich weiß nur, dass es ein ziemlich alter Wagen war. Vielleicht sogar ein Oldtimer oder so was in der Art. Und er war blau, glaub ich. Oder grau.«

Ein Oldtimer würde die Suche freilich ganz deutlich einschränken, das Mädchen ist echt Gold wert. Deswegen schmeiß ich zur Feier des Tages jetzt noch eine Runde Kaiserschmarrn mit Apfelmus und ganz dick Puderzucker drauf. Und nachdem ich die beiden Miezen schließlich zur S-Bahn gebracht habe, schnapp ich mir mein Telefon, um gleich mal den Birkenberger auf den neuesten Stand meiner Ermittlungen zu bringen. Doch noch bevor ich wählen kann, da läutet es bereits und der Papa ist dran. Und zuerst kann ich gar nicht so recht verstehen, was er da sagt. Zum einen, weil es für mich einfach keinen Sinn macht, zum anderen aber auch, weil er so dermaßen nuschelt, dass ich im Radau der Fußgängerzone kaum was verstehen kann.

»Was?«, ruf ich deswegen erst mal in die Muschel.

»Die Oma, die hat einen Schwächeanfall gehabt und liegt im Krankenhaus«, schreit er zurück. Also hab ich doch richtig verstanden! Ich fall sofort in einen Laufschritt und mach mich auf den schnellsten Weg zum Streifenwagen.

»Was ist passiert, verdammt noch mal?«, frag ich rennenderweise. »Wieso hat die Oma plötzlich einen Schwächeanfall?«

Doch es will und will keine Antwort kommen.

»Papa!«

»Ja, ja, Bub, ich bin schon noch dran«, sagt er jetzt wieder. Wenigstens steht die Verbindung noch. »Jetzt reg dich bitte nicht auf, Franz. Und fahr vorsichtig heim, hörst du.«

»Was ist passiert, verdammt noch mal?«

»Die Susi … also … äh, wie soll ich dir das jetzt sagen?«

»Die Susi? Wieso die Susi? Was hat denn das mit der Susi zu tun? Warte, ist denn jetzt auch noch was mit der Susi?«, frag ich und bin dem Wahnsinn nahe.

»Jetzt reg dich bitte nicht du auch noch auf, Franz! Es reicht schon, wenn die Oma …«

»WAS IST MIT DER SUSI?«

Alle Menschen um mich rum scheinen sich nun umzudrehen und mich anzustarren. Keine Ahnung, weswegen. Ist mir auch momentan völlig egal. Ich will nur endlich eine Antwort, Herrgott noch einmal!

»Sie ist schwanger«, sagt der Papa jetzt. »Die Susi ist schwanger, Franz.«

Ah! Da fällt mir jetzt ein Stein vom Herzen! Ruckartig bleib ich erst einmal stehen, stütz mich an einem Verkehrsschild ab und schnauf ein paar Mal tief durch.

»Hast du mich verstanden, Franz?«, kann ich den Papa vernehmen.

»Ja, alles gut«, sag ich noch so, und dass ich gleich losfahren werde. Er gibt mir kurz die Zimmernummer durch, damit ich mich nach der Oma nicht erst lange durchfragen muss, dann häng ich ein. Was hat er mir für einen Schrecken eingejagt! Hat sich ja angehört, als wenn Wunder was mit der Susi passiert wär. Dabei ist sie nur schwanger, wo ist das Problem? Wichtig ist jetzt erst mal, dass wir die Oma wieder hochpäppeln, gell.

Dank Blaulicht und Sirene bin ich eine knappe Stunde später vorm Landshuter Krankenhaus, und dank Blaulicht kann ich meinen Wagen auch problemlos genau vorm Haupteingang parken. Wie erwartet winkt mir der Pförtner nur verständnisvoll zu. Als ich aus dem Aufzug steige, kann ich die Oma sofort erkennen. Sie kommt mir auf dem Gang schon entgegen, schiebt eine Infusionsflasche neben sich her und trägt so ein OP-Hemd, das ihr viel zu groß ist und links und rechts von ihr rumflattert.

»So!«, schreit sie lauthals, kaum dass sie mich entdeckt hat. »Jetzt hast deinen Dreck im Schachterl! Jetzt ist es ganz aus mit deiner Susi, du Depp! Für immer und ewig!«

Einen Schwächeanfall hab ich mir auch irgendwie anders vorgestellt.

Ich geh mal zu ihr hin, versuch, ihr freiliegendes Heck abzudecken und sie in ihr Zimmer zurückzubringen. Doch sie wehrt sich mit Händen und Füßen.

»Frau Eberhofer, ja, wo wollen Sie denn hin?«, tönt es plötzlich neben mir. Es ist ein junger Mann im weißen Kittel mit einem Irokesenschnitt und Tätowierungen an ziemlich allen erdenklichen Stellen. Außerdem trägt er einen ziemlich großen Nasenring und hat Löcher in den Ohren, da könnte problemlos eine Hummel durchfliegen. Aber er ist freundlich und hat sich vermutlich schon bei der Oma eingeschleimt. Jedenfalls lässt sie sich von ihm ohne jede Gegenwehr ins Zimmer zurück und ins Bett bringen.

»Sie soll sich nicht aufregen, hören Sie. Wenn irgendwas ist, ich bin nebenan«, sagt er noch und verlässt danach den Raum.

Und die Oma liegt da mit feuerroten Wangen in ihrem Kissen und schaut mich an, als würde mir grad ein eitriges Geschwür am Kopf aufplatzen. Und ich … ich steh vor ihr wie bestellt und nicht abgeholt und weiß weder, was ich tun, noch, was ich sagen soll. So beschließ ich, mich erst mal auf die Bettkante zu hocken und nach ihrer Hand zu greifen, die sie mir jedoch prompt wieder entzieht.

»Hau ab!«, knurrt sie aus ihren Laken hervor. Meine Güte, so hab ich sie selten erlebt.

»Oma«, versuch ich es noch mal.

»Nix, Oma. Ich will jetzt meine Ruhe haben und soll mich nicht aufregen. Du regst mich aber auf. Du regst mich sogar wahnsinnig auf!«, sagt sie und ihre Wangen sind jetzt noch viel röter. Und bevor sie mir hier noch platzt, steh ich schweren Herzens doch wieder auf. Jetzt dreht sie sich weg und schaut aus dem Zimmerfenster. Auf dem Weg zur Türe wende ich mich noch zweimal um, doch sie würdigt mich keines weiteren Blickes. Der tätowierte Pfleger kriegt meine Telefonnummer, nur für alle Fälle. Dann bin ich aber auch schon wieder weg.

»Alles klar?«, will der Pförtner am Ende noch wissen, und ich heb nur kurz den Daumen, weil mir im Moment kein einziges Wort über die Lippen drüber will. Beim besten Willen nicht.

Kapitel 14

Wie ich heimkomm, hockt der Papa am Küchentisch vor einer brennenden Kerze und starrt in die Flamme. Man kann auch alles übertreiben. Er bemerkt mich noch nicht mal. Erst als der Ludwig den Weg zu mir findet und den Kopf gegen meinen Schenkel drückt, wird der Papa aus seiner Lethargie gerissen. Ich zieh mir mal einen Stuhl hervor und setz mich zu ihm. Dann will ich wissen, was eigentlich los war. Wieso die Susi plötzlich schwanger ist, woher die Oma davon weiß und warum sie deswegen gleich einen Schwächeanfall kriegt.

»Mei, Bub«, sagt der Papa, kramt seinen Tabakbeutel hervor und dreht sich erst mal einen Joint. Erst wie der endlich zwischen seinen Lippen glüht, ist er in der Lage, weiterzusprechen. »Die Mooshammerin ist halt vorher gekommen, und die hat's gewusst. Woher, das weiß der Teufel. Aber wenn jemand hier bei uns auf dem Laufenden ist, dann ist es halt die Liesl. Ja, und die hat's gleich der Oma erzählt. Ja, und dann, zack, ist die Oma umgefallen wie ein Baum und hier auf den Boden geknallt. Ich hab freilich sofort den Sanka gerufen und die waren auch ziemlich schnell da.«

»Die Mooshammerin, soso. Ja, das war eigentlich klar«, sag ich und steh auf. »Du, Papa, ich muss noch mal kurz weg und bring uns später was zum Essen mit.«

»Warst noch im Krankenhaus?«

»Ja, war ich. Aber ich glaub, da brauchst dir keine Sorgen

nicht machen, Papa. Die Oma kann schon wieder wunderbar Leute anschreien, so schlimm kann's also gar nicht sein«, sag ich noch so, dann schnapp ich mir den Ludwig und wir wandern los. Erst mal raus an die Luft, tief durchschnaufen und nachdenken. Ich bin noch keine zwanzig Schritte gegangen, wie mein Telefon läutet. Und dieses Mal ist es der Rudi, der dran ist.

»Jetzt nicht, Rudi«, sag ich gleich, und zwar relativ genervt.

»Wir haben einen Fall aufzuklären, Franz. Vielleicht erinnerst du dich?«

»Jetzt nicht, sag ich!«

»Was ist los? Ist jemand gestorben, oder was?«

»Fast!«

»Jetzt komm schon!«

»Die Susi ist schwanger.«

»Die Susi ist ... upps! Also, wenn mich meine Erinnerungen nicht total trügen, dann kommst du als Kindsvater wohl eher weniger infrage, oder? Immerhin seid ihr schon seit ...«

Dann leg ich auf.

Bei der Runde mit dem Ludwig muss ich mir heute wohl ein bisschen Zeit gelassen haben, jedenfalls brauchen wir fast zweieinhalb Stunden dafür. So laufe ich also eine schiere Ewigkeit lang durch unsere dämlichen Wälder, muss ständig an die Susi denken – und an ihre Schwangerschaft freilich auch. Wie konnte das nur passieren? Nein, ich weiß natürlich schon, wie so was passiert, aber trotzdem will es nicht recht rein in meinen Schädel. Hat der Wolfi ... hat der nicht etwa gesagt, dass mit diesem blöden Computerarsch, dem Karl-Heinz, gar nichts war? Dass der sie nur schlicht und ergreifend zur Miriam gefahren hat, und aus? Oder hat mir der Wirt einfach einen Schmarrn erzählt und der Kontakt zwischen den beiden ist gar nicht richtig abgerissen? Oder gibt es ganz jemand Neues, von dem überhaupt niemand was weiß? Oder aber die Mooshammer Liesl hat einfach was aufgeschnappt, was überhaupt nicht stimmt. Immerhin wär das auch nicht das erste Mal. So flattern tausend wirre Gedanken durch meinen Kopf, der von Schritt zu Schritt schwerer wird, und schließlich ist es der Ludwig, der mich aus meinen Gedanken reißt. Einfach weil er plötzlich mit hängendem Schwanz und ebensolcher Zunge vor mir stehen bleibt, das Haupt schief legt und mich ganz flehend anschaut. Vermutlich hat er Durst, so wie ich selber auch. Ich schau mich kurz um, weil mir momentan grad die Orientierung irgendwie ein bisschen flöten gegangen ist, kann mich aber relativ schnell wieder zurechtfinden und merke, dass wir echt meilenweit von Niederkaltenkirchen entfernt sind. Das fehlt noch! Aber es hilft alles nix, wir müssen den Rückweg antreten und kommen deshalb eben erst gefühlte Lichtjahre später zum Wolfi, der dem armen Ludwig prompt einen Eimer Wasser und dem armen Franz ein Bier hinstellt. Wir leeren beides in einem einzigen Zug. Und weil noch keine Gäste da sind und der Wirt eh grad nur den Ludwig krault, kann ich ihn derweil ganz prima gleich einmal anzapfen.

»Du, Wolfi, wegen der Susi«, sag ich deshalb und schau ihn dabei an. Sofort stellt er seine Streicheleinheiten ein, schaut kurz zurück und kommt endlich aus der Hocke hoch.

»Ja?«, fragt er, hat dabei durchaus einen recht argwöhnischen Unterton drauf und stemmt sogar die Hände in die Hüfte. Ich glaub, ich muss die Richtung ändern.

»Die Oma, weißt, die liegt im Krankenhaus, die Ärmste«, versuch ich es so mal.

»Ich weiß«, antwortet der Wolfi. Ja, das war eigentlich klar.

»Genau. Ihr geht's gar nicht gut. Schwächeanfall, echt übel.«

»Ja, tut mir leid. Sagst gute Besserung!«

»Gute Besserung? Ja, werd ich gerne ausrichten. Und jetzt wollte ich einfach nur mal nachfragen, also, praktisch wegen dieser Schwangerschaft ... also der von der Susi sozusagen ... damit ich der Oma halt was sagen kann, weißt ... damit sie halt wieder zu Kräften kommt ...«

»Komm auf den Punkt, Eberhofer!«

»Genau. Also vielleicht weißt du ja was über diese Schwangerschaft, lieber Wolfi.«

»Ja!«

»Und vielleicht hättest du dann die Güte, mir auch etwas darüber zu erzählen. Also praktisch nicht meinetwegen, sondern bloß wegen der Oma, verstehst.«

»Nein!«

»Wolfi!«

»Nix. Von mir erfährst du gar nix, Franz. Kein einziges Wort, und wennst mir hundertmal das depperte Schnapsregal umschmeißt.«

»Ludwig, wir gehen!«, sag ich grad noch, und dann bin ich draußen.

»Ich krieg noch zwei achtzig, verdammt!«, hör ich den blöden Wirt hinter mir herschreien, aber das interessiert mich gar nicht mehr.

Alle guten Vorsätze über den Haufen werfend, geh ich anschließend zum Simmerl. Sein Sortiment ist relativ übersichtlich heute, und vermutlich bin ich eh die einzige Kundschaft weit und breit. Jedenfalls hockt er an seinem Tresen und macht ein Kreuzworträtsel.

»Servus, Simmerl«, sag ich, gleich wie ich reinkomm, und schau mal durch die Thekenscheibe. »Hast du außer Salami noch was anderes?«

»Nein«, sagt er und zuckt mit den Schultern. »Salami ist das Einzige, das länger hält. Da bist du ja nicht ganz unschuldig dran.«

Ich mach mal ein recht freundliches Gesicht.

»Gut, dann gibst mir halt ein Pfund und dazu ein paar Semmeln.«

»Semmeln hab ich keine, weil die sich ...«

»Nicht halten. Hab's schon kapiert.«

»Ein Pfund, sagst?«

»Machst ein Kilo, Simmerl. Ein Kilo ist perfekt«, sag ich und versuch irgendwie einen lockeren Tonfall hinzukriegen. »Ach, ja, und noch ein extra Stück für den Ludwig.«

Der Simmerl nickt und verpackt meine Wurst.

»Sag mal, war die Mooshammerin zufällig heute bei dir herinnen«, frag ich jetzt nach.

»Mit der red ich schon seit Wochen kein Wort mehr, was sollte die also da herinnen?«

Ja, Mist! Hab ich ganz vergessen!

»Meinst wegen der Susi, oder was?«, will er jetzt wissen und grinst mich an. Ich fass es nicht! Dieses Kaff ist wirklich eine einzige Dreckschleuder, was das Gerede angeht. Ich nicke zaghaft und versuche lässig zurückzugrinsen, befürchte aber, dass es eher dämlich aussieht. Und dann erzählt er mir, was das ganze Dorf bereits weiß. Nämlich, dass meine Susi tatsächlich schwanger ist. Ganz zufällig ist sie ausgerechnet der Mooshammerin gestern übern Weg gelaufen. Und zwar in Landshut drinnen, wo die Liesl beim Augenarzt war und anschließend in der Apotheke. Und genau dort, sagt der Simmerl, genau dort sind sich die beiden begegnet. Wann es denn so weit sei, wollte die Liesl dann wissen. Bald, hat die Susi da nur gesagt und anschließend das Geschäft verlassen. Mehr weiß er eigentlich auch nicht, unser Metzger. Doch das, was er weiß, das wissen alle anderen jetzt auch. Na prima! Gut, dann zahl ich noch den Haufen Salami, geb dem Ludwig seine Ration ab, und nach einem kurzen Abstecher zum Bäcker treff ich auch kurz drauf in unserer Küche ein. Der Papa hat sich jetzt zu seinen Joints noch einen Rotwein und die Beatles gegönnt und hat im Grunde sowieso keinen Hunger. Und weil mir mittlerweile auch irgendwie der Appetit vergangen ist, stell ich das Zeug nur schnell in den Kühlschrank und verzieh mich dann in den Saustall rüber. Schlafen kann ich nicht. Die ganze liebe lange Nacht nicht. Und wenn ich doch kurz mal einnicke, dann erscheint die Susi auf meiner Bettkante, mit einem riesigen Bauch, der gleich darauf mit einem ganz lauten Knall platzt – und schon bin ich wieder hellwach. Ich hol mir ein Glas Wasser, hock mich auf das Kanapee und schau mal so durch den Raum. Hier drinnen hab ich meinen Burschenabschied gefeiert. Das war vielleicht ein Spaß! Wir haben Bier getrunken und Musik gehört, haben Lieder gesungen und geratscht, und fast ist so was wie Aufbruchsstimmung in der Luft gelegen. Und irgendwie hab ich mich sogar ein bisschen gefreut. Auf die Susi und das neue Leben mit ihr und sogar auf unsere Hochzeit. Und natürlich ist es verdammt schade, dass ich die dann ausgerechnet verschlafen habe. Besonders, wo echt alle anderen da waren. Das halbe Dorf war da, die ganze buckelige Familie samt Schleimsau Leopold, seiner Gattin Panida (meine Schwägerin Nummer drei. Ja, der Leopold hat noch keine seiner Hochzeiten verpennt!), der Pfarrer und der Bürgermeister, der höchstselbst unseren Bund fürs Leben besiegeln wollte. Und natürlich war auch meine liebe Susi da. Im schneeweißen Brautkleid mit Blumen und allem Pipapo. Wer fehlte, war eben der Franz. Weil der saudummerweise nach einem Spaziergang in den frühen Morgenstunden auf so einem blöden Hochsitz eingeschlafen und viel zu spät aufgewacht ist. So was ist ärgerlich, gar keine Frage. Wie er dann zugegebenermaßen nach einer eher größeren Zeitspanne endlich vor der Kirche angekommen ist, war die Stimmung natürlich total im Arsch. Die Susi zuerst stocksauer und danach auch ziemlich schnell weg. Ist einfach rein in diesen verdammten Lamborghini von meinem Widersacher, wo ich noch nicht einmal wusste, dass es einer ist, und prompt sind die beiden auf und davon. Und jetzt ist sie schwanger. Herzlichen Dank! Himmelherrgott noch mal, wie soll man sich denn da auf seinen Job konzentrieren und diese Wiesnmorde aufklären, wenn's privat grade Kuhfladen schneit?

Wie man sich unschwer vorstellen kann, bin ich nicht gerade in Höchstform, wie ich am nächsten Morgen durch die Gänge der Löwengrube meinem Büro entgegenschleiche. Dass mir kurz vor meinem Ziel akkurat auch noch der Stahlgruber begegnet, macht die Sache nicht wesentlich sympathischer.

»Ah, guten Morgen, Eberhofer«, begrüßt er mich in einer echt ungewohnten Höflichkeit, und wenn ich nicht irre, schwingt so was wie Anteilnahme in seiner Stimme mit. Oder klingt es gar eher süffisant? Ich bin mir nicht sicher.

»Morgen«, antworte ich kurz und knapp und so mehr im Vorbeigehen.

»Dass es aber auch so schnell gehen musste, das ist ja beinah unglaublich, gell. Also, mein aufrichtiges Mitgefühl, Eberhofer, ehrlich«, sagt er weiter, und ich hab überhaupt keinen Schimmer, wovon er grad spricht.

»Dass was so schnell gehen musste?«, frag ich und dreh mich noch mal um.

»Grundgütiger, wo misch ich mich denn da ein! Es ist ja schließlich Ihr Privatleben und geht mich auch gar nichts an«, sagt er noch so und verschwindet anschließend im Herrenklo. Und weil ich erstens nullkommanull Bock auf ein ausschweifenderes Gespräch mit ihm habe, und erst recht nicht auf dem Klo, und er zweitens eh keinerlei Einblick haben dürfte, was mein Privatleben betrifft, dreh ich mich nur ab und begeb mich schnurstracks in mein Büro rein. Die Steffi hockt bereits drinnen und auch der Rudi. Und der steht auch gleich auf, wie er mich sieht, kommt auf mich zu und legt seine Hand auf meine Schulter.

»Franz!«, sagt er ganz einfühlsam.

Was ist denn heute bloß los? Drehen hier alle langsam durch, oder was?

»Ja?«, frag ich deshalb erst einmal nach.

»Es tut mir wirklich leid. Sehr sogar«, antwortet er und schaut mir dabei direkt ins Gesicht. Die Steffi merkt wohl gleich, dass er mich grade eher verwirrt. Jedenfalls grinst sie ganz breit über den Schreibtisch zu mir her.

»Es gibt Schlimmeres, meine Herren«, sagt sie dann, lehnt sich in ihrem Sessel zurück und schlägt die hübschen Beine übereinander. »Die Susi ist schwanger. Das ist doch prima. Zumindest für sie«, sagt sie weiter und nippt kurz an ihrer Kaffeetasse. »Und ob jetzt der Franz der Vater ist oder ein anderer, das dürfte vollkommen wurst sein. Ich mein, weil ihr ja eh nicht mehr zusammen seid, oder? Und außerdem ...«

»Also typisch! Das kann ja natürlich nur von dir stammen, Steffi«, unterbricht sie jetzt der Rudi und schnauft dabei ganz theatralisch durch. »Im Übrigen kann der Franz unmöglich der Vater sein, das ist rein rechnerisch ...«

»Schluss jetzt!«, muss ich mich nun einmischen, eh sich die beiden noch weiter hochschaukeln. »Ihr braucht euch hier wirklich nicht meinen Kopf zu zerbrechen, das schaff ich prima alleine. Und überhaupt, wie kommt ihr eigentlich dazu, dem Stahlgruber davon was zu erzählen?«

Prompt wendet der Rudi seinen Blick ab und starrt auf den Boden.

»Wir haben doch dem Stahlgruber nichts erzählt«, sagt statt ihm die Steffi. »Was denkst du eigentlich?«

»Und woher weiß er es dann?«, muss ich nachfragen.

»Das war meine Schuld, Franz«, sagt jetzt der Rudi ziemlich kleinlaut und deutet rüber zur Tür. »Ich hab die Scheißtüre nicht richtig zugemacht. Nur angelehnt, weißt du. Ja, und plötzlich ist er reingekommen und hat gegrinst übers ganze Gesicht, dieses Arschloch.«

»Und warum bitte schön, redest du überhaupt in meiner Abwesenheit über mein Leben, Birkenberger? Also, das würde mich jetzt aber wirklich mal interessieren.«

»Das ist jetzt voll gemein, Franz. Man macht sich halt einfach mal Sorgen, gell. Und da hab ich gedacht, die Steffi, die wo ja praktisch so was wie eine Beziehungsexpertin ist, die könnte mir ...«

»Er wollte einfach nur meine Meinung wissen, das ist alles, Franz«, hilft ihm die Steffi aus der Misere.

»Ach, lassen wir das«, sag ich und begeb mich lieber mal zur Kaffeemaschine. »Wir haben schließlich Wichtigeres zu tun, als über ungelegte Eier zu reden. Immerhin haben wir einen Fall aufzuklären.« Das mit den Eiern hatte ich eigentlich gar nicht so gemeint.

Dass dem Rudi grad ein Stein vom Herzen fällt, kann man kaum ignorieren, weil man ihn richtig poltern hört. Den Stein, mein ich.

»Prima!«, sagt er, kommt zu mir rüber und haut mit der Faust ein paar Mal gegen meinen Brustkorb. Ich quetsch mir ein Lächeln ab und er grinst zurück. Anschließend kann ich meinen werten Kollegen dann endlich die Geschichte von meinem Foto erzählen. Dem Foto von unserem mutmaßlichen und eigentlich auch einzigen Tatverdächtigen. Also quasi das, wo dieser bajuwarische Freier drauf ist. Da schauen sie jetzt aber! Bauklötze staunen – absoluter Scheißdreck dagegen. Und plötzlich interessiert's keinen von den beiden mehr, wann und von wem und ob die Susi überhaupt ein Kind kriegt oder nicht.

Kapitel 15

Nach der Mittagspause, die ich mit dem Rudi verbringe, beschließe ich, mir den Zuhälter der Mädchen, also diesen Jack, einmal persönlich vorzunehmen. Schließlich muss ich der Sache mit diesem dubiosen Heiratsantrag noch mal genauer nachgehen. Mal sehen, ob er was gewusst hat von dieser Geschichte. Der Birkenberger beschließt, noch mal nach Freiham rauszufahren. Angeblich will er den Fundort der Leichen ganz genau unter die Lupe nehmen, was ich für einen Vorwand halte. Der wahre Grund, der dürfte wohl seine aktuelle Wohnsituation sein. Weil er sich nämlich seit dem Vorfall mit diesem Finger nicht mehr so recht wohlfühlt in seinen vier Wänden. Weil ihm weder der Latte noch der Smoothie so recht schmecken wollen und er jedes Mal fast eine Panikattacke kriegt, wenn so eine dämlich Krähe auch nur an seinem Fenster vorbeifliegt. Und weil in Freiham draußen jetzt der Megastadtteil der Zukunft entstehen soll, also mit allem, was man sich auch nur vorstellen kann an Cafés, Geschäften, Kinos, Grünflächen samt Weiher und allem möglichen Pipapo. Und drum will sich der Rudi dort mal umschauen, gell. Aber er weiß natürlich nicht, dass ich das längst schon durchschaut hab. Muss er auch nicht. So verabschieden wir uns und vereinbaren, später mal zu telefonieren.

Nachdem ich einer wirklich zuckersüßen Polin mehrere Male versichert habe, dass sie wirklich weiter nichts für mich tun kann, als mich zu ihrem Boss zu bringen, hört sie schließlich auf, an meiner Jacke rumzufummeln, und greift stattdessen zum Telefon. Und ein paar Wortfetzen später bringt sie mich auch schon durch das schwülstige Ambiente hindurch nach hinten in eines der Nebenzimmer, das einen echt krassen Kontrast zum Rest darstellt. Es ist ein schlichtes Büro, sachlich, um nicht zu sagen steril, und das Einzige, was dem Ganzen einen Hauch von Leben verleiht, ist der Jack selber. Der hockt nämlich dort an einem Schreibtisch, hat die Haxen auf demselben und raucht einen Zigarillo. Das Mädchen verschwindet umgehend und schließt die Tür hinter sich. Und ich ... ich seh mich kurz um, hol mir dann einen Stuhl hervor und warte gar nicht erst, dass der Jack mich auffordert, mich zu setzen.

Und es dauert schon ein ganzes Weilchen, bis ich den Jack schließlich davon überzeugen kann, dass eine erschöpfende Aussage seinerseits durchaus Vorteile für ihn bringen könnte. Zunächst macht er ja noch einen auf coole Sau. Bläst seine Ringe in die Luft, grinst überheblich zu mir rüber und denkt gar nicht dran, mir eine Audienz zu gewähren. Erst als Worte fallen wie »Gesundheitsamt«, »Gewerbeaufsicht«, »Sitte«, »Alkoholschwerpunktkontrollen« und »Razzien«, erst da wird er langsam einsichtig und beschließt zu kooperieren. So zeig ich ihm also das Foto mit unserem bayrischen Lustmolch, und er wirft kurz einen Blick drauf. Dann kneift er die Augen zusammen, drückt sein Rillo aus, kramt einen Tabakbeutel aus der Jackentasche, dreht sich eine Kippe und zündet sie an. Nimmt einen ganz tiefen Zug und schüttelt den Kopf.

»Also noch mal«, sag ich und deute auf das Foto. »Ist das jetzt der Freier von der Nila oder nicht?«

»Ja, Scheiße, Mann! Ich hätte erst gar nicht darauf eingehen dürfen. Sie war ein gutes Mädchen, weißt du«, fängt er schließlich an. Ich kann es wirklich nicht leiden, wenn mich jemand einfach so duzt. Schon gar nicht bei einem Verhör. Weil ich seine Gesprächsbereitschaft jetzt aber ums Verrecken nicht hemmen will, lass ich ihn einfach gewähren. »Ja, sie war ein gutes Mädchen, zwar nicht die Sorte, die mich reich macht, aber trotzdem. Sie hatte ihre Freier, die meisten davon waren Stammkunden, und sie hat einfach keine Zicken gemacht, weißt du. Die Sorte Mädchen eben, die ihren Job macht und dazu ein freundliches Gesicht, und fertig. So was ist selten.«

»Gut, aber was genau war mit diesem Typen hier? Er hat ihr einen Heiratsantrag gemacht, soviel mir bekannt ist. Was ist da dran?«

»Ja, fuck! Der war einfach nur nervig, verstehst du. Der ist ständig hier auf der Matte gestanden, mit seinen dämlichen Blumen, und wollte die Nila jedes Mal mitnehmen. Diese Sorte hasse ich. Weil du dann einfach kein Auge mehr drauf hast auf deine Girls.«

»Mitgenommen hat er sie aber trotzdem.«

»Ja, er hat sie mitgenommen und hinterher wieder zurückgebracht. Er hat dafür einfach einen ganzen Haufen Kohle bezahlt, verstehst du. Nach einer Weile war ich eigentlich ziemlich entspannt dabei.«

»Aber?«

»Ha! Ja, und dann ist er auf einmal vor mir gestanden und wollte sie auslösen, die Nila. Zunächst dachte ich ja noch, er macht einen Scherz. Doch ihm war es vollkommen ernst damit. Ja, und was soll ich dir sagen? Die Summe, die hat eben einfach gepasst, verdammt noch mal!«

»Wann genau war das?«, will ich jetzt noch wissen und schreibe auch alles eifrig mit.

»Am zwanzigsten war das. Am zwanzigsten September. Zuerst hab ich ihn ja noch ausgelacht und hab gesagt, dass er sich verpissen soll. Aber er war einfach total hartnäckig. Ist am einundzwanzigsten wieder vor der Tür gestanden. Und am zweiundzwanzigsten auch. Und dann hat er noch einmal die Summe erhöht. Was hätte ich da noch machen sollen?«

»Was genau war am zweiundzwanzigsten?«

»Was war am zweiundzwanzigsten, ha! Er ist hier reinmarschiert, wie immer in seiner Scheißlodenjacke und diesem dämlichen Sepplhut, hat mir dreißigtausend auf den Tisch geknallt, und das war's. Danach hat die Nila ihre Siebensachen gepackt und ist mit ihm mit. Das war das letzte Mal, dass ich sie gesehen habe. Mehr weiß ich nicht«, sagt er noch und macht seine Zigarette aus.

»Einen Namen? Du hast nicht zufällig einen Namen von dem Kerl?«

»Gustl«, grinst er mir jetzt her. »Das passt doch irgendwie, oder? Ich weiß nicht, ob er wirklich so heißt. Jedenfalls hat ihn die Nila so genannt.«

»Sein Wagen«, muss ich dann noch wissen. »Dieser alte Mercedes, gibt's da ein Kennzeichen, eine Farbe oder sonst irgendwas, das ich wissen müsste?«

»Nein«, sagt er und schüttelt den Kopf. »Der hat auch nie direkt vorm Haus geparkt. Ich weiß nur, dass es eine ziemlich alte Kiste war. Und das weiß ich eben auch nur von der Nila.«

»Gibt's vielleicht irgendeinen Vertrag über diese Auslösesache?«, frag ich, ahne die Antwort aber bereits.

»Ja, klar, wir waren sogar beim Notar, du Spinner!«

»Ein einfaches Nein hätte durchaus gereicht«, sag ich noch so, dann aber bin ich eigentlich auch schon durch mit meinen Fragen. Der Jack wirkt ohnehin ziemlich erleichtert, wie ich meine Abreise kundtue. Und so schütteln wir uns noch ganz kurz die Hand, und schon bin ich weg. Also ehrlich, so ein Puff, das wär auf die Dauer rein gar nix für mich. Ständig diese unsäglich greisliche Musik und die fürchterliche Geruchsmischung aus Alkohol und billigen Parfüms. Obendrein noch Springbrunnen und beleuchtete Nebelschwaden. Und zwischen Barhockern, Tanzstangen und Plüschsofas all die zierlichen Mädels mit fast nix an und greller Schminke auf der Suche nach neuen Freiern. Hölle.

Auf dem Weg zu meinem Wagen ruf ich noch schnell bei der Steffi an. Und zwar leider wieder bei ihr zu Hause, ist aber einfach unerlässlich. Doch dieses Mal bin ich vorbereitet.

»Halloho«, tönt es erwartungsgemäß aus der Muschel.

»Leg ja nicht auf!«, sag ich, und zwar ziemlich eindringlich.

»MAMA!«, brüllt der kleine Rotzer auch prompt aus vollem Halse.

Kurz darauf ist auch schon die Steffi am Apparat, und freilich weiß sie sofort, dass ich der Anrufer sein muss.

»Was gibt's, Eberhofer?«, fragt sie komplett ohne Begrüßung. Und so informier ich sie kurz und knapp über meinen Ermittlungsstatus, was sie durchaus wohlwollend entgegennimmt.

»Wenn Gustl tatsächlich stimmt, dann wird er wohl Gustav heißen«, sagt sie.

»Das denke ich auch«, sag ich und öffne die Autotür.

»Dann mach ich mich morgen früh am besten erst mal an die Mercedeshalter, die Gustav heißen.«

»Schau zuerst mal bei den älteren Modellen nach, vermutlich ist es ein Oldtimer.«

»Also ein Gustav mit einem Mercedes Oldtimer, das dürfte dann ja wohl ein Kinderspiel sein«, sagt sie noch, und dann legen wir auf. Ich lass den Motor an und versuch auch beim Birkenberger Rudi mein Glück, kann ihn aber leider nicht erreichen. Drum mach ich mich auf den Weg nach Niederkaltenkirchen. Mal sehen, was heute wieder auf dem Plan steht in diesem absoluten Wahnsinnskaff. Bevor ich endgültig heimfahr, schau ich aber noch kurz in Landshut vorbei. Genauer im Krankenhaus. Schließlich muss ich ja wissen, wie sich der Genesungszustand unseres alten Mädchens entwickelt. Der nette Pfleger von gestern ist auch wieder da, ich treff ihn direkt im Korridor, und drum kann ich ihn prima nach dem Stand der Dinge fragen. Die Oma ist wieder fit wie ein Turnschuh, sagt er, und ihr Sohn sei auch bereits auf dem Weg, um sie nach Hause zu holen. Ihr Sohn? Das wäre ja praktisch mein Papa. Das ist aber jetzt echt allerhand! Weil Dienstleistungen dieser Art, grad was die Oma betrifft, normalerweise ganz klar mein Ressort sind. So geh ich lieber gleich mal zu ihr rein.

»Servus, Oma«, sag ich, wie ich reinkomm. Sie hockt auf ihrem Krankenbett, hat die Hände im Schoß und lässt ihre kurzen Haxerln in der Luft baumeln. Ganz flüchtig schaut sie mich an, nur einen kleinen Moment lang, dann aber wendet sie sich gleich wieder ab. Ich hock mich mal daneben, nehm ihren Kopf zwischen meine Hände und drehe ihn so rum, dass sie mich ansehen muss. »Oma, wenn du mit dem Papa heimfahren willst, bist du vor Mitternacht nicht daheim, jede Wette. Du weißt, er fährt höchstens fuchzig und meistens noch nicht mal das. Willst du dir das wirklich antun?«

Ein bisschen bockig zuckt sie mit den Schultern.

Ich warte.

»Ja, meinetwegen«, sagt sie nach einer Weile. »Aber reden tu ich kein Wort mit dir, nur dass das klar ist.«

Na, also! Und nachdem sie sich von ihrem Pfleger noch recht artig verabschiedet und ihm ausgiebig die Wange geschlenzt hat, lässt sie sich sogar noch zu einem Trinkgeld hinreißen. Sie macht ihren Geldbeutel auf, kramt das ganze Kleingeld hervor, drei Zehnerl, zwei Fünferl und sieben

Cent und mit einem gnädigen Augenzwinkern drückt sie ihm schließlich die Münzen in die Hand. Trotzdem lächelt er freundlich.

»Aber nicht alles auf einmal ausgeben«, sag ich noch so, und schon sind wir weg.

Auf der Heimfahrt verliert sie tatsächlich kein einziges Wort, starrt nur trotzig wie ein Kleinkind, das keinen Lutscher abgekriegt hat, durchs Seitenfenster hindurch, und kaum dass wir in den Hof reinfahren, reißt sie auch schon die Autotür auf. Sie springt schweigend aus dem rollenden Wagen, und auch beim Abendessen später kein einziges Wort. Sie hockt mir nur mürrisch und schweigsam gegenüber und mampft in sich rein. Eine Stimmung ist das hier wie auf einer Kremess, unglaublich. Es gibt Salami mit Essiggurken, Salami mit Senf, Salami mit alten Semmeln und Salami mit getrockneten Tomaten. Ihren depperten Abwasch kann sie heute schön alleine machen. Stattdessen schnapp ich mir lieber den Ludwig und wir drehen unsere Runde. Wie immer läuft er brav vor mir her, bleibt aber heute sogar das eine oder andere Mal stehen und wartet auf mich. Dann drückt er mir nur kurz den Kopf gegen den Schenkel und läuft friedlich weiter. Treuer Kamerad, wirklich!

Um neun ruft der Papa dann an und fragt, was zum Teufel eigentlich los ist. Um halb elf ist er endlich zu Hause, allerdings ist seine Laune ziemlich im Arsch. Er isst den Rest von der Salami ganz ohne alles und murmelt dabei ständig irgendwas von Scheißfahrerei … völlig umsonst … miese Sippschaft, die ihm echt tierisch auf die Eier geht. So brech ich hier lieber ab und geh in meinen Saustall rüber.

Am nächsten Tag in der Früh ruft der Rudi an, grad wie ich mit meiner schweigsamen Verwandtschaft am Frühstückstisch hock. Ob ich vielleicht mal kurz dort in Freiham vorbeischauen kann, will er wissen. Am besten gleich, noch bevor ich ins Büro reinfahre. Er hat eine Überraschung für mich, sagt er. Und obwohl ich Überraschungen jeglicher Art ein ganz natürliches Misstrauen entgegenbringe, lass ich mich am Ende doch überreden.

Wie ich eineinhalb Stunden später dort aufschlag, kann ich den Rudi sofort erkennen. Er steht da mit ausgebreiteten Armen auf einem Berg voll Aushub und Erde und strahlt von einem Ohr bis rüber zum andern. Ich steig mal aus, mach die Autotür zu, lehn mich gegen den Wagen und schau zu ihm rauf. So muss wohl der liebe Gott ausgesehen haben am siebenten Tag nach Vollendung seines Werkes.

»Hier werde ich wohnen«, ruft er zu mir runter. »Und? Was sagst du?«

»Nobel, nobel, und wann kommen die Möbel?«, frag ich zurück.

»Ja, das war klar! Dass du dich nicht einfach mal mit mir freuen kannst«, knurrt er vor sich hin und kommt von seinem Hügel runter.

»Warum soll ich mich da freuen, Rudi?«, sag ich, weil ich's wirklich nicht weiß. »Du stehst da auf einem Haufen von Dreck und Geröll, breitest die Arme aus und sagst mir, dass du hier wohnen wirst.«

»Ja, nicht gleich natürlich. Wenn es fertig ist.«

»Und wann ist es fertig?«

»Im März.«

»In welchem März?«, frag ich und schau mich so um.

»Zwo-sechzehn. Im März.«

»Im März, ja, ja, das hast du schon gesagt. Also in knapp eineinhalb Jahren, verstehe. Und da hast du dich jetzt schon mit deinem Vermieter …«

»Nein«, unterbricht er mich gleich. »Kein Vermieter. Keine Miete. Kein Makler. Keine Provision. Das ist ja der Knaller, Franz. Ich habe gekauft, direkt beim Bauträger. Hab gestern den ganzen Nachmittag mit ihm verbracht. Er hat mir einen Hammerpreis gemacht, sag ich dir. Und das Beste ist, nächste Woche geht's auch schon zum Notar«, sagt er weiter und streckt erneut seine Arme zum Himmel.

»Du … du, äh, du kaufst eine Wohnung, die du gar nicht besichtigt hast? Die noch nicht mal existiert? Die … die ja noch nicht mal eine Adresse hat? Rudi, sag mal, spinnst du jetzt, oder was?«

Er nimmt seine Arme wieder runter und verschränkt sie stattdessen vor seiner Brust.

»Ich kenne die Wohnung sehr wohl, mein lieber Franz. Schließlich und endlich gibt's einen Plan. Erstklassiger Grundriss, sag ich dir, vierte Etage mit Aufzug, eine Loggia mit Blick in den Park und auf das Bächlein, und die Ausstattung kann ich mir selbst aussuchen. Im Übrigen, du Klugscheißer, gibt's natürlich eine Adresse, und die solltest du dir sogar merken. Denn da bin ich in nächster Zukunft erreichbar. Rita-Falk-Straße dreißig, wer auch immer dieses Weib sein mag. Außerdem gibt's einen Bäcker, einen Metzger, zwei Cafés, ein Pub und einen Bioladen direkt ums Eck. Alles erreichbar per pedes, verstehst. Also, besser geht's echt nicht.«

Per pedes, ja, alles klar. Glücklicherweise läutet aber jetzt mein Telefon. Das hindert mich daran, den nächstbesten Stein zu nehmen, um ihn dem Rudi an den Kopf zu knallen.

Es ist die Steffi, die dran ist. Und sie möchte gern wissen, wann ich komm. Es gibt Neuigkeiten, sagt sie. Und so steig ich in meinen Wagen und starte den Motor.

»Wo willst du jetzt hin?«, ruft der Birkenberger hinter mir her. »Verdammt, Franz, wo zum Teufel willst du jetzt hin?«

»Es gibt Arbeit, Rudi«, sag ich so durch das Fenster. »Also, wenn du dich von deinem brandneuen Traumdomizil losreißen könntest, dann …«

Und schon saust er um das Auto rum und hüpft hinein.

Nachdem ich mir im Büro ein Haferl Kaffee geholt und an meinem Schreibtisch Platz genommen habe, sprudelt die Steffi auch schon los.

»Also, passt mal schön auf, ihr zwei Hübschen«, sagt sie und blickt über ihren PC zu uns rüber. »Die Oldtimer scheiden aus, sorry. Doch dafür hab ich vier Mercedeshalter gefunden, die Gustav heißen und wo sowohl die Autos als auch ihre Halter älteren Semesters sind. Alle vier sind in München, zwei davon sind jedoch weiß.«

»Weiß kannst du vergessen, Steffi«, muss ich hier unterbrechen. »Die Karre ist blau oder grau. Jedenfalls nicht weiß.«

»Bleiben immerhin zwei«, sagt der Rudi und geht zur Steffi rüber. »Und die sollten wir uns vornehmen. Sind das hier die Unterlagen?«

Die Steffi nickt.

»Ja«, sagt sie und sortiert kurz die Akten. »Außerdem haben wir noch einen Gustafsson und einen August. Und die kommen wohl auch infrage.«

Der Rudi schnappt sich den Papierkram und kommt zu mir rüber.

»Gut«, sagt er schließlich. »Ungererstraße, das passt. Dafür brauch ich kein Auto, Franz. Den nehm ich mir zuerst vor. Schau mal, der da ist in Germering. Ist das nicht in der Nähe von Freiham?«

»Stimmt«, antwortet die Steffi statt meiner. »Sind keine zehn Minuten mit dem Auto.«

Somit ist die Sache erst mal geklärt und wir verabschieden uns. Dann mach ich mich auch schon auf den Weg nach Germering raus. Mal sehen, ob dort unser Wiesnmörder residiert.

Kapitel 16

Wie ich die Einfahrt zu diesem Bauernhof reinfahre, bin ich gleich mal ziemlich siegessicher, hier auf der richtigen Fährte zu sein. Ein altes Anwesen mit Stallungen, Scheunen und unzähligen Gummistiefeln vor der Haustür ... wenn das nicht passt zu Lodenanzug und Sepplhut, dann weiß ich auch nicht. Und trotz meiner ursprünglichen Ablehnung gegen diesen Fall, also praktisch diese ganzen Puffs, die Freier und alles, was dazugehört, keimt plötzlich so was wie Ehrgeiz in mir auf. Meinem ersten Tatendrang entgegen stellt sich dann aber erst mal eine Horde von Katzen in allen erdenklichen Größenordnungen, die hier den ganzen Hof belagern und mich dadurch am Aussteigen hindern. Katzen gegenüber hege ich nämlich einen gewissen Respekt. Schon rein aus meinen Erfahrungswerten heraus. Weil mir immer das ganze Gesicht zuschwillt bei jeglicher Art von Kontakt mit diesen dämlichen Viechern. So bleibe ich also notgedrungen und sicherheitshalber lieber im Wagen sitzen und betrachte das Wohnhaus von dort aus. Ein Weilchen später bewegt sich dann auch schon ein Vorhang, und gleich darauf geht die Haustüre auf und eine Frau um die dreißig und von eher rustikaler Statur erscheint auf der Schwelle. Sie sieht kurz zu mir rüber, schlüpft dann in ein Paar von den Stiefeln, hält nochmals inne und kommt schließlich auf mich zu. Eine gewisse Ähnlichkeit mit unserem Freier ist durchaus erkennbar. Ob das wohl seine Tochter ist? Das heißt es nun herauszufinden. So kurble ich mal das Fenster runter. Aber natürlich nur einen winzigen Spalt, allein schon, weil ich das Allergierisiko auf ein Minimum reduziert halten möchte.

»Was machen Sie da?«, will sie auch gleich wissen, kaum dass sie bei mir eingetroffen ist.

»Wohnen Sie hier?«, frag ich zurück und drück ihr dabei meinen Dienstausweis gegen die Scheibe.

Den überfliegt sie kurz mit zusammengekniffenen Augen und nickt anschließend. Und ich könnte schwören, dass mir schon jetzt die Nase juckt.

»Ich … also vermutlich bin ich auf der Suche nach Ihrem Vater«, sag ich weiter, schiebe den Ausweis zurück in meine Jackentasche und krame ein Tempo hervor.

»Das bin ich auch«, antwortet sie und lacht dabei irgendwie bitter. »Seit achtundzwanzig Jahren, um genau zu sein. Wenn Sie ihn also gefunden haben, dann sagen Sie mir bitte Bescheid. Nur, damit ich ihn dann abknallen kann.«

Jetzt spuckt sie auf den Boden.

»Der Saukerl hat die Mama nämlich verlassen, noch lange vor meiner Geburt, verstehen Sie. Hat sie mitsamt meinem Bruder, der damals auch noch ganz winzig war, und ihrem dicken Bauch einfach ihrem Schicksal überlassen.«

Huihuihui!

»Was ist da los, Kati?«, tönt's plötzlich von der Haustür herüber, und ein junger Mann lehnt nun dort im Türrahmen.

»Stell dir vor, Karl, da ist ein Bulle, der fragt nach unserem Vater«, ruft sie zurück.

»Ihr Bruder?«, frag ich noch schnell und sie nickt. Doch bevor ich überhaupt denken kann, rast dieser Karl auch schon auf mich zu, drischt einige Male wie wild gegen das Dach von meinem Streifenwagen, und beinah hab ich den

Eindruck, er hat Schaum vor dem Mund. Ich verschließ lieber einmal die Türen.

»Was interessieren sich die Bullen plötzlich für dieses Arschloch, hä?«, brüllt er mir dann durch den Fensterspalt her. »Das hat euch doch früher auch einen Scheißdreck interessiert. Damals, als meine Mutter ihn gesucht hat, da habt ihr sie doch auch nur nach Hause geschickt, verdammte Scheiße!«

Jetzt versucht er die Tür aufzureißen. Doch glücklicherweise war ich vorausschauend. Ich zuck mit den Schultern.

Dann läutet mein Telefon. Und weil mir eh grad die Augen zuschwellen, verabschiede ich mich fürs Erste und mach endlich das Fenster wieder zu. Katzenviecher, mistige! Der Karl, der tritt noch ein paar Mal gegen meinen Reifen und seine Schwester versucht verzweifelt, ihn daran zu hindern.

»Rudi, was gibt's?«, melde ich mich gleich mal und muss dabei die arme Frau beobachten, wie sie mit letzten Kräften ihren Bruder wegzerrt und kurz darauf mit ihm zum Wohnhaus zurückgeht. Beide haben die Hände tief in den Jackentaschen vergraben und den Kopf gesenkt. Dann gehen sie hinein und die Tür fällt ins Schloss.

»Fehlanzeige«, kann ich den Rudi vernehmen. »Der Gustav in der Ungererstraße hat nicht die geringste Ähnlichkeit mit dem Typ auf unserem Foto. Und was war bei dir?« So informier ich ihn kurz über meine jüngsten Begegnungen und starte den Wagen. Einen kurzen Moment lang überlege ich ernsthaft, ob ich hier mal übern Hof drüberroll, nur um so ein halbes Dutzend Katzen ins Jenseits zu befördern. Aber, wie gesagt, nur ganz kurz. Schließlich können die ja auch nix dafür, dass ich sie nicht riechen kann.

»Gut«, sagt der Rudi abschließend. »Dann nehm ich mir also mal den nächsten Gustav vor. Du, der wohnt übrigens gleich in der Nähe von unserem Stammlokal.«

Und so vereinbaren wir ein späteres Treffen in demselbigen, nachdem jeder von uns noch einen weiteren der potenziell Verdächtigen unter die Lupe genommen hat.

Mein zweiter Fall ist der Herr Gustafsson, ein Nigerianer, der mit einer Schwedin verheiratet ist und deren Namen angenommen hat. Allerdings fällt er schon rein aus hautfarbetechnischen Gesichtspunkten komplett durch unser Raster. Und schon deswegen bin ich relativ früh in der Kneipe und ordere gleich mal ein Bier. Weil dir bei so einem Wahnsinnsstress schon irgendwie der Durst hochkommt. Ganz abgesehen davon, dass so ein Gerstensaft sicherlich lindernd auf meine tränenden Augen wirken dürfte. Zwei Bier später ist der Durst ziemlich weg, das Tränen hat deutlich nachgelassen, der Rudi ist aber immer noch nicht da.

»Ja, Scheiße!«, schreit er mir gleich in den Hörer, wie er abnimmt, und dass er mich total vergessen hat. Er hockt nämlich grad wieder bei einem von unseren Gustavs und, stell dir vor, Franz, der ist ausgerechnet ein Möbeldesigner. Und weil er jetzt praktisch für seine dämliche Designerwohnung freilich auch noch ein paar Designermöbel braucht, ja, deswegen hat er sich halt grad ein bisserl verratscht, der Rudi, und dadurch einfach nicht mehr an unser Treffen gedacht. Aber als Mörder scheidet er definitiv aus, der aktuelle Gustav, sagt er noch so. Dann häng ich auf.

Gleich wie ich daheim in meinen Saustall reingehe, sehe ich den Simmerl Max auf meinem Kanapee hocken. Der Ludwig flackt ihm zu Füßen und lässt sich die Wampe kraulen. Links und rechts vom Max liegt jeweils ein Rucksack, und so recht weiß ich gar nicht, was das jetzt alles soll.

»Servus, Franz«, kommt er mir noch zuvor. »Ich wohn jetzt bei dir, nur dass du das weißt.«

»Aha«, sag ich, weil mir weiter wirklich nichts einfällt, und hock mich erst mal daneben. Schieb seinen Rucksack zur Seite, setze mich nieder und schau ihn auffordernd an. Dann beginnt er auch gleich zu erzählen. Hinausgeschmissen ist er nämlich worden, und zwar von unserm dorfeigenen Metzger. Also seinem Vater sozusagen. Weil der jetzt die Schnauze endgültig voll hat, dass ausgerechnet sein Max jede verdammte Woche zweimal zum Mehrwald rüberfährt, um die kulinarischen Vorräte für die ganzen Mitbürger zu organisieren. Das Allerletzte wär das. Und wer dem eigenen Vater so dermaßen in den Rücken fällt, der hat sein Wohnrecht sowieso längst verwirkt.

»Solange du deine Haxen unter meinen Tisch stellst, solange machst du gefälligst auch das, was ich dir sage, Bürschchen, verstanden!«, hat der Simmerl am Ende getobt. Aber der Max, der hat gesagt, da geht es doch nicht um Haxen oder Tische oder sonst irgendeinen Schmarrn, sondern immerhin um die Zukunft von Niederkaltenkirchen. Keine fünf Minuten später ist er auch schon rausgeflogen.

»Gut«, sag ich abschließend und steh auf. »Du kannst heute Nacht hier auf dem Kanapee schlafen. Hast du Hunger? Wenn du Hunger hast, dann komm mit.« Und so wandern wir Seite an Seite zur Oma in die Küche rein. Die freut sich, wie sie den Max sieht, und noch mehr, wie sie merkt, dass er Hunger hat. Watschelt gleich zum Herd hinüber und rührt in ein paar Töpfen. Ich begeb mich derweil mal kurz ins Wohnzimmer rein, um dem Max noch eine Wolldecke für die Nacht zu holen. Erwartungsgemäß hockt der Papa drinnen und lauscht andächtig seinen Beatles. Wie er mich sieht, stellt er gleich mal die Lautstärke leiser.

»Was hast du mit der Decke vor?«, will er wissen. Und so erklär ich ihm kurz den aktuellen Sachverhalt, was die Geschichte mit dem Max betrifft.

»Essen ist fertig«, hören wir die Oma dann aus der Küche herrufen, was uns freilich zum sofortigen Aufbruch nötigt.

Es gibt Kalbshaxerl mit Semmelknödeln, dazu Krautsalat mit Speck. Was aber der absolute Hammer ist und dir wirklich den Zahn triefen lässt, das ist die Soße von der Oma. Schmeckt einfach zum Reinknien, ehrlich. Leider muss man aber auch immer tierisch aufpassen, dass man genug davon abkriegt. Weil der Papa zum Beispiel, also der Papa, der schüttet ja Soße über seinen Teller, als würd er sich gerne die Haare drin waschen. Eine echte Unverschämtheit ist das. Und eine Provokation obendrein. Aber er sagt halt, so ein Semmelknödel muss schwimmen. Gut, wo er recht hat, hat er recht. Aber wurst. Die Oma kriegt's immer irgendwie hin, dass es für alle langt. Wobei vielleicht der Max die Freude ein kleines bisschen drosselt. Weil er natürlich als eingefleischter Vegetarier kein Haxerl isst. Nicht ums Verrecken. Und die Soße freilich ebenso wenig. Der Krautsalat fällt leider auch aus wegen Speck. Und da hockt er halt jetzt mit seinem trockenen Knödel und muss nach jedem Bissen mit Bier nachspülen. Ja, Augen auf bei der Hobbywahl!

Nach dem Essen muss ich dann auch noch meine Abwaschpflichten auf ihn übertragen, weil ich erstens gleich mit dem Ludwig gehen will und zweitens noch ganz nebenbei die Zukunft von Niederkaltenkirchen retten muss.

Nachdem wir mit eins-fuchzehn relativ flotten Schrittes unsere heimatlichen Wälder durchforstet haben, machen wir anschließend noch beim Simmerl Halt. Die Metzgerei ist freilich schon längst geschlossen, und so läute ich mal an der Klingel zur Wohnung, die obendrüber liegt.

»Eberhofer, was gibt's?«, tönt es vom ersten Stock runter, und zwar aus dem Fenster heraus. Es ist die Gisela und sie trägt Lockenwickler.

»Servus, Gisela«, sag ich deswegen erst mal. »Du, ist dein Gatte zufällig zu Hause?«

Die Lockenwickler verschwinden völlig kommentarlos, dafür erscheint aber nur Augenblicke später der kahle Schädel von unserem Metzger. Doch auch der verschwindet sofort wieder komplett ohne ein Wort, dann wird sogar das Fenster zugemacht. Ich hab das, was hier abläuft, grade noch gar nicht so recht überrissen, da geht zum Glück die Haustüre auf und der Simmerl steht in rosa Schlafanzughose samt Hauslatschen vor mir.

»Was willst?«, möchte er auch gleich wissen und verschränkt seine Arme vor der Brust.

»Dein Schlafanzug ist rosa«, sag ich, weil mir jetzt grad nix anderes einfällt.

»Ich weiß. Hat die Gisela verwaschen. Also!«

»Du … äh, du hast deinen Sohnemann vor die Tür gesetzt?«, versuch ich es erst mal.

»Korrekt!«, lacht er spöttisch, schaut kurz an mir vorbei auf die Straße, danach aber gleich wieder zu mir zurück. »Hast du irgendein Problem damit, oder was? Wie du nämlich selber so schön sagst, ist es mein Sohnemann und nicht deiner. Und mit dem kann ich machen, was ich will, verstanden?«

»Nicht, wenn er die Nacht bei mir daheim auf dem Kanapee verbringt«, sag ich mit ziemlich viel Nachdruck. Er zuckt mit den Schultern. Jetzt erscheint die Gisela hinter dem Gatten und nun trägt sie ein Tuch um den Kopf gewickelt. Das schaut allemal besser aus als die dämlichen Wickler.

»Franz«, sagt sie und schiebt dabei ihre bessere Hälfte rigoros zur Seite. »Jetzt sag doch du auch einmal was. So kann das doch alles nicht weitergehen, Mensch. Der kann doch nicht unseren armen Buben so einfach auf die Straße setzen. Ja, wo sind wir denn da!«

Ja, das frag ich mich auch langsam.

»Zieh dir was an, wir gehen zum Bürgermeister«, sag ich in Richtung vom Simmerl, doch der schüttelt den Kopf.

»Simmerl, jetzt tu schon, was er sagt«, unterstützt mich die Gisela ganz vehement.

Kopfschütteln.

»Du, wennst nicht schon wieder ein Loch in deiner Scheibe haben willst, dann kommst lieber mit«, muss ich jetzt leider drohen.

Er schnauft tief ein und dann wieder aus, schnappt sich seinen Anorak von der Garderobe und folgt mir samt Hauslatschen auf den Gehweg hinaus. Es ist unglaublich nebelig heute, und der Schein von den Straßenlaternen taucht alles rundherum in ein gespenstisches Licht. Ja, das passt gut. Edgar Wallace lässt grüßen, könnte man meinen.

Sage und schreibe dreimal müssen wir läuten, ehe der werte Bürgermeister den Weg zu seiner Haustür findet.

»Großer Gott, was ist denn passiert?«, will er auch gleich wissen.

»Nichts«, sagen der Simmerl und ich direkt gleichzeitig.

»Seid's ihr besoffen, oder was?«, fragt er und schaut dabei abwechselnd in unsere beiden Gesichter. Er steht dort in seinem Hausgang im Morgenrock aus schwarzem Samt, was ohnehin seltsam genug aussieht, und schaut uns verwirrt in die Augen.

»Gut«, sag ich, um es endlich hinter mich zu bringen. »Bevor wir hier anfrieren, vielleicht lassen Sie uns kurz rein.«

»Reinlassen? Ja, weswegen denn, bitt' schön?«, fragt er nun, und der Simmerl pflichtet ihm nickend bei. Da haben die zwei aber die Rechnung ohne den Bullen gemacht. Bis sie schauen können, geh ich auch schon an ihnen vorbei und begeb mich direkt ins Wohnzimmer rein. Der Fernseher läuft, genauer der Wetterbericht, auf dem Tisch vor der Eckbank steht ein Weißbier, eine Schüssel Kartoffelchips und eine brennende Kerze. Sehr gemütlich, muss man schon sagen. Ich schnapp mir mal die Fernbedienung und schalte die Kiste aus.

»Also, erlauben Sie mal, Eberhofer«, keift jetzt der erboste Besitzer und will offenbar sein Eigentum zurück. Nein, der Eberhofer erlaubt nicht. Weil's dem nämlich jetzt langt, und zwar ein für alle Mal. Und so schlag ich eine härtere Gangart an, und im Nullkommanix hocken die beiden brav auf der Eckbank mir gegenüber und lauschen ganz andächtig meinen Worten. Nun also kann ich ihnen endlich mal prima erklären, dass es in einem so winzigen Kaff wie Niederkaltenkirchen einfach unmöglich ist, wenn der Dorfsegen schiefhängt. Und dass sie uns nicht einfach so holterdiepolter ein Mordshotel herbauen können, erst recht nicht, wenn's mit Ausnahme von ein paar Hanseln überhaupt keiner will. So geht das eine ganze Weile, aber meine zwei Zuhörer hocken bloß dort wie angenagelt, schweigen und schütteln abwechselnd ziemlich überheblich den Kopf. Und mir … mir wird's langsam, aber sicher regelrecht heiß von der ganzen Vortragerei, und außerdem kommt mir auch der Durst allmählich hoch. So geh ich mal rüber zum Fenster, einfach, um ein bisschen frische Luft reinzulassen. Und da kann ich es dann sehen. Und zwar direkt in der Scheibe. Da steht das Spiegelbild vom Simmerl im rosa Pyjama und dem Bürgermeister im nachtschwarzen Samt. Arschbacke an Arschbacke. Davor eine brennende Kerze. Aus dieser Perspektive betrachtet, wirkt es sogar fast, als würde der Simmerl auf dem Bürgermeister seinem Schoß sitzen. Zum Brüllen, wirklich.

»Sie haben nicht zufällig etwas zum Trinken, Bürgermeister? Mir ist irgendwie grad so arg warm«, frag ich und öffne das Fenster einen ganz kleinen Spalt.

»Meinetwegen«, antwortet er brummig, steht jedoch gleich auf. »Was wollen S' denn? Ein Wasser?«

»Ein Wasser?«, ruf ich ihm hinterher. »Haben S' nicht was Feineres? Ein Glaserl Sekt zum Beispiel? Weil, wer weiß, vielleicht haben wir ja heute noch einen Grund zum Feiern.«

»Zum Feiern, soso«, tönt es aus der Küche heraus. Aber gleich darauf kommt er auch schon wieder zurück, hat eine Flasche Sekt unterm Arm und drei Gläser in der Hand. Danach lässt er auch schon den Korken ploppen und füllt unsere Gläser auf. Wir stoßen an und trinken einen guten Schluck. Ich persönlich steh ja im Grunde so gar nicht auf Sekt. Nullkommanull. Doch der hier ist prima. Prickelt und perlt und tanzt auf der Zunge.

»Lieber Gott, ist mir warm«, sag ich, nachdem ich mein Glas geleert und auf den Fernsehtisch gestellt habe. »Ich glaub, ich muss mal dringend kurz raus hier.«

»Verträgst halt den Schampus nicht«, sagt der Simmerl grinsend und sein Banknachbar nickt.

Kaum dass ich draußen bin, schieb ich ganz vorsichtig das Fenster noch ein Stück weiter auf, und jetzt hab ich einen erstklassigen Blick auf die beiden im Nachtgewand, wie sie da in voller Romantik ganz eng beieinander und mit geröteten Wangen vor ihrer Kerze und der Sektflasche sitzen. Das ist echt ein Bild für Götter. Also hol ich mal mein Handy hervor und mach ein paar astreine Fotos.

»Prost!«, ruf ich nach drinnen, und wie auf Kommando stoßen sie an, und ich kann noch einige Male auf den Auslöser drücken. Anschließend geh ich wieder nach drinnen und leg ihnen meine Beute wortlos auf den Tisch.

»Löschen! Sofort«, schreit der Simmerl gleich nachdem er mein Werk begutachtet hat, und zwar relativ hysterisch.

»Grundgütiger, Eberhofer, was soll das?«, sagt der Bürgermeister und starrt auf die Bilder. »Wir zwei sehen ja aus wie ein Liebespaar!«

»Wie ein schwules Liebespaar«, muss ich hier noch richtigstellen. Doch dann schnapp ich mir mein Telefon wieder und mach mich auch schon auf den Heimweg.

»Gute Nacht, Freunde«, ruf ich noch über meine Schulter hinweg.

»Zeig das ja keinem«, schreit mir der Simmerl noch nach. »Hörst du! Wehe, du zeigst das jemandem!«

»Das liegt einzig und allein bei euch zwei traurigen Gestalten! Schlaft einfach mal eine Nacht drüber und denkt beim Einschlafen über euer Hotel nach«, ist das Letzte, was sie von mir hören. Dann bin ich weg.

Kapitel 17

Am Frühstückstisch verkündige ich dann stolz die fröhliche Botschaft. Nämlich die, dass unser Bürgermeister plötzlich genauso einsichtig geworden ist wie unser Metzger, was sowohl bei meiner Verwandtschaft als auch beim Max zunächst auf Verwunderung, aber gleich danach auf helle Begeisterung stößt.

»Das wird aber auch Zeit«, brummt der Papa durch die Tageszeitung hindurch. »Ja, wo kommen wir denn da hin, wenn plötzlich ein jeder hier bauen kann, was er will. Da haben wir dann über kurz oder lang wohl auch noch ein Atomkraftwerk direkt vor der Haustür.«

»Schau, Max«, sagt nun auch die Oma und schlenzt dem Buben recht ausgiebig die Wange. »Jetzt musst nicht mehr länger den Pharisäer für deinen Vater machen und das Fleisch vom Mehrwald durch ganz Bayern kutschieren.«

Der Max grinst dümmlich erleichtert und nippt an seinem Kaffee. Und ich bin ziemlich froh, dass ich mit meiner Aktion ganz offensichtlich wieder ein paar Pluspunkte bei der Oma gesammelt habe. Zumindest schaut sie mich nicht mehr an, als wär ich ein blubbernder Kuhfladen, sondern schickt mir stattdessen sogar ein kurzes Lächeln über den Tisch.

»Ja«, sag ich und steh auf. »Wie dem auch sei, Dorfidylle hin oder her, ich muss los in die Großstadt, um die Menschheit von einem Massenmörder zu befreien.«

Der Papa lugt über seine Zeitung und wirft mir abartige Blicke her.

»Servus, miteinander«, sag ich noch so, und schon bin ich draußen. Doch kurz bevor ich in den Wagen steig, kann ich die Mooshammerin aus den Augenwinkeln heraus erkennen. Sie düst grad in den Hof hinein und hat ein Höllentempo drauf. Ich halte mal kurz inne, einfach weil ich davon ausgeh, dass sich die gemeindeinternen Neuigkeiten längst schon bis zu ihr rumgesprochen haben.

»Morgen, Liesl«, sag ich und bin dabei relativ siegessicher ans Auto gelehnt. »Und, was sagst?«

»Ja, was soll ich denn bitte schön dazu sagen, du Rindvieh«, schnauft sie ganz aufgebracht und steigt von ihrem Radl runter. Hab ich da irgendwas verpasst, oder wie? War nicht grad sie es gewesen, die diesen Hotelbau ums Verrecken verhindern wollte?

»Soll das heißen, dass du dich gar nicht freust?«, frag ich deswegen nach.

»Wieso sollte ich mich da freuen, hä? Wenn die Susi im Krankenhaus liegt und es auch noch Komplikationen mit ihrem Baby gibt.«

Grundgütiger! Was ist denn jetzt schon wieder los?

Noch bevor ich die Information restlos in mich aufgenommen habe, lehnt sie ihr Radl an die Hauswand und rennt dann an mir vorbei schnurstracks ins Wohnhaus rein. Ein paar Augenblicke später hockt sie vor einer dampfenden Kaffeetasse an unserer Eckbank, putzt sich ausgiebig die Nase und beginnt danach zu erzählen. Ja, sagt sie, gestern Abend ist das gewesen. Gestern Abend, gleich nach dem Essen, da ist es der Susi plötzlich so schlecht geworden und ihr Kreislauf hat auch völlig verrücktgespielt, sodass sie sich einfach keinen anderen Rat mehr gewusst hat, als einen Sanka zu rufen. Und der war auch kurz darauf da und hat sie freilich prompt ins Krankenhaus eingeliefert. Mehr weiß sie eigentlich auch nicht, die Liesl. Nur so viel noch, dass momentan keinerlei Besuch zu ihr reindarf. Woher sie das überhaupt weiß, ist uns allen ein Rätsel, aber wir haben schon lange aufgehört, uns über ihre Informanten den Kopf zu zerbrechen.

»Alles deine Schuld!«, sagt die Oma und tritt mir gegen's Schienbein. Und weil hier die Stimmung grad so was von im Keller ist, verabschiede ich mich lieber und geh zu meinem Streifenwagen zurück. Freilich muss ich jetzt zuallererst in dieses Krankenhaus reinfahren, und dort begeb ich mich auch zielstrebig direkt zum Schwesternzimmer, das ich jedoch leer vorfinde. Also lauf ich davor ein Weilchen auf und ab und werfe immer mal wieder einen Blick auf die Uhr. Warum zum Teufel ist denn hier keiner? Wo sind die denn bitt' schön alle? Ein paar Minuten später kommt ein Typ mit einem Rosenstrauß den Gang entlanggelaufen, und genau auf meiner Höhe bleibt er kurz stehen.

»Keine Panik, Kollege«, sagt er zu mir. »Die kommen alle irgendwie raus. Reingekommen sind sie schließlich auch, gell.« Dann lacht er und geht weiter. Ja, das ist jetzt wohl lustig gemeint gewesen.

Noch etwas später erscheint dann endlich auch eine der Schwestern, ein etwas älteres Modell, und umgehend eile ich ihr entgegen und am liebsten hätte ich sie umarmt. Bei meiner Frage nach der Susi stutzt sie kurz und runzelt die Stirn.

»Susi und weiter?«, fragt sie dann erst mal.

»Gmeinwieser«, sag ich. »Susanne Gmeinwieser.«

»Und Sie sind wohl der Kindsvater, oder was?«

»Ja. Nein. Wissen Sie, das ist gar nicht so einfach.«

»Aber was ist so schwer daran?«, fragt sie, nimmt ihre Brille ab und schaut mich recht eindringlich an. »Also, ja oder nein?«

»Dann vielleicht doch wohl eher nein«, sag ich relativ kleinlaut, und irgendwie ist mir das jetzt peinlich.

»Ja, dann tut's mir leid. Sind Sie denn wenigstens verwandt miteinander?«

Ich schüttle den Kopf.

»Also auch nicht. Ja, das ist schade, dann kann ich Ihnen aber wirklich keine Auskunft …«

»Wir wären aber fast mal verheiratet gewesen. Also echt, das war nur ganz knapp. Ganz abgesehen davon, dass die Susi keine eigene Familie mehr hat, verstehen Sie. Die sind alle tot. Wir sind praktisch das Einzige, na, Sie wissen schon …«

Jetzt setzt sie die Brille wieder auf und ein kleines Lächeln huscht ihr übers Gesicht. »Bitte!«, werf ich noch hinterher.

»Also gut, Herr …«

»Eberhofer.«

»Herr Eberhofer. Ihre Fast-Ehefrau, die ist gerade in den OP gebracht worden. Es gibt einen Kaiserschnitt, das Kind muss raus, verstehen Sie.«

»Großer Gott!«

»Jetzt kriegen Sie mal bitte keine Zustände deswegen. Wir machen das täglich, das ist völlig normal. Die Frau Gmeinwieser ist hier in den besten Händen und das Baby auch. Sie gehen jetzt mal schön nach Hause oder zur Arbeit oder wo auch immer Sie hinmüssen und rufen mich gegen Mittag mal an, okay?«, sagt sie, zieht Stift und Block aus der Schurztasche und notiert was. Dann reißt sie den Zettel ab und drückt ihn mir in die Hand. *Schwester Angelika* steht da drauf und eine Telefonnummer. Ich nicke ein bisschen erleichtert. »Und zu keinem ein Wort, Herr Eberhofer, verstanden! Und jetzt hauen Sie schon ab!«

Und so dreh ich ab und bin schon weg.

Den ganzen verdammten Vormittag lang kann ich mich auf nichts konzentrieren. Ich schaue nur im Minutentakt auf die Uhr, trinke an die zwanzig Tassen Kaffee und muss dementsprechend häufig aufs Klo. Und obwohl ich mit dem Rudi und der Steffi den aktuellen Fall noch mal durchhechle, bekomm ich nicht wirklich was mit. Vielmehr ist es so, wie wenn man Fernsehen schaut und dabei den Ton abgedreht hat. Ich sehe zwar, dass sie was sagen, hören kann ich es aber nicht.

»Fra-hanz!«, kann ich den Rudi plötzlich vernehmen. Er steht über meinen Schreibtisch gebeugt, praktisch Nase an Nase, und atmet mich an. »Sag einmal, hörst du uns eigentlich zu?«

»Nein!«, sag ich, steh auf und verlasse das Zimmer. Und obwohl es noch nicht mal halb elf ist, schnapp ich mir jetzt diesen Zettel, wähle die Nummer und lausche voll Ungeduld in den Hörer hinein.

»Entbindungsstation, Sie sprechen mit Schwester Angelika«, hör ich es endlich durch die Leitung hindurch.

»Schwester Angelika, Gott sei Dank«, sag ich und tupf mir über die Stirn. »Wie geht's der Susi?«

»Herr Eberhofer?«, fragt sie ganz leise.

»Ja, ja, ich weiß, es ist noch nicht Mittag. Aber …«

»Schon gut. Die OP ist vorbei, dem Kind geht es gut. Es ist ein Junge.«

Dem Kind geht es gut … es ist ein Junge … hallt und hallt und hallt es wieder und wieder in meinem Schädel.

»Herr Eberhofer?«

»Ja, bin schon noch dran«, murmele ich so vor mich hin. Dem Kind geht es gut … Aber was ist mit der Susi? Verdammt, wie geht es der Susi? »Und die Susi? Was ist mit der Susi?«, kratzt es mir aus dem Hals.

»Sie wissen schon, dass ich Ihnen eigentlich …«

»Was ist mit der Susi?«, schrei ich jetzt in den Hörer.

»Sie ist noch auf Intensiv«, flüstert sie und schnauft dann tief durch. »Aber jetzt beruhigen Sie sich bitte und rufen Sie mich gegen vier noch mal an. Das ist kurz vor meinem Schichtende, da kann ich Ihnen vermutlich schon Näheres sagen.«

»Aber kann man sie denn nicht besuchen?«

»Bin gleich bei Ihnen, Herr Doktor! Und nein, Eberhofer, niemand kann sie besuchen, verdammt! Sie liegt auf Intensiv.«

Dann klackt es in der Leitung, und ich starre mein Telefon an.

»Franz«, kann ich plötzlich meinen Namen wie aus weiter Ferne vernehmen.

»Susi?«, frag ich.

»Sag einmal, Franz, was ist denn heute mit dir los? Hast du ein Haschtütchen von deinem Alten gefrühstückt, oder was?«, will der Rudi jetzt wissen, der auf einmal neben mir steht. Doch ich zuck nur mit den Schultern. Weil er mich aber wie kein anderer kennt, drum weiß er sofort, wie er mich anpacken muss. Und bis ich überhaupt schauen kann, hat er mir alle Informationen aus den Rippen geleiert.

»Intensivstation ist prima, Franz, glaub mir«, sagt er abschließend und haut mir dabei einige Male auf den Rücken. »Es gibt praktisch keinen Ort auf der Welt, wo jemand besser betreut und beobachtet wird. Mach dir also jetzt erst mal keinen Kopf deswegen. Zumindest nicht bis vier Uhr.«

»Sie hat einen Buben, Rudi«, sag ich, während wir den Gang entlangschlendern. »Die Susi hat jetzt einen Sohn.«

Rückenklopfen. Das soll mich wohl aufmuntern. So richtig erzielt es seine Wirkung jedoch nicht.

»Du, was anderes, Franz, wir müssen da unbedingt noch einmal nach Germering rausfahren«, hör ich den Rudi wie durch eine Nebelschwade hindurch. »Weil mir nämlich aufgefallen ist, dass …«

»Rudi«, muss ich ihn nun aber leider kurz unterbrechen. Ich bleibe stehen und schaue ihm direkt in die Augen. »Sei mir nicht böse, aber du kannst hinfahren, wo immer du willst. Meinetwegen auch nach Germering raus. Ich jedenfalls fahr zur Susi ins Krankenhaus rein. Und zwar sofort.«

Ich bin relativ schnell in Landshut, um genau zu sein, werde ich auf meiner Fahrt zweimal geblitzt. Einmal auf der A 9 auf Höhe IKEA Eching, das zweite Mal auf der B 11, und beide Male fahr ich vermutlich doppelt so schnell wie erlaubt, und fast muss ich mich ein bisserl wundern, dass meine alte Kiste überhaupt noch so viel hergibt. Wie ich sie abstelle, qualmt es aus der Motorhaube. Aber wurst. Jetzt jedenfalls bin ich erst einmal hier, und kaum bin ich die Treppen nach oben gerannt und betrete den Korridor, da kann ich es auch schon sehen. Der Papa und die Oma hocken da nämlich auf einer der Bänke, und beide starren den Fußboden an.

»Servus, miteinander«, sag ich und setze mich erst mal dazu. »Und, gibt's irgendwas Neues?«

»Mei«, sagt der Papa und zuckt mit den Schultern. »Der Doktor sagt halt, das Baby wär längst überfällig gewesen, und drum war das Fruchtwasser schon trüb. Und deshalb wollten sie dann wohl die Wehen einleiten, das hat aber leider nicht funktioniert. Ja, und nach dem Kaiserschnitt hat sie zu guter Letzt obendrein noch einen Blutsturz gehabt. Und das … das ist wirklich nicht lustig, weißt.«

»Wie, der Doktor sagt? Wieso sagt euch der überhaupt irgendwas? Ihr seid doch gar nicht verwandt mit der Susi?«, muss ich nachfragen, nachdem sich die Informationen endlich in mir festgesetzt haben.

»Die Oma schon«, sagt der Papa und schaut zu ihr rüber. Jetzt erst merke ich, dass sie eingeschlafen ist. »Die hat nämlich einfach behauptet, die Susi, das wär ihre Enkelin.«

Ja, so geht's natürlich auch.

»Und was ist jetzt?«, frag ich weiter und steh auf. »Wie geht es ihr denn, verdammt?«

Doch bevor der Papa meine Frage beantworten hätte können, steht plötzlich und wie aus dem Boden gewachsen die Schwester Angelika vor uns.

»Ah«, sagt sie und schaut uns über den Rand ihrer Brille hinweg der Reihe nach an. »Die Herrschaften kennen sich?«

»Ja, mehr oder weniger«, sag ich und gebe ihr artig die Hand. »Das hier ist mein Papa und das ist die Oma, äh, ... also praktisch die von der Susi.«

Jetzt tätschelt die Schwester Angelika kurz meinen Arm und grinst.

»Gibt's irgendwas Neues von der Susi?«, frag ich und schau sie ganz eindringlich an. »Wie geht es ihr denn?«

»Sie ist mittlerweile aufgewacht, und es geht ihr den Umständen entsprechend recht gut. Und sie wollte das Baby gleich sehen, das ist ein sehr gutes Zeichen.«

»Was ist los?«, plärrt plötzlich die Oma und gähnt. Doch sobald sie begriffen hat, wo sie sich grade befindet, ist sie schlagartig hellwach. »Was ist mit der Susi?«

Und so geh ich erst mal in die Hocke und schau ihr direkt ins Gesicht, damit ich hier nicht rumbrüllen muss und sie ein bisschen von meinen Lippen und Händen ablesen kann. Danach ist sie erst mal erleichtert. Kaum dass ich mit meiner Berichterstattung fertig bin, da trifft ein Bote samt Kopfhörern bei uns ein, und er hat einen Mordsblumenstrauß im Arm. Der wär für die Frau Gmeinwieser, sagt er, überreicht ihn der Schwester und macht sich dann wieder pfeifend von dannen. Es sind Nelken, rote und weiße, Beerdigungsblumen, wenn du mich fragst, und es steckt eine Karte dabei, die ich nur zu gerne lesen würde.

»Ein Jammer um die schönen Blumen«, sagt die Schwester Angelika und schaut ganz versonnen auf das riesige Cellophan. »Die darf ich ihr nämlich gar nicht bringen. Wegen der Keime. Zu schade, wirklich!«

Und schon saust sie mit dem Strauß Richtung Schwesternzimmer, und ein paar Augenblicke später steht das dralle Gebinde auch schon in einer stattlichen Vase direkt am Fenstertresen.

»Ja, meine Herrschaften«, sagt sie, kaum dass sie wieder zurück ist. »Ich befürchte, Sie vergeuden hier nur Ihre Zeit. Sie können wirklich nichts tun. Die Frau Gmeinwieser darf bis auf weiteres keinen Besuch empfangen und braucht jetzt sowieso erst mal ihre Ruhe, damit sie wieder zu Kräften kommt. Ich schlage vor, Sie rufen mich morgen früh einfach kurz an, da weiß ich sicherlich mehr. Meine Nummer, die haben Sie ja.«

Ich taste in der Jackentasche kurz nach dem Zettel und nicke.

»Prima!«, sagt sie noch, dann dreht sie sich ab und geht ein paar Schritte. Gleich darauf aber bleibt sie stehen und wendet sich noch einmal zu uns. »Ach ja, möchte einer von Ihnen das Kind vielleicht sehen?«

»Nein!«, sagen wir alle drei wie aus einem einzigen Mund. »Nicht bevor die Susi nicht wieder gesund ist«, legt die Oma noch nach und der Papa nickt beipflichtend.

»Verstehe«, sagt die Schwester noch kurz, und schon eilt sie durch die Tiefen des Korridors und wird am Ende einfach von ihm verschluckt. Ich schau ihr hinterher, bis ich sie nicht mehr sehen kann.

»Jetzt komm schon, Franz«, brummt der Papa und zerrt mich am Ärmel.

»Ja, ja, geht schon mal vor, ich komme gleich nach.«

Kaum dass die beiden außer Sichtweite sind, schlage ich die entgegengesetzte Richtung ein, also quasi die, wo grad unsere Schwester verschluckt worden ist. Ich weiß nicht, warum ich das mache. Und ich weiß auch nicht, was ich eigentlich noch von ihr will. Vielmehr ist es, als würden meine Beine einfach drauflosmarschieren und der restliche Körper hat gar keine andere Wahl, als ihnen zu folgen. Ich finde sie relativ zügig. Sie steht dort vor einem der Krankenzimmer und unterhält sich mit einer Patientin in ihrer so angenehm weisen und fürsorglichen Art. Und so bleib ich erst mal in einem angemessenen Abstand stehen und warte. Doch sie entdeckt mich sofort. Beendet ihr Gespräch, indem sie der Frau kurz ein paar Mal lächelnd über den Oberarm streichelt, und kommt danach gleich auf mich zu. Sagt keinen einzigen Ton, legt nur den Kopf schief und schaut mich an.

»Also, wegen diesem Kind … wegen diesem …«, versuche ich es mal und räuspere mich dann ausgiebig.

»Wegen diesem Buben?«, hilft sie mir auf die Sprünge.

»Genau, wegen diesem Buben.«

»Ja?«

»Also, Schwester Angelika, was würden Sie sagen … also, Sie persönlich praktisch. Würden Sie sagen, dass er möglicherweise vielleicht … sagen wir, könnten Sie sich vorstellen, dass er ein bisschen Ähnlichkeit mit mir hat? Nur ein ganz kleines bisschen vielleicht?«

So, jetzt ist es raus.

Ihr Kopf ist immer noch schief, und sie schaut mich immer noch an. Dann aber ergreift sie plötzlich meine Hand.

»Kommen Sie!«, sagt sie, und ich folge ihr, ohne zu wissen, warum. Nur einige Schritte später stehen wir beide auch schon im Zimmer für die Neugeborenen. Dort also liegen sie, so friedlich und eingemummelt in ihren winzigen Bettchen, alles hier riecht nach Vanille und Pfirsich und aus einer Spieluhr erklingt leise Musik. Und ich steh an der Türe und bin völlig bewegungsunfähig.

»Gehen Sie nur hinein«, sagt die Schwester leise und desinfiziert sich dabei ihre Hände. Und nachdem ich das auch getan hab, wage ich schließlich zwei, drei zaghafte Schritte in diese sanfte, mir völlig fremde Welt hinein und schau mich dort um. Mützentechnisch sind die Babys nach Farben sortiert. Es gibt zwei Rosa- und fünf Blaumützen. Die Buben sind also schwer in der Überzahl. Der liebe Gott hat wohl gute Laune in den letzten paar Tagen. Nur einer von diesen klitzekleinen Rackern hier gibt ganz leise eine Art von, ja, sagen wir, Krähgeräuschen von sich, alle anderen scheinen zu schlafen.

»Wenn Sie sich einen aussuchen könnten, welchen würden Sie nehmen?«, fragt die Angelika jetzt, die plötzlich direkt neben mir steht. Wenn ich mir einen aussuchten könnte … Hat die noch alle Tassen im Schrank?

»Eines von den Mädchen vielleicht?«

»Ach, kommen Sie schon, Eberhofer«, lacht sie. »Also welchen?«

»Welcher hat die größte Nase?«

»Die größte Nase? Keine Ahnung. Der hier vielleicht.«

Und so schau ich ihn an. Lange und intensiv, kann aber keinerlei Ähnlichkeit mit mir finden. Bei den anderen vieren allerdings ebenfalls nicht. Der kleine Kräher von gerade fängt jetzt an zu weinen. Da geh ich mal hin. Er hat die Augen weit offen und blickt suchend ins Leere.

»Na, du kleiner Scheißer«, sag ich und leg ihm meine Hand auf den Bauch. Sekunden später ist er still.

Ich dreh mich ab und begeb mich zur Türe. Irgendwie wird mir das alles grad ein bisschen zu viel.

»Möchten Sie denn gar nicht wissen, welcher es ist?«, fragt mich die Schwester noch und kommt dabei hinter mir her.

Einen kleinen Moment lang bin ich wirklich versucht, doch dann schüttele ich nur kurz den Kopf. Nein, ich will es nicht wissen. Und es geht mich auch gar nichts an. Es ist der Susi ihr Bub und nicht meiner. Und aus!

Dann geh ich diesen endlosen Korridor entlang und schnurstracks dem Ausgang entgegen. Luft! Ich brauche Luft! Und zwar jetzt sofort. Das heißt, unterwegs bleib ich noch kurz vorm Schwesternzimmer stehen und schnapp mir die dämliche Karte aus dem hässlichen Nelkenstrauß. Ja, Neugierde liegt mir wohl schon rein beruflich in den Adern.

Endlich unten angekommen, entdeck ich die Oma und den Papa auf einem Bankerl direkt an der Pforte, und der dazugehörige Pförtner sitzt ebenfalls dort in der Sonne und ratscht mit dem Papa.

»Er hat dein Auto gelöscht«, sagt der, gleich wie er mich sieht.

»Wie, er hat mein Auto gelöscht?«, frag ich, weil ich momentan ganz andere Gedanken habe und beim besten Willen nicht weiß, wovon er überhaupt spricht. Doch dann erfahr ich, dass dieser aufmerksame Pförtner hier wohl ziemlich rasch gemerkt haben muss, dass der Qualm aus meiner Motorhaube immer mehr wurde und dichter auch. Und so hat er halt kurzerhand beschlossen, einfach einen Eimer Wasser zu nehmen, die Motorhaube zu öffnen und zu löschen.

»Er wird dir nicht mehr anspringen«, sagt der Papa abschließend. Und so drück ich ihm erst mal meinen Autoschlüssel in die Hand und sag, er soll es einfach ausprobieren. Schwer schnaufend erhebt er sich schließlich und macht sich auf den Weg, die Oma im Schlepptau. Und während wir hinterherschauen, kramt der eifrige Pförtner eine Zigarettenpackung hervor, steckt sich eine an und reicht mir dann das Päckchen rüber. Und so hocken wir eine Weile lang und schweigen und rauchen.

»Warst wieder bei der Wahnsinnigen von neulich?«, will er dann irgendwann wissen.

»Nein«, sag ich und schüttle den Kopf. »Dieses Mal war ich vermutlich derjenige, der wahnsinnig war.«

Kapitel 18

Wir müssen den Streifenwagen tatsächlich abschleppen, er macht keinen Mucks mehr. Das heißt, er gurgelt ganz leise, fast klingt das wie ein Wimmern, nicht schön, wirklich. Der Papa ist ziemlich genervt und flucht wie ein Bierkutscher, dass er mit seinem alten Hobel den meinigen nun auch noch durch halb Niederbayern schleifen muss. Immerhin sind beide Kisten schon über dreißig Jahre alt und haben die rasanten Zeiten längst hinter sich. Doch es hilft alles nix. Und eigentlich ist es dann auch schon fast wieder ein bisschen lustig. Weil wir halt so dermaßen langsam fahren, dass ich rein schon aus Sicherheitsgründen das Blaulicht einschalten muss. Jedenfalls wie wir dann endlich gegen zehn Uhr zu Hause sind, machen wir erst mal eine ganz kurze Brotzeit und anschließend föhnen der Papa, die Oma und ich die halbe Nacht hindurch diesen dämlichen Motor trocken. Und da … da kommt uns jetzt zum allerersten Mal der Oma ihre besessene Schnäppchenjagerei zugute. Weil sie halt im Laufe ihres langen Lebens jeden Föhn eingekauft hat, der jemals irgendwo im Angebot war. Das bedeutet, dass wir mittlerweile über stolze siebenunddreißig Modelle verfügen, worüber ich heute durchaus dankbar bin. Weil nämlich beinahe alle zum Einsatz kommen. Einfach, weil sich die Teile durch die Dauerbenutzung alle paar Minuten wegen Überhitzung ausschalten. Auf unserem Hof schaut es aus wie in einem Altpapiercontainer, wegen all der leeren Verpackungen. Um drei viertel zwei läuft der Motor wieder und wir können endlich ins Bett gehen.

Die restliche Nacht schlafe ich unruhig und wälze mich ständig hin und her. Das aber kann der Ludwig gar nicht leiden, es macht ihn vermutlich nervös. Jedenfalls liegt er fett auf mir drauf, wie ich am nächsten Morgen aufwach. Und als würde das nicht schon genügen, nein, hockt der Birkenberger Rudi dort auf meinem Kanapee drüben mit einem Kaffeehaferl in der Hand und schaut mich ganz erwartungsvoll an.

»Scheiße!«, sag ich erst mal, schubs den Ludwig von mir runter und setze mich auf.

»Ja, dir auch einen wunderschönen guten Morgen, lieber Franz.«

»Wie spät ist es denn?«

»Acht Uhr dreiundvierzig, wenn du es genau wissen willst. Ich hab mir Sorgen gemacht, weißt du. Wenn ich anruf, geht immer nur die blöde Mailbox ran, und dann die ganze Sache mit der Susi … Ja, da hab ich mir gedacht, ich komm einfach mal vorbei und schau nach dem Rechten.«

Ich steh erst mal auf, zieh mir ein T-Shirt drüber und schau auf mein Telefon. Akku leer, ja, das war klar. Drum steck ich es freilich gleich an, und anschließend nehm ich dem Rudi seine Kaffeetasse aus der Hand. Sie ist zwar leider schon halb leer und der Kaffee ist kalt, aber immerhin ist es Kaffee.

»Jetzt hock dich doch mal hin, Franz«, sagt der Rudi nun und beugt sich ganz weit nach vorne. Seine Augen blitzen. »Ich hab Neuigkeiten!«

»Gib mir mal dein Handy.«

»Warum?«

»Weil ich verdammt noch mal im Krankenhaus anrufen will!«

»Das hat doch deine Oma schon längst gemacht, Franz. Also, eigentlich war es dein Papa, aber im Auftrag von der Oma natürlich. Ich war grad beim Frühstücken drüben bei den beiden und bin praktisch direkt danebengestanden, du kannst dich also getrost bei mir erkundigen.«

»Also!«, sag ich etwas lauter, als es nötig wäre.

»Der Susi geht es besser heute. Sie liegt zwar immer noch unter Beobachtung, aber halt mehr so zur Sicherheit, weißt. Die Nacht war ruhig, und sie hat auch schon was gegessen. Und dem Baby, dem geht's ja sowieso prächtig. Und, zufrieden?«

Ein wenig erleichtert schnaufe ich durch und richte mich dann auf der Bettkante auf. »Also, pass auf, Franz«, sagt der Rudi weiter und wirkt dabei ziemlich aufgekratzt. Dann beginnt er zu erzählen. Und zwar hat er im Zuge der wunderbaren Zusammenarbeit mit der wunderbaren Steffi nämlich herausfinden können, dass alle Mercedeshalter, die infrage gekommen wären, nun leider doch allesamt ausgeschieden sind, weil sie eben mit dem Kerl auf unserem Foto keinerlei Ähnlichkeit hatten. Nicht die geringste. Und deswegen hat er halt gestern kurzerhand beschlossen, noch mal auf diesen Hof nach Germering rauszufahren. Also praktisch genau auf den Hof, wo ich selber schon dort war und wo ich aufgrund des fehlenden Vaters und meiner Katzenallergie relativ schnell wieder aufgegeben habe. Aber der Rudi, der war nicht nur deutlich hartnäckiger, sondern auch deutlich schlauer, als ich es selber war. Er hat nämlich über den Tellerrand rausgeschaut, wie er ganz stolz verkündet. Und hat eben überlegt, wenn hier kein Vater da ist, dann aber vielleicht doch ein Onkel, ein Opa, ein Vetter oder so was in der Art. Ja, so klug ist er, unser Rudi. Alle Achtung! Und genau weil er eben so dermaßen klug ist, hat er sich gar nicht erst als Privatdetektiv zu erkennen gegeben. Nein, aufmerksam wie er nun mal ist, hat er an der Einfahrt zum Hof das Schild »Fremdenzimmer zu vermieten« entdeckt und sich einfach mir nix, dir nix dort eingemietet. So hockt er nun also quasi direkt an der Quelle.

»Und jetzt kommt's, Franz«, sagt er und beugt sich dabei noch weiter nach vorne, sodass ich fast Bedenken hab, dass er mir gleich auf den Fußboden knallt. »Gestern, da hab ich dann diese zwei Jungen getroffen, du weißt schon, die du auch schon kennengelernt hast. Also die Frau und ihren Bruder, weißt du noch?«

Ich nicke.

»Genau. Und dann gehören noch zwei ältere Frauen auf den Hof. Eine davon ist die Mutter von diesen beiden und die andere ist ihre Schwägerin. Nette Frauen, wirklich. Vielleicht ein bisserl wortkarg, aber trotzdem irgendwie nett.«

»Ja, schön. Kommt da noch was?«

»Ja freilich, jetzt pass auf, Franz!«, sagt der Rudi, und nun beugt er sich bedrohlich weit nach vorne. »Heute Morgen, wie ich mir dort in der Küche einen Kaffee holen will, wer hockt da am Frühstückstisch und liest in aller Ruhe seine Zeitung?«

»Nicht wahr, oder!?«

»Doch!«, sagt er grad noch, dann kippt er um und hat jetzt endgültig das Übergewicht, dass er zu Boden knallt. Hab ich's doch gewusst. Das gibt's doch gar nicht, oder? Also, ich mein jetzt nicht das mit dem Rudi eben, sondern natürlich die Sache mit dem Frühstückstisch, die er gerade erzählt hat. Und während der Rudi wieder in die Vertikale kommt, steh ich auf und spring schnell mal unter die Dusche. Kurz darauf gesellt er sich zu mir ins Badezimmer und hockt sich auf den Klodeckel. »Wie wollen wir jetzt vorgehen, Franz?«

»Wie wir jetzt vorgehen? Ist das ein Witz, oder was? Ich fahr da raus und verhafte ihn. Fertig!«

»Gut. Aber was meinst du, sollte ich das Zimmer vielleicht lieber noch behalten? Also rein vorsichtshalber, weißt du. Nur für den Fall, dass …«

»Reich mir mal das Handtuch rüber«, sag ich und er gehorcht mir aufs Wort. »Was sollte schiefgehen, Rudi? Wir haben das Foto und wir haben den Kerl. Also deutlicher geht's ja wohl nicht.«

»Ich mein ja nur«, sagt er ein bisschen beleidigt. »Weißt du, irgendwie schaut er einfach nicht aus wie ein Mörder.«

»Wie sollte er denn deiner Meinung nach aussehen, Rudi? Mit Pockennarben, einer Augenklappe oder einem Hitlerbart?«, frag ich noch und schmeiß mich derweil in meine Klamotten.

»Sehr witzig!«

»Du, ich muss los. Ich ruf dich an, okay?«, ruf ich noch kurz über die Schulter, und dann bin ich weg.

»Ja, herzlichen Dank auch, lieber Rudi! Da hast du dir aber Mühe gegeben und eine wirklich ganz großartige Arbeit abgeliefert, Respekt, Rudi! Du, Arschloch, du blödes!«, kann ich ihn noch prima vernehmen, so laut, wie er schreit.

Ein kurzer Stopp beim Simmerl hebt meine Stimmung gleich enorm, weil er endlich wieder sein komplettes Angebot hat, was auch seinen legendären Leberkäs beinhaltet. Und so nehm ich drei Warme to go. Kaum bin ich auf der Autobahn, da fällt mir die Geschichte mit den Katzen wieder ein. Verdammt! Wie soll ich dort auf den Hof gehen und den Typen verhaften, wenn ich wegen diesen depperten Viechern noch nicht mal aus dem Auto aussteigen kann? Drum muss ich kurzerhand umdisponieren und den Rudi anrufen, um ihn über diese Misere zu informieren. Er lacht mir in die Muschel. Ein dreckiges, höhnisches, greisliches Lachen.

»Was soll ich jetzt machen, Rudi?«, frag ich, weil mir wirklich nichts einfällt.

»Was soll ich jetzt machen, Rudi? Was soll ich jetzt machen?«, äfft er mich nach. »Es ist mir scheißegal, was du machst, Eberhofer!«, schreit er noch, dann hängt er ein.

Immer dieses Rumgezicke! Zum Kotzen, wirklich!

Wie ich dann schließlich doch dort auf dem Anwesen eintreffe, liegt erwartungsgemäß die ganze Katzenhorde erneut auf dem Pflaster, und ich hab keine andere Wahl, als sitzen zu bleiben. Zu meinem Glück aber karrt der junge Mann vom letzten Mal gerade eine Schubkarre mit Gartenabfällen über den Hof. Und wie er mich jetzt sieht, bleibt er kurz stehen und stutzt, kommt dann aber gleich auf mich zu. Ich lass mal das Fenster ein winziges Stückchen herunter.

»Sie schon wieder?«, fragt er.

»Ich schon wieder«, sag ich, ziehe mein Handy hervor und zeig ihm dann gleich unser Foto.

»Das ist der Gustl«, sagt er und nickt. »Mein Onkel Gustl.«

»Und warum erfahr ich das erst jetzt?«

»Weil Sie vielleicht neulich nach meinem Vater gefragt haben und nicht nach meinem Onkel?«

»Wo ist er?«

»Drinnen vermutlich«, sagt er und zuckt mit den Schultern.

»Rausholen, aber hurtig!«, sag ich noch und mach das Fenster wieder zu.

Einen kleinen Moment scheint er noch nachzudenken. Dann aber geht er artig zur Haustür und verschwindet dahinter, um nur Augenblicke später mit dem ganz offensichtlich leicht verwirrten Onkel zurückzukommen. Das also ist er! Mein Ober-, Haupt- und Einzigverdächtiger! Er schlurft dort an der Seite seines Neffen in Lodenhose samt Trachtenhemd und Hauslatschen auf mich zu und macht dabei einen so dermaßen biederen Eindruck, als könnte er keiner Fliege was antun. Doch trau, schau, wem! Und wenn ich an die Mädchen denke und an ihre furchtbaren Verletzungen, dann würgt es mich jetzt direkt her. Ich lass das Fenster wieder einen Spalt runter.

»Name?«, frag ich und zieh derweil meine Visitenkarte aus der Jackentasche.

»Koppbauer«, antwortet er leise. »August Koppbauer.«

»Gut, Herr Koppbauer«, sag ich und reich ihm die Karte durch den Spalt. »Dann haben Sie jetzt die Wahl. Entweder Sie hocken sich jetzt in Ihren verdammten Mercedes und kommen sofort zu mir ins Büro rein ...«

»Oder?«, fragt er, weil ich grad eine Pause machen muss, um mir die Nase zu putzen. Diese blöden Drecksviecher, Herrschaftszeiten!

»Ja, oder hier steht in einer halben Stunde das gesamte SEK auf Ihrem Hof. Ganz, wie Sie wollen.«

»Aber das können Sie doch nicht machen«, muss sich jetzt auch noch der Neffe einmischen.

»Wollen wir's testen?«

»Nein, nein, um Gottes willen, nein. Ich ... ich werde gleich kommen. Kann ich grad noch kurz die Schuhe wechseln?«

»Nur zu«, sag ich und starte den Wagen.

»Kann ich vielleicht mitkommen?«, will der Neffe noch wissen, nachdem sich der Koppbauer schon abgedreht und auf den Weg zur Haustür gemacht hat.

»Ja, von mir aus«, sag ich noch, dann schließ ich das Fenster.

Unterwegs versuch ich den Rudi zu erreichen, schließlich hat er mich ja auf diese Fährte gebracht und hat dadurch zuallererst ein Anrecht darauf, auf dem Laufenden gehalten zu werden. Leider läutet es nur zweimal, danach ist mein Akku wieder leer. Was aber irgendwie auch logisch ist, wenn man bedenkt, dass er nur ein paar Minuten lang aufgeladen wurde.

Wie ich eine halbe Stunde später im Büro ankomme, stellt

sich aber auch gleich raus, dass ein weiterer Anruf beim Rudi völlig unnötig ist, weil er nämlich schon drin hockt. Genau genommen hockt er nicht nur drin, sondern heult sich auch noch bei der Steffi aus. Ich kann es durch den Türspalt hindurch hören und muss dabei irgendwie grinsen.

»Es ist immer wieder dasselbe, Steffi«, sagt er in einem weinerlichen Tonfall. »Er kommt immer nur, wenn er mich braucht, dieser Idiot. Und ich … ich reiß mir ein jedes Mal meinen Arsch für ihn auf!«

»Ach, Rudi«, sagt jetzt die Steffi. »Nimm's doch nicht persönlich. So ist er nun mal, der Eberhofer. Ein unsensibler Macho, der es gar nicht merkt, wenn er jemandem auf den Schlips steigt. Er meint das sicher gar nicht böse, will ich einfach mal so unterstellen. Und außerdem hat er ja auch irgendwie seine sympathischen Seiten, gell.«

»Ha! Was, bitt' schön, wär denn daran sympathisch, wenn man einen Freund wieder und wieder bloß ausnützt?«

»Aber Rudi«, sagt nun die Steffi ganz eindringlich. »Grad du müsstest doch wissen, was an ihm sympathisch ist. Würdest du dir denn sonst wieder und wieder deinen Arsch für ihn aufreißen? Sei mal ehrlich.«

So, genug gelauscht. Ich geh da mal rein.

»Ach, Rudi«, sag ich und begeb mich gleich zur Kaffeemaschine. »Prima, dass du schon da bist. Hab schon x-mal versucht, bei dir anzurufen.«

»Du hast es genau einmal probiert. Und wie ich abgehoben hab, da hast du aufgelegt. Herzlichen Dank auch!«

»Hab ich nicht, ich schwör's. Mein Akku war leer. Aber was anderes, meine Herrschaften«, sag ich jetzt relativ siegessicher und setz mich auf meinen Schreibtisch. »Ratet mal, wer hier gleich aufschlagen wird!«

»Der Herr Koppbauer vermutlich«, sagt der Rudi ganz trocken und macht sich damit zum Spielverderber. Was aber wurst ist, weil eh grad das Telefon läutet. Die Steffi geht ran und spricht ganz kurz.

»Und da ist er auch schon«, sagt sie, gleich wie sie aufgelegt hat. »Ein Kollege bringt ihn nach oben.«

»Prima«, sagt der Rudi und steht auf. »Ich bin dann mal im Nebenzimmer und lass die Tür einen Spalt auf.«

»Warum?«, will ich jetzt noch wissen.

»Weil es doch durchaus sein kann, dass es da draußen in Germering noch das eine oder andere herauszufinden gibt. Und weil du das ja wegen der Katzen nicht tun kannst, lieber Franz, werde ich es tun müssen. Und drum ist es wohl erst mal besser, wenn ich der Pensionsgast bleibe, der ich momentan bin. Meinst du nicht?«, antwortet er, und schon verschwindet er durch die Verbindungstüre. Ja, man kann über den Birkenberger sagen, was man will: Dass er nachtragend ist und eine Heulsuse, dass er zuweilen sogar weibische Züge annimmt oder dass er ein alter Futterneider ist. Aber eines ist sicher: Auf den Rudi ist immer Verlass! Und da gibt's gar nicht so viele, auf die das ebenfalls zutrifft!

Eine Sekunde später klopft es auch schon.

»Herein!«, rufen die Steffi und ich direkt gleichzeitig, und dann geht die Tür auf und die zwei Herrschaften werden von einem Kollegen ins Zimmer geführt. Der Koppbauer hat jetzt ganz rote Augen und auch sein Neffe wirkt alles andere als fröhlich und heiter. Für einen ganzen Moment schauen wir uns gegenseitig an. Die Steffi ist die Erste, die den Faden aufnimmt.

»Gut«, sagt sie, steht auf und holt ihr Diktiergerät aus der Schublade. »Dann geh ich mit dem jungen Mann mal in ein anderes Büro, mal sehen, was er so zu erzählen hat.«

»Ich hab gar nix zu erzählen«, wirft der gleich ganz bockig ein. Doch da hat sie ihn auch schon untergehakt und zur Tür geschoben.

»Kaffee?«, frag ich anschließend den Koppbauer erst mal, der wie ein hilfloser Wurm im Raum herumsteht, die Arme hängen lässt und nicht weiß, wo er überhaupt hinschauen soll. Er nickt kurz dankbar zu mir rüber. Und nachdem ich ihm sein Haferl in die Hand gedrückt und ihm einen Stuhl zugewiesen habe, hock ich mich ebenfalls nieder. Danach geht eigentlich alles recht schnell. Ich hab ihm noch keine drei Fragen gestellt, da bricht er auch schon in Tränen aus und sagt, dass er es gewesen ist. Dass er jedes Einzelne der drei Mädchen auf dem Gewissen hat und dass ihm das alles unheimlich leidtut. Anschließend aber kann ich ihn nicht mehr richtig verstehen, weil er nun einen Weinkrampf kriegt und einen ausgewachsenen Schluckauf noch obendrein. Es schüttelt ihn richtig, und fast erbarmt er mich. Kann so jemand ein Mörder sein? Wahrscheinlich schon, er hat es ja selber grade gesagt. Hm. Ja, gut, so aber hat das hier keinen Sinn mehr. So wie der schluchzt. Drum steh ich auf und geh erst mal zu meinem Busenfreund rüber, also zum Stahlgruber, und informier ihn über den aktuellen Status quo.

»Aber das ist ja wunderbar, Eberhofer!«, frohlockt er auch prompt, steht von seinem Schreibtisch auf und haut mir auf die Schulter. »Da wird ihm aber ein Stein vom Herzen fallen, unserem Oberbürgermeister.«

»Aber ich weiß nicht so recht«, sag ich, weil ich es wirklich nicht weiß. »Der Koppbauer hat zwar ein Geständnis abgelegt, dass er die Mädchen umgebracht hat, aber zu den Taten selber konnte ich ihn noch nicht befragen, weil er grad so was wie einen Nervenzusammenbruch hat. Und wenn Sie mich fragen, so richtig glaubhaft find ich das alles nicht.«

»Papperlapapp! Verhaften Sie ihn, er ist ein Mörder, das hat er doch selber zugegeben. Ja, ein Serienmörder, könnte man sogar sagen. Da besteht akute Flucht- und Verdunkelungsgefahr. Schon mal davon gehört, Eberhofer?«

»Also, einen Serienmörder stell ich mir auch irgendwie anders vor. Ich kann's nicht genau sagen, aber ich hab kein gutes Gefühl dabei.«

»Sie immer mit Ihren Gefühlen, Ihren seltsamen! Aber wie dem auch sei, wie Sie ja grad gesagt haben, ist er aufgrund seines Gemütszustandes momentan ohnehin nicht weiter verhörbar, oder?«

Ich nicke.

»Sehen Sie. Und drum kommt er jetzt erst mal in Untersuchungshaft. Schon allein, um ihn sozusagen vor sich selbst zu schützen, gell. Ja, was wäre denn bitte schön, wenn er sich jetzt in seiner Verzweiflung auch noch selber was antun will? Nicht auszudenken wäre das! Ein Massenmörder, der sich am Ende noch in der Isar ertränkt! Nein, bei uns ist er praktisch in Sicherheit. Auch vor sich selber. Also, jetzt machen Sie schon! Ich kümmere mich derweil um den Haftbefehl«, sagt er noch und greift zum Telefon. Und wahrscheinlich hat er ja recht. Was sollten wir denn sonst im Moment mit dem Koppbauer machen, als ihn verhaften?

Kurz nachdem die Kollegen ihn weggebracht haben, erscheint auch die Steffi samt Koppbauer-Neffen wieder bei uns im Büro, und so informier ich die beiden kurz über den Stand der Dinge.

»Und wie ... wie hat er es aufgenommen, der Onkel Gustl?«, will der junge Mann daraufhin wissen. Er ist jetzt blass wie ein Winterkartoffelknödel und schaut dabei nervös zwischen dem Fußboden und mir hin und her.

»Wie sind Sie eigentlich verwandt miteinander?«, frag ich zurück.

»Er ist mein Onkel. Das wissen Sie doch.«

»Also, der August Koppbauer«, versucht es die Steffi dann gleich ein bisschen ausführlicher zu erklären und blickt dabei auf ihre Notizen. »Das ist praktisch der Bruder von

Karls Mutter. Und weil die bis zum heutigen Tag ledig ist, drum heißt unser Karl hier halt mit Nachnamen ebenfalls Koppbauer.«

»Also gut, Karl. Ihr Onkel Gustl, der hat geheult wie ein Schlosshund, wenn Sie's genau wissen wollen«, sag ich jetzt relativ pragmatisch.

»Aber es ist doch alles seine Schuld, verdammt«, schreit er jetzt aus Leibeskräften. »Alles nur seine eigene verdammte, verdammte Schuld! Verdammte Scheiße!«

Danach ist es ein Weilchen ziemlich ruhig hier, und eine Art betretene Stille schwebt über dem Raum. Keiner scheint grad ein Wort über die Lippen zu bringen, doch die Steffi ist hinter den Karl getreten und hat ihm die Hand auf die Schulter gelegt. Er räuspert sich kurz und schnäuzt sich dann in sein Taschentuch.

»Kann ich ... kann ich jetzt endlich gehen?«, will er irgendwann wissen und wir nicken beide.

Kapitel 19

Kaum dass uns der junge Mann schließlich verlassen hat, gesellt sich auch der Rudi wieder zu uns ins Büro, macht jedoch ein recht nachdenkliches Gesicht.

»Irgendwie kann ich es im Moment nicht richtig einordnen«, sagt er und geht rüber zum Fenster. »Entweder ist es generell dieser Fall, der mir grade so auf den Magen schlägt, oder es ist einfach das Mittagessen, das ich bislang noch nicht hatte.«

»Scheiße, Mann!«, ruft jetzt die Steffi, schaut kurz auf die Uhr und springt dann wie von einer Tarantel gestochen von ihrem Bürostuhl auf. »Ich muss los!«

»Ja, Halbtagskräfte bei der Polizei sind echt Gold wert«, brumm ich so vor mich hin.

»Was hast du da eben gesagt, Eberhofer?«, fährt sie mich prompt an. »Was du gesagt hast, möchte ich wissen!« Sie kommt nun bedrohlich nahe auf mich zu.

»Nichts«, sag ich und quetsch mir ein Lächeln ab. »Und jetzt hau schon ab!«

»Leg dich bloß nicht mit mir an, hörst du! Und erst recht nicht, wenn's meine Kinder betrifft«, keift sie mir noch her, schnappt sich ihre Tasche und eilt zur Türe hinaus, die krachend hinter ihr ins Schloss fällt.

Nachdem der Rudi endlich sein dämliches Gegrinse wieder aus seiner Visage gekriegt hat, beschließt er gleich mal, nach Germering rauszufahren, um dort die Reaktionen der kompletten Familie auf die Verhaftung quasi live mitzuerleben. Was ja durchaus aufschlussreich sein könnte, wie er meint. Das Mittagessen scheint er ganz vergessen zu haben. Gut, sag ich, wir können ja später mal telefonieren. Ich für meinen Teil habe nämlich eigene Pläne, will mir aber vorab noch schnell ein paar Leberkässemmeln holen. Weil ganz ohne Mittagessen kann ich mich beim besten Willen auf nix konzentrieren. So wandern wir also Seite an Seite durch die Gänge hindurch und dem Ausgang entgegen.

»Sag mal selber, Franz«, will der Rudi unterwegs wissen. »Irgendetwas stimmt doch da nicht, oder? Dieser Typ, das ist doch kein Mörder. Ein Freier schon, das kann ich mir sehr gut vorstellen. Aber ein Mörder?«

»Ja, ich hab exakt das gleiche Gefühl. Sagen wir mal so, wenn er tatsächlich unser Mörder ist, dann muss der irgendwelche Aussetzer im Hirn haben, psychopathisch quasi. Ein eiskalter Killer ist der sicherlich nicht.«

»Aha!«, tönt es plötzlich hinter uns. Und so drehen wir uns freilich gleich um und: Ja, die Freude könnte gar nicht größer sein! Es ist nämlich der Stahlgruber, der uns da grad auf den Fersen ist. »Da spricht wohl der Experte. Unser Psychologe, der Herr Eberhofer persönlich!«

»Was soll das, Stahlgruber?«, frag ich nicht grade sehr höflich. »Haben Sie ein Problem damit, wenn wir uns über unseren Fall unterhalten? Noch dazu in der Mittagspause?«

»Grundgütiger! Nein, nein, lassen Sie Ihrem Ehrgeiz ruhig freien Lauf, meine Herren. Aber wo wir schon mal drüber reden, soeben habe ich noch mit Stadelheim telefoniert. Dem Koppbauer geht's wieder besser, er hat sich mittlerweile beruhigt und auch schon etwas gegessen.«

»Prima!«, sag ich noch, dann drehen wir ab und gehen weiter den Korridor entlang.

Auf dem Rückweg vom Metzger esse ich meine Semmeln, und gleichzeitig kann ich durch einen kurzen Anruf bei der großartigen Schwester Angelika erfahren, dass es mit der Susi weiterhin bergauf geht – aber leider noch immer kein Besuch zu ihr reindarf. Danach bin ich erst mal erleichtert und geh in mein Büro zurück. Dort hol ich mir einen Kaffee und das Diktiergerät von der Steffi, schalte es ein, und anschließend hör ich ganz aufmerksam zu. Sie macht das wirklich vorschriftsmäßig und nennt zuerst mal Namen, Datum und Uhrzeit. Und nachdem sie dem Neffen, also diesem Koppbauer Karl, erklärt hat, was genau seinem Onkel überhaupt so vorgeworfen wird, will sie natürlich anschließend wissen, was er darüber weiß. Und was jetzt kommt, ist durchaus nicht uninteressant, muss man schon sagen! Denn obwohl er recht wortkarg, ja fast bockig ist und ständig vorgibt, von gar nichts zu wissen, erwähnt er trotzdem einige Male, dass diese geldgierigen Matzen sowieso nichts anderes verdient hätten. Und das in einem Tonfall, der so wütend und hasserfüllt ist, dass es mir eiskalt den Buckel runterläuft. Ob sich dieser Hass gegen seinen Onkel oder doch eher die Mädchen richtet, kann ich allerdings nicht richtig ausmachen.

Also brech ich hier mal ab und fahr stattdessen nach Stadelheim rüber. Mal sehen, ob man mittlerweile aus dem Onkel was Brauchbares rauskriegt. Jedenfalls hat er schon wieder etwas Farbe und nimmt auch gleich brav mir gegenüber Platz, kaum dass er zu mir reingebracht wird.

»Wie geht es meiner Familie?«, will er zuallererst wissen. »Wie haben sie es aufgefasst?«

»Keine Ahnung«, sag ich wahrheitsgemäß und zuck mit den Schultern. »Ihr Neffe, der war ja vorhin dabei und ist bereits wieder auf dem Heimweg, Herr Koppbauer. Und er wird doch gewiss dafür sorgen, dass es ihre Familie so schonend wie möglich erfährt, da bin ich ganz sicher.«

Er nickt und presst dabei die Hände so fest ineinander, dass sie rot anlaufen. Ich kann deutlich erkennen, wie sehr er grad zittert.

»Erzählen Sie mir was über die Mädchen, Herr Koppbauer«, sag ich, versuche, ganz ruhig zu sprechen und mich entspannt zurückzulehnen. »Was meinen Sie, wollen wir vielleicht mit der Nila anfangen? Das war ja ein besonders süßes Ding, oder?«

Er atmet tief durch und schaut mich kurz an. Danach bleibt sein Blick an der Tischplatte kleben.

»Die Nila«, sagt er ganz versonnen, und ein Lächeln huscht ihm übers Gesicht. »Nein, die Nila, die war nicht nur ein besonders süßes Ding, sie war auch unglaublich warmherzig, Herr Kommissar. Das müssen Sie wissen. Warmherzig und klug und fröhlich. So was findet man selten.«

»Aber genau das ist doch der Punkt, Mensch. Jemanden, der so warmherzig ist und klug und fröhlich, den bringt man doch nicht einfach um, Herr Koppbauer. Sie wollten die Nila doch sogar heiraten, und das, obwohl Sie ja schon verheiratet sind.«

»Meine Ehe ist keinen Pfifferling wert!«

»Das mag schon sein, interessiert mich aber nicht. Mich interessiert nur, was mit diesen Mädchen los war. Also, was genau ist da passiert?«

»Ich kann mich nicht mehr erinnern, verstehen Sie«, sagt er und blickt von seiner Tischplatte auf. Dann aber verschränkt er bockig die Arme. »Und außerdem will ich auch nichts mehr sagen. Jedenfalls nicht, bevor ich nicht mit einem Anwalt gesprochen habe.«

»Sie kriegen Ihren Anwalt, verlassen Sie sich drauf«, sag ich noch so, läute dann nach dem Justizbeamten, und ich weiß nicht, woher, aber urplötzlich schießt mir eine Idee durch den Kopf. Und ich würde fast meinen, dass sie ziemlich genial ist. »Eines aber würde mich doch noch interessieren, Herr Koppbauer«, sag ich deswegen.

Jetzt schauen wir uns direkt in die Augen, und obwohl sein Blick störrisch ist, scheint er trotzdem durchaus neugierig.

»Also?«, fragt er sehr leise.

»Alle drei Mädchen haben einen Ehering getragen. Jede Einzelne davon. Und zwar immer das gleiche Modell. Der Pathologe sagt, der wäre ihnen erst nach Eintreten des Todes übergestreift worden. Ein Ehering, Herr Koppbauer! Verstehen Sie das? Ich zumindest verstehe es nicht. Aber vielleicht können Sie mir ja erklären, warum Sie die Mädchen zuerst umgebracht und ihnen hinterher einen Ring verpasst haben.«

Er starrt auf die Tischplatte, kratzt sich kurz an der Stirn und presst dann seine Hände wieder fest ineinander. Ein ganzes Weilchen sagt er gar nichts, und fast fürchte ich schon, dass ich meine Finte völlig umsonst ausgelegt habe. Doch genau in dem Moment, wo die Türe aufgesperrt wird und der Beamte erscheint, sagt der Koppbauer einen einzigen, aber bedeutenden Satz.

»Na, weil ich sie doch heiraten wollte! Ich hätte doch so gerne eine von ihnen geheiratet. Besonders die Nila. Deswegen auch die Sache mit den Eheringen, können Sie das nicht verstehen, Herr Kommissar?«

Und somit dürfte eines wohl klar sein: Wer auch immer diese Morde begangen haben mag, der Koppbauer war es jedenfalls nicht. Ebenso wenig, wie es diese Ringe überhaupt jemals gegeben hat.

Auf dem Weg zu meinem Wagen fühl ich mich wie ein Held und ruf direkt mal beim Rudi an. Und er ist nicht im Mindesten verwundert über den neuesten Stand der Erkenntnisse. Ganz im Gegenteil, sagt er, und dass er sogar relativ schnell so eine Art Bauchgefühl hatte, dass unser Täter ein anderer ist. Ein anderer sein muss!

»Und, wie schaut's bei dir aus?«, frag ich nach. »Was gibt's in Germering Neues? Wie hat die Familie reagiert?«

»Reagiert, ha!«, sagt er. »Ich wollte, irgendjemand hätte überhaupt reagiert. Nix, Franz! Kannst du dir das vorstellen? Da wird der Hausherr verhaftet, praktisch von einer Sekunde auf die andere, und keiner verliert auch nur ein einziges Wort darüber. Das ist doch mehr als sonderbar, oder?«

»Vielleicht sollten wir die ganze Bagage einfach mal vorladen, was meinst du? Alle zusammen: ab in die Löwengrube, und dann verhören wir einfach der Reihe nach.«

»Bräuchten wir dazu nicht die Einwilligung vom Stahlgruber?«

»Haben wir denn je irgendeine Einwilligung von irgendwem gebraucht, Rudi?«, frag ich noch so, dann häng ich ein.

Kapitel 20

Die Steffi telefonisch zu erreichen, scheitert schlicht und ergreifend daran, dass sie nicht rangeht. Also fahr ich mal hin. Die Situation verlangt nun ein zackiges Handeln, drum ist mir ihre Privatsphäre momentan relativ wurst.

»Verdammt, Franz! Was ist denn jetzt schon wieder?«, sagt sie gleich ziemlich genervt, wie sie mir öffnet. Sie trägt einen Bademantel, ein Handtuch um den Kopf gewickelt und obendrein noch eine fette Cremeschicht in ihrem Gesicht. Ich hab sie durchaus auch schon hübscher gesehen. Und obwohl sie meine Anwesenheit ganz offensichtlich wenig begeistert, lässt sie mich doch rein und führt mich auch gleich ins Wohnzimmer, verschwindet dann aber sofort hinten im Bad. Und so nehm ich erst mal einen ganzen Schwung Bauklötze, Barbies und Puppenkleider sowie einige Computerspiele vom Sofa runter und deponiere alles auf dem Bügelbrett daneben. Nun kann ich mich hinhocken.

»Keine Kids heute?«, frag ich wegen der göttlichen Ruhe.

»Sind bei meiner Mutter. Zweimal im Monat, weißt du. Schließlich muss ich ja auch mal raus hier. Aber was ist eigentlich los? Was willst du hier?«, tönt es durch den Flur hindurch zu mir rüber.

Und so versuche ich so laut wie nötig und so leise wie möglich, mit meinen Neuigkeiten bis zu ihr ins Bad vorzudringen.

»Aber das ist ja unglaublich!«, sagt sie und steht plötzlich mit feuchten Haaren und einem wahnsinnigen roten Fummel, der nur von zwei hauchdünnen Trägern gehalten wird, im Türrahmen. Und mir bleibt jetzt beinah die Spucke weg.

»Gib mir fünf Minuten, dann bin ich bei dir, Franz!«, sagt sie noch, verschwindet auch schon wieder, und anschließend kann ich den Föhn laufen hören. Wie sie eine Viertelstunde später zurückkommt, hält sie ein Paar Schuhe in der Hand, ist fertig geschminkt und frisiert und schaut schlicht und ergreifend nur umwerfend aus. Sie setzt sich auf den Sessel mir gegenüber, schlüpft in einen der Schuhe und beginnt dann die Riemchen zu verschließen. Nein, im Grunde sind es gar keine Schuhe. Jedenfalls nicht im klassischen Sinn. Es sind Kunstwerke aus rotem Leder, mit unzähligen Bändern und goldenen Schließen dran, und die müssen sehr aufwändig verarbeitet sein. Der richtige Hammer aber ist dieser Wahnsinnsabsatz! Gefühlte dreißig Zentimeter hoch, so dünn wie ein Bleistift und nach unten hin wird er auch noch dünner und dünner. Wie kann man darauf bloß laufen? Wie hält man da die Balance? Es ist mir ein Rätsel und ich kann beim besten Willen nicht mehr wegschauen. Dieser Absatz! Dieser Wahnsinnsabsatz!

»Was starrst du denn so? Hast du noch nie Stilettos gesehen?«, fragt die Steffi grinsend. »Und ob du's glaubst oder nicht, Franz, die gehören tatsächlich zu der Spezies Schuhe!«

»Nein, das sind keine Schuhe, Steffi. Niemals! Schau dir allein diese Absätze an, das ist doch pervers, oder? Das … das sind doch Mordwaffen!«

So, jetzt ist es raus!

»Verdammte Scheiße, Franz!«, sagt sie, hält kurz inne und blickt einen Moment lang wie gebannt auf ihre Füße runter. Dann nimmt sie ganz behutsam eines dieser Kunstwerke in die Hand und streicht mit ihrem Finger über den Absatz. Und zwar ganz, ganz langsam. »Franz! Denkst du auch, was ich denke? Denkst du auch, dass diese Verletzungen … na, die von den zwei Mädchen eben … dass die davon kommen könnten?«

»Ja«, sag ich und verspüre einen dicken Kloß im Hals. »Ja, genau das denke ich gerade.«

»Lieber Gott!«

»Ja, ich wollte, der könnte uns jetzt helfen. Aber ich befürchte, wir müssen die Sache alleine rausfinden«, sag ich und steh auf. »Und außerdem befürchte ich noch, du musst heute deine Pläne ändern, liebe Steffi. Ich brauche deine verdammten Schuhe und wir müssen …«

»Ich kann meine Pläne nicht ändern, Franz. Und ich werde es auch nicht. Bitte nicht heute«, unterbricht sie mich und hat dabei einen ganz flehenden Tonfall drauf. Dann verschwindet sie kurz wieder im Flur, kommt aber gleich mit einem weiteren Paar Schuhe zurück. Es sind fast dieselben wie die, wo sie trägt, nur sind diese da schwarz. »Hier!«, sagt sie und drückt mir die Teile in die Hand. »Nimm die mit und mach meinetwegen damit, was immer du willst. Aber versau mir bitte diesen Abend nicht! Ich hab mich so lang drauf gefreut.«

»Gut«, sag ich, und irgendwie kann ich sie auch verstehen. Weil wenn man so als junge Frau Abend für Abend mit drei kleinen Kindern zu Hause rumhockt, Bauklötze türmt oder mit Puppenkleidern hantiert, zwischenzeitlich bügelt, Essen kocht und Nasen putzt, dann hat man wohl dringend mal das Bedürfnis, unter Erwachsene zu gehen oder vielleicht einfach mal eine Nummer zu schieben. Wer könnte das besser verstehen als ich. Und so schnapp ich mir schließlich diese Stilettos, verabschiede mich und bin auch schon weg. Ein Blick auf die Uhr verrät mir, das es gar keinen großen Sinn mehr macht, heute noch in die Gerichtsmedizin reinzufahren, weil es mittlerweile schon Viertel nach sechs ist und somit der Günter längst Feierabend haben dürfte. Drum mach ich mich lieber auch auf den Heimweg und läute noch kurz mal beim Birkenberger durch. Er lauscht mir äußerst aufmerksam, und die Vermutung, die jetzt in der Luft hängt, kann er durchaus nachvollziehen.

»Aber wenn das stimmt, Franz«, sagt er ganz nachdenklich. »Also, wenn die Verletzungen von unseren zwei Mädchen tatsächlich von solchen Stilettos herrühren, dann …«

»Ja?«, hake ich nach, als die Pause irgendwann zu lange erscheint.

»Dann stammen die nicht von einem Mann. Niemals! Kein Mann käme auf die Idee, einer Frau Verletzungen mit einer solchen Waffe zuzufügen. Ich bitte dich: Doch nicht mit den Absätzen von High Heels! Das riecht doch alles viel eher nach Eifersucht, nach Leidenschaft, ja, einfach nach einer Frau eben.«

»Dann suchen wir eine Mörderin, oder was?«, frag ich, weil mich das alles grad ein bisserl überfordert.

»Nicht gezwungenermaßen, Franz. Der Mörder, der kann durchaus auch ein Mann gewesen sein, das ist nicht das Thema. Die Verletzungen aber, die stammen jedenfalls von einem Weibsbild. Definitiv!«

»Also du meinst, es gibt mehrere Täter?«

»Durchaus denkbar!«

Ja, prima! Das fehlt noch. Weil wir das aber heute eh nicht mehr klären können und irgendwann auch für mich Feierabend sein muss, drum vereinbaren wir, morgen früh im Büro weiterzumachen. Bis dahin dürfte wohl auch die Steffi wieder funktionieren.

Wie ich dann endlich in Niederkaltenkirchen eintreffe und so die Dorfstraße entlang Richtung heimatlichen Hof düse, da kann ich vor der Simmerl'schen Metzgerei ein riesiges Knäuel voll farbenfroher Luftballons erkennen. Die schweben da über dem Schaufenster hin und her und sollen wohl Aufmerksamkeit erregen, was ja ganz offensichtlich auch funktioniert. Ich muss mal kurz anhalten hier. Auf einer Tafel vor dem Eingang steht:

Herzlich willkommen, liebe Mitbürger, ab sofort ist unser Sortiment wieder komplett!

Aha.

Dann geht die Tür auf und die Gisela kommt mit einem Eimer heraus. Und sie entdeckt mich auch gleich.

»Servus, Franz«, ruft sie zu mir rüber, während sie den wässrigen Inhalt in den Gully schüttet.

»Servus, Gisela!«

»Was ist los? Hättst was gebraucht oder willst bloß mit meinem Alten reden?«, fragt sie jetzt und kommt dabei auf mich zu.

»Nein«, sag ich und steig einmal aus. »Über deinen Alten, Gisela, über deinen Alten will ich reden.«

»Wieso, was ist mit ihm? Hat er was ausgefressen?«, will sie jetzt wissen, stellt den Eimer ab und wischt sich die Hände an der Schürze ab.

»Nein, nix! Du, Gisela, mal angenommen, also nur theoretisch, dein Gatte, der hätte … ja, sagen wir, der hätte so was wie ein Gspusi, was würdest du dazu sagen?«

»Ha!«, lacht sie. »Ja, herzlichen Glückwunsch, meine Liebe, würde ich sagen! Sie haben den ersten Preis gewonnen!«

»Nein, jetzt mal im Ernst, Gisela. Es geht um einen Mordfall. Und ich versuche grad irgendwie, in die weibliche Psyche einzutauchen, verstehst du. Also noch mal, angenommen, dein Gatte, der wär hinter einer anderen her. Vielleicht sogar einer Prostituierten. Was würdest du tun? Sie umbringen? Ihr das Gesicht zerkratzen? Ihr die Zähne ausschlagen?

Oder ihr vielleicht die Absätze ihrer Stilettos ins Gesicht rammen? Also was denn jetzt?«

Sie überlegt nur einen winzigen Augenblick.

»Genau in dieser Reihenfolge«, sagt sie dann ganz ernst. »Ja, du glaubst doch nicht wirklich, dass ich mir hier ein Leben lang den Arsch aufgerissen hab, nur für diese Scheißmetzgerei und für den Buben! Dass ich jeden verdammten Pfennig zig-mal umgedreht hab, kein Urlaub, kein gar nix, bloß jeden Tag um fünf aufstehen und dann rein in den eiskalten Laden zwischen all diese toten Viecher und arbeiten bis zum Umfallen!«

Hinter der Gisela seh ich jetzt den Simmerl himself aus der Metzgerei herauslatschen und auf uns zukommen.

»Und überhaupt«, schimpft die Gisela währenddessen unvermindert weiter. »Dass ich jetzt jahrelang immer und immer wieder dem Simmerl seine depperten Marotten ausgehalten hab, nur damit dann irgendwann so ein Flitscherl, so ein misrabliges, daherkommt ... Obwohl, wenn ich jetzt so nachdenke ... Wenn sie alles nimmt, wirklich alles, also mein ganzes Leben mit allem Drum und Dran, weißt du ... warum dann eigentlich nicht? Dann soll sie doch bitte schön recht glücklich werden!«

Wir grinsen uns an.

»Worum geht's?«, will ihr Gatte nun wissen, gleich wie er bei uns eingetroffen ist.

»Geh!«, keift jetzt die Gisela und haut ihn in die Seite. »Halt bloß dein blödes Maul, du mieses Stück!«, sagt sie noch, schnappt sich den Eimer und eilt damit von dannen.

»Du, Gisela, meine Frage, die war rein theoretisch, das weißt du schon, gell«, ruf ich noch hinter ihr her. Aber ich glaube, sie hört mich schon gar nicht mehr.

»Hab ich irgendwas verpasst?«, fragt der Simmerl nun und zuckt mit den Schultern.

»Ich fürchte, ja, Simmerl. Nämlich dein Eheweib glücklich zu machen«, sag ich noch so, steig in den Wagen und fahre nach Hause in der Hoffnung, dass die Oma was Feines gekocht hat.

Dem Leopold sein Auto steht im Hof. Ich kann es schon sehen, wie ich reinfahr, und der Ludwig liegt vor der Haustür und kommt mir gleich entgegengelaufen. Er drückt mir kurz den Kopf gegen den Schenkel, und so wandern wir Seite an Seite zum Wohnhaus. Kaum bin ich im Flur, steigt mir bereits der Schwammerlduft in die Nase. Schwammerlsuppe mit Semmelknödeln, ein Traum. Alles wäre jetzt perfekt gewesen, wenn nur nicht der Leopold … Aber lassen wir das.

»Servus miteinander«, sag ich, gleich wie ich reinkomm. Die Oma steht drüben am Herd und der Papa und der Leopold hocken auf der Eckbank. Keiner von ihnen scheint sich um meine Anwesenheit hier auch nur ansatzweise zu scheren. Aus dem Wohnzimmer heraus kann ich eine Kinderstimme vernehmen. Ein Lichtblick! Ich geh gleich mal rüber, und tatsächlich hockt dort die kleine Sushi am Fußboden, genauso wie ihre Mama, die Panida, und beide machen ein Puzzle und offensichtlich haben sie Spaß. Aber keinen Augenblick später lässt das kleine Mäuschen sofort alles liegen und stehen und saust prompt mit ausgebreiteten Armen auf mich zu.

»Onkel Franz, Franz, Franz!«, schreit sie vollkommen fröhlich und hopst mir auf den Arm. Und jetzt kommt auch die Panida vom Teppich hoch und gibt mir gleich mal ein Bussi auf die Wange.

»Dicke Luft da drüben«, sagt sie und deutet mit dem Kinn in Richtung von der Küche.

»Wieso?«, frag ich.

»Die Susi, weißt du. Sie hat einen Milchstau, das ist nicht weiter schlimm, aber …«

Weiter kommt sie gar nicht, dann überreich ich ihr nämlich sofort die Kleine und geh in die Küche zurück.

»Was ist mit der Susi?«, will ich wissen, kaum dass ich dort eingetroffen bin.

»Ha!«, sagt der Leopold und macht ein abfälliges Gesicht.

»Milchstau«, sagt der Papa.

»Milchstau? Und weiter? Was bedeutet das, verdammt?«, brüll ich die beiden jetzt an.

»Ja, stell dir vor, einen Milchstau hat sie jetzt auch noch, die arme Susi«, sagt die Oma, die urplötzlich neben mir steht und bitterböse Blicke sendet. Ich hol mal mein Telefon heraus und such nach der Nummer von der Schwester Angelika, weil hier die Infos wenig befriedigend sind.

»Das kannst bleiben lassen, Franz«, sagt endlich der Papa, steht auf und kommt auf mich zu. »Wir haben ja grad eben erst mit dem Krankenhaus telefoniert. Die Susi, die hat einen Milchstau und ist dadurch fiebrig, verstehst. Neununddreißig fünf. Das ist nicht weiter schlimm, die kriegen das schon wieder hin. Aber schön ist es halt auch nicht.«

»Die Panida«, mischt sich jetzt der Leopold ein. »Die hat ja gleich gar nicht erst mit dem Stillen angefangen.«

»Ja, logisch, die war ja selber grad erst abgestillt, wie du sie kennengelernt hast«, muss ich jetzt loswerden.

»Franz!«, ruft der Papa, aber die Panida, die kichert und zwinkert mir zu.

»Alles deine Schuld!«, sagt die Oma und tritt mir gegen's Schienbein. Jetzt reicht's aber! Ich schaue sie an, und zwar so, dass sie gar nicht erst wegblicken kann.

»Oma!«, sag ich. »Das mit dem Milchstau, das wär auch passiert, wenn ich die Susi damals geheiratet hätte und das Kind jetzt von mir wär, verstanden! Es ist nicht meine Schuld, was die Susi grad durchmachen muss. Und ob du's glaubst oder nicht, ich mach mir tatsächlich Sorgen. Aber wenn mir überhaupt jemand Vorwürfe machen darf, dann bin ich das selber. Oder höchstens noch die Susi. Aber du nicht und sonst auch keiner, verstanden! Und es hilft der Susi nicht das Mindeste, wenn wir uns hier alle gegenseitig an die Gurgel gehen!«

»Also, bitte! Das ist ja lächerlich«, knurrt jetzt der Leopold von seiner Eckbank her.

»Still!«, fährt ihm die Oma aber gleich übers Maul und schlenzt mir dabei die Wange. »Da hat er schon recht, der Bub. Und ausgeredet ist! Machst mir jetzt schön den Tisch zurecht, gell, Franz.«

Und so macht der Franz freilich gleich schön den Tisch zurecht und genießt danach seine Schwammerl und die Knödel, und das, obwohl er die kleine Sushi am Schoß hocken hat und ständig mitfüttern muss. Oder vielleicht gerade deswegen.

Nach dem Essen verlässt der Papa die Küche, um draußen im Hof einen Joint durchzuziehen. Normalerweise macht er das ja im Wohnzimmer drüben und gern in Zusammenarbeit mit seinen Beatles. Aber natürlich nicht, wenn der Leopold bei uns daheim residiert. Erstens, weil der dann nämlich Zuckungen kriegen tät. Und zwar welche der übelsten Sorte. Und weil man ja zweitens so ein Kind schließlich nicht diesen ganzen Drogendämpfen ausliefern möchte. Zumindest nicht ein so süßes. Also ich persönlich, ich kenn schon ein paar Kinder, die ich zu gerne mal von oben bis unten so richtig einnebeln würde. Frag nicht! Aber eben nicht die Sushi, die gehört nicht in diese Kategorie Kind. Auf gar keinen Fall.

Jedenfalls hilft die Panida dann der Oma beim Abwasch, ich spiel mit dem Zwerg Nase ›Hoppe, hoppe, Reiter!‹ und der Leopold sitzt daneben und macht ein finsteres Gesicht. Er eifersüchtelt immer ein bisserl, weil mich sein Töchterchen so gern mag.

»Weiter! Weiter!«, schreit das kleine Mäuschen und quietscht vor Vergnügen. Aber bevor ich noch einmal ansetzen kann, geht die Tür auf, der Papa kommt rein, und jetzt hat er den Flötzinger im Schlepptau. Und nachdem der artig einen allgemeinen Gruß durch die Küche geschickt und sich anschließend niedergesetzt hat, kommt er auch gleich zum eigentlichen Motiv seines späten Besuches. Und zwar will er wissen, warum in Gottes Namen dieses Scheißhotel jetzt doch nicht gebaut wird. Er war schon im Rathaus beim Bürgermeister, und auch beim Simmerl ist er schon gewesen, aber die zwei hätten ihn nur fortgeschickt und gesagt, es ist halt, wie's ist, und aus! Aber das reicht ihm nicht, unserem Gas-Wasser-Heizungspfuscher. Nein, er will die Gründe dafür erfahren. Und zwar sofort! Schließlich ist er ein mündiger Bürger und bezahlt brav und pünktlich seine Steuern! Und das nicht zu wenig. Da wird er ja wohl zumindest erfahren dürfen, wer das da jetzt wieder entschieden hat. Und da bin ich also quasi seine allerletzte Hoffnung, um an irgendwelche Informationen zu kommen.

»Franz, bitte«, fleht er und schaut mich dabei durch seine dicken Brillengläser hindurch ganz eindringlich an. »Was ist da los? Was ist passiert?«

»Was regst du dich denn so auf, Flötzinger«, sag ich, geh zum Kühlschrank und hol mir ein Bier heraus. »Wir haben doch bislang auch kein Hotel gehabt, warum fehlt's dir denn jetzt auf einmal so?«

»Ja, weil ich vielleicht schon fuchzig Kloschüsseln bestellt habe, 'zefix! Und Duschkabinen auch! Von den hundert Heizkörpern mag ich gar nicht erst reden. Der Auftrag steht, verdammt noch mal! Deswegen eben! Also!«, keift er jetzt, und in seinen Mundwinkeln haben sich kleine Spuckebläschen gebildet, und die schäumen jetzt so vor sich hin. Ich reich ihm mal ein Taschentuch.

»Oha!«, sagt der Papa und gesellt sich an den Tisch. »Das schaut aber bös aus!«

»Bös? Ja, das kann man wohl sagen«, knurrt der Flötzinger und wischt sich über den Mund.

»Also, ein Waschbecken könnt ich dir abnehmen«, mischt sich jetzt die Oma ein. »Das im ersten Stock, das hat schon seit Jahren einen Sprung. Also, wennst mir einen gescheiten Sonderpreis machst, dann kommen wir ins Geschäft, wir zwei.«

Der Flötzinger schaut mich hilfesuchend an, aber im Grunde kann ich ihm auch nicht wirklich weiterhelfen. Dann zuckt er kurz mit den Schultern, steht auf und trommelt zum Abschied auf den Tisch. Und weil ich ebenfalls noch raus muss, um mit dem Ludwig meine Runde zu drehen, begleite ich ihn und wir gehen ein paar Schritte gemeinsam.

»Das ist ein einziges Scheißleben, Franz, weißt du das eigentlich«, sagt er, wie wir schließlich auf Höhe seines Hauses stehen, und dabei schaut er mich an. »Was immer du auch anpackst und egal, wie viel Mühe du dir gibst, es geht immer daneben. Jetzt hab ich mir gedacht, ich bestell das ganze Zeug frühzeitig, dann gibt's einen schönen Rabatt, ha ... Pfiffkas!«

»Aber warum zum Teufel bestellst du fuchzig Kloschüsseln und hundert Heizkörper, wenn noch nicht einmal eine Baugenehmigung da war? Sei mal ehrlich, Flötzinger, das ist doch bescheuert, oder?«

Jetzt starrt er in die klare Sternennacht und seine Augen füllen sich mit Tränen. Das schaut scheiße aus.

»Ja, da hast du schon recht«, sagt er, nachdem er endlich wieder zu mir herschaut. »Das ist wirklich bescheuert gewesen. Aber wenn ich dir jetzt sage, dass diese dämliche Sanitärfabrik grade Bankrott gemacht hat und deshalb alles zum Schleuderpreis rausgehauen hat, hä, was dann?«

»Aha, so schaut's also aus!«

»Ja, verdammt noch mal, so schaut's aus!«

»Musst es halt einfach irgendwo zwischenlagern, Flötzinger«, versuch ich es mal. »Wer weiß, vielleicht wird ja in ein paar Jahren tatsächlich ein Hotel gebaut. Oder ein Asylbewerberheim. Oder eine Jugendherberge. Oder womöglich sogar ein Knast.«

»Hast du eigentlich eine Ahnung, wie schnell diese Teile unmodern werden? Hast du das? In zwei Jahren ist das alles keinen einzigen Pfifferling mehr wert! Habe die Ehre!«, sagt er noch, dreht sich ab und knallt mit der Haustür.

Huihuihui!

Und so mach ich mich lieber wieder auf den Weg. Und wir brauchen zwei-siebzehn dafür.

Kapitel 21

Bevor ich tags drauf in mein Büro reinfahre, schau ich freilich zuvor noch kurz beim Günter in der Gerichtsmedizin vorbei. Mit den Mörderschuhen in der Hand schreite ich schnurstracks in den Sezierraum rein, wo er bereits fleißig an einem der Tische steht und in menschlichen Überresten rumfingert.

»Schönen guten Morgen«, sag ich, gleich wie ich reinkomm.

»Ah, der Eberhofer«, sagt er und schaut von seiner Leiche hoch. »Was treibt dich denn hierher?«

So halte ich ihm also mal das Schuhwerk unter die Nase und lege den Kopf schief. Bin ja mal neugierig, ob er von alleine draufkommt.

»Nein, kein Interesse«, sagt er und grinst. »Ich steh mehr auf Lackstiefel, weißt du.«

»Kommst du wirklich nicht drauf, oder was? Mensch, jetzt denk doch mal nach!«, sag ich und halte ihm die Absätze mal nach oben. Der steht ja gerade auf der Leitung, so dick wie ein Frauenarm.

»Sorry, Franz«, sagt er und schüttelt den Kopf. »Was soll ich damit? Ich glaub, ich steh grad ein bisschen auf der Leitung.«

»Ja, das kann man wohl sagen, Mensch! Schau dir doch bitt' schön diese Absätze an und denk an unsere zwei Mädchen. Und an die Verletzungen, die du nicht zuordnen konntest. Könnten die nicht …?«

»Ja, Scheiße! Klar«, sagt er, nimmt mir die Schuhe aus der Hand und eilt zu seinem Schreibtisch rüber. Setzt sich nieder und schaltet den Computer ein. Einige Augenblicke später erscheinen auch schon die Fotos der Opfer auf seinem Bildschirm. Und nachdem er die Aufnahmen dann auch noch vergrößert und sich ganz weit nach vorne gebeugt hat, schnauft er ganz tief ein und dann wieder aus.

»Bingo!«, sagt er abschließend. »Da besteht überhaupt gar kein Zweifel. Exakt solche Absätze müssen eingesetzt worden sein, damit diese Art von Wunden entsteht.«

»Ja, das seh ich genauso. Du sag mal, soviel ich noch in Erinnerung habe, sind bei den Fundorten der beiden Mädchen doch eh keine Schuhe gefunden worden, oder?«

»Warte kurz«, sagt er und widmet sich erneut seinem PC. »Dirndl, Bluse, Schürze, Halskette, Handtasche mit diversem Inhalt, jedoch ohne irgendwelche brauchbaren Papiere, bei einem der Opfer ein Jäckchen, bei einem anderen eine Armbanduhr und Ohrringe und natürlich jeweils Unterwäsche. Nein, tatsächlich keinerlei Schuhe, zumindest bei den beiden in Freiham nicht.«

»Also muss der Täter oder die Täterin die Schuhe mitgenommen haben«, überleg ich jetzt so vor mich hin.

»Das würde ich ebenfalls annehmen, vorausgesetzt, die Mädchen waren nicht barfuß unterwegs«, können wir nun den Rudi vernehmen, der gradewegs durch die Türe hindurchschreitet und genau auf uns zukommt. »Hab mir schon gedacht, dass ich dich hier finde, Franz.«

»Womit wir auch schon fertig wären«, sag ich noch so, begeb mich zum Seziertisch rüber und hol mir die Schuhe wieder zurück.

»Wie: fertig?«, fragt der Rudi und rennt neben mir her.

»Was habt ihr denn herausgefunden? Sind die Absätze nun etwa ...«

»Ja, sind sie, Rudi«, sag ich. »Servus, Günter und: merci!«

»Jetzt warte doch mal, ich bin doch grad erst angekommen«, nervt er weiter, doch Augenblicke später sind wir auch schon draußen, anschließend in meinem Wagen und danach gleich auf dem Weg ins Büro. Der Birkenberger sitzt jetzt neben mir mit verschränkten Armen und schaut beleidigt durchs Seitenfenster.

»Rudi, entspann dich! Du hast echt nichts verpasst, verstanden. Die Verletzungen stammen wirklich von den Absätzen – und in Freiham sind keinerlei Schuhe aufgetaucht. Punkt. Das war alles«, sag ich allein schon deshalb, weil wir noch unheimlich viel zu erledigen haben und ein positives Karma für eine erfolgreiche Aufklärung enorm ausschlaggebend ist.

»Warum hab ich eigentlich ständig das Gefühl, dass ich im Grunde ewig nur dein Handlanger bin, Franz, hä? Dein Lakai, dein Hanswurst, ja dein ganz persönlicher Trottel vom Dienst«, schnaubt der Rudi jetzt aus seinem Sessel heraus und ich muss grinsen.

»Weißt du was, Rudi«, sag ich und schau zu ihm rüber. »Ich liebe dich! Nein, ehrlich, ganz im Ernst! Wir zwei, wir sind doch schon fast so was wie ein altes Ehepaar, oder? Keiner kann's dem anderen jemals recht machen und jeder ist so genervt vom anderen, dass er direkt Zuckungen kriegt – und trotzdem ... trotzdem können wir auch nicht ohne einander, gell.«

»Meinst du das echt so?«, fragt er und schaut mich nun ebenfalls an.

»Ja, das mein ich echt so!«

»Das hast du aber schön gesagt, Franz«, sagt er, entspannt sich schlagartig und blickt lächelnd durch die Frontscheibe hindurch. »Dann kann ich dir ja jetzt auch erzählen, was ich rausgefunden hab.«

Hör ich da etwa einen klitzekleinen überheblichen Unterton raus?

»Du hast was rausgefunden, Rudi? Also komm schon, mach's nicht so spannend!«

Dann aber läutet mein Telefon und die Steffi ist dran. Sie will wissen, wo ich denn eigentlich ableibe, doch weil ich eh grad am Einparken bin, sag ich nur schnell, dass ich gleich da bin, und häng ein. Auf dem Weg durch die Gänge der Löwengrube muss ich aber dann unbedingt noch kurz bei der Schwester Angelika anrufen, schließlich will ich ja wissen, ob sich der Gesundheitszustand von der Susi mittlerweile verbessert hat. Sie, also die Schwester Angelika, nimmt auch gleich ab, klingt wie gewohnt freundlich, wenn auch durchaus ein wenig besorgt. Es ist wie verhext, sagt sie, und dass sich der Milchstau inzwischen zu einer ausgewachsenen Brustentzündung entwickelt hat. Die Ärmste würde Lecithine kriegen und literweise Salbeitee, aber dennoch ist sie noch fiebrig und steht unter strenger Bewachung. Doch ich soll mir in Gottes Namen keine allzu großen Sorgen machen, schließlich ist sie unter ärztlicher Aufsicht und in den allerbesten Händen, auch der Schwestern. Am Ende verspricht sie mir noch hoch und heilig, umgehend anzurufen, sobald es Neuigkeiten gibt, und so verabschieden wir uns. Wie man sich vielleicht unschwer vorstellen kann, bin ich nicht grade in Hochstimmung, wie ich jetzt im Büro eintreffe. So überreich ich der Steffi erst mal wortlos ihre Schuhe und hol mir danach ein Haferl Kaffee. Aber es hilft alles nix. Weil Dienst ist Dienst.

»Also, auf geht's, was haben wir denn?«, frag ich deswegen und setz mich an meinen Schreibtisch rüber.

»Wir haben zum Beispiel einen Birkenberger Rudi, der die

halbe Nacht lang in Germering draußen auf der verdammten Kellertreppe gehockt ist, mit eiskalten Haxen, und das nur, weil er von dort aus rein akustisch die beste Verbindung zur Küche hin hatte«, sagt der Rudi und wirft einen triumphierenden Blick durch den Raum. »Und exakt dort in dieser Küche, da hat gestern Abend eine Krisensitzung vom Allerfeinsten stattgefunden! Das könnt ihr euch überhaupt gar nicht vorstellen, Leute!«

»Ja, Mann, jetzt leg hier keine Eier, Rudi, sondern komm zum Punkt!«, sag ich, weil mir sein Aufmerksamkeitseingeheimse langsam, aber sicher tierisch auf den Wecker geht. Ganz kurz noch verdreht er die Augen, doch dann kommt er tatsächlich auch schon auf den Punkt. Und was er dann zu erzählen hat, war das depperte Vorspiel von soeben allemal wert. Die Koppbauer Berta nämlich, also die Frau unseres potentiellen Mörders, der ja im Grunde gar keiner ist, die hat wohl gestern der restlichen Verwandtschaft eröffnet, dass sie zur Polizei gehen will. Sie möchte endlich reinen Tisch machen, hat sie immer wieder gesagt, und dass früher oder später sowieso alles rauskommt. Ihre Schwägerin aber und deren zwei Kinder, die hatten offensichtlich ganz andere Pläne. Nix, haben die gesagt, keiner geht irgendwo hin. Und schon gar nicht zur Polizei. Man hätte bis jetzt zusammengehalten, und so soll es auch bleiben. Und die gute Berta soll doch bitte schön mal nachdenken, was ihr Gatte ihnen allen zusammen so der Reihe nach alles angetan hat. Allein schon, dass er mit seinem liederlichen Lebenswandel und der Dreckshurerei beinah den ganzen Hof verzockt hätte, der übrigens schon seit Menschengedenken im Familienbesitz ist. Und ob sie außerdem denn schon vergessen hat, wie oft der Gerichtsvollzieher in den letzten Jahren auf der Matte gestanden ist. Und überhaupt hat dieser Mistkerl gar nichts anderes verdient, als im Knast zu hocken, und aus!

Das war das Letzte, was der Rudi noch mitgekriegt hat. Danach sind dann alle ins Bett gegangen. Der Rudi auch, allerdings erst eine halbe Stunde später, weil er erst abwarten musste, bis seine eingeschlafenen Beine wieder aufgewacht waren.

»Prima, Rudi«, sag ich und hau ihm auf die Schulter. »Damit können wir was anfangen.« Er strahlt mich an wie ein Honigkuchenpferd, und auch die Steffi scheint einigermaßen beeindruckt zu sein von seiner nächtlichen Abhöraktion.

»Gut«, sagt sie und greift nach dem Telefon. »Ich sag dem Stahlgruber noch kurz Bescheid.«

»Das machst du ganz sicher nicht«, sag ich und nehm ihr gleich mal den Hörer aus der Hand. »Der hat doch seinen Täter schon längst. Und denkst du wirklich, der gibt uns einen Haftbefehl aufgrund einer nicht genehmigten Abhöraktion? Niemals, da hat der doch gar nicht die Eier dazu!«

»Da hat er recht«, stimmt mir der Rudi gleich zu.

»Okay, und wie machen wir's dann?«, überlegt die Steffi und schaut fragend zwischen uns beiden hin und her.

»So wie wir's halt immer machen«, sagt der Rudi und zwinkert mir zu.

»Genau«, muss ich ihm beipflichten. »Wir fahren mit zwei Autos nach Germering raus. Der Rudi holt die Frau Koppbauer, also diese Berta, aus dem Haus und die nehmen wir dann mit hierher ins Büro.«

»Und ich?«, will sie jetzt wissen.

»Ja, und du hältst uns in der Zwischenzeit die restliche Bagage vom Hals. Am besten du bleibst gleich mal dort in Germering draußen und schnappst dir der Reihe nach alle anderen zum Verhör. Wer weiß, vielleicht kannst du den einen oder anderen ja tatsächlich knacken«, sag ich noch so, und schon brechen wir auf.

Fast hätte ich meinen Arsch drauf verwettet, dass wir im Gang noch auf den Stahlgruber stoßen. Irgendwie muss er eine Art siebten Sinn dafür haben, keine Ahnung. Jedenfalls taucht er fast jedes Mal auf, grad wenn ich hier entlanglaufe.

»Ah, grüß Sie Gott, meine Herrschaften«, sagt er in einer zuckersüß ätzenden Tonart. »Heute gleich im Dreierpack unterwegs? Ja, wohin denn so eilig?«

Doch wie im Gänsemarsch rauschen wir nur an ihm vorbei.

»Hallo miteinander! Ich habe Sie etwas gefragt!«

»Betriebsausflug!«, ruft die Steffi noch über ihre Schulter hinweg und kichert dann wie ein ganz junges Mädchen.

Danach geht eigentlich alles ganz reibungslos über die Bühne. Kaum dass wir da draußen in Germering aufschlagen, eilen der Rudi und die Steffi zur Haustüre hinein, und keine zwei Minuten später sitzt die Koppbauerin bereits hinter mir auf der Rückbank und wir können zurück in die Löwengrube fahren. Ja, so ein Überraschungsmoment, der ist manchmal einfach nur Gold wert!

»Sie sind also gar kein Astronaut?«, fragt sie den Rudi schon nach einigen Metern.

»Nein«, sagt der Rudi leicht reumütig und dreht sich auch gleich ganz artig zu ihr um.

»Astronaut!«, murmele ich so vor mich hin.

»Schade«, sagt sie wieder, und zwar ganz leise. Sie blickt auf ihre Hände runter, und irgendwie wirkt sie sehr traurig. Ich kann es im Rückspiegel sehen. »Wirklich schade. Ich mag Astronauten, wissen Sie. ›Raumschiff Enterprise‹, das war meine Lieblingssendung. Mit dem Captain Kirk und dem Mr. Spock. Kennen Sie die?«

»Wer kennt die nicht, gute Frau?«, sagt der Rudi wieder nach hinten gewandt.

»Mögen Sie die auch?«

»Ja, freilich!«

»Und Sie?«, will sie nun auch von mir noch wissen.

»Ich auch. Sehr sogar«, sag ich. »Aber jetzt erzählen Sie uns doch bitte mal, liebe Frau Koppbauer, warum Sie diese Mädchen umgebracht haben?«

Der Rudi starrt mich jetzt an und hat dabei den Mund sogar offen. Und ehrlich gesagt, bin auch ich ein bisserl verwundert über mich selber. Aber die Worte, die sind praktisch ganz ohne mein Zutun einfach aus meinem Mund gepoltert.

»Ich hab sie doch nicht umgebracht, meine Güte, was denken Sie denn! Und schon gar nicht alle drei«, stößt sie jetzt hervor und ringt nach Fassung.

»Sondern?«, hake ich nach.

»Es war doch ein Unfall, wissen Sie. Dieses Mädchen damals, das vor zwei Jahren, ach ... Immer und immer wieder ist er zu ihr gefahren. Und er hat ihr jedes Mal Geld mitgebracht. So unglaublich viel Geld, das können Sie sich gar nicht vorstellen. Und wir haben doch ... also seit wir so alt sind und den Betrieb nicht mehr bewirtschaften können, da müssen wir doch selber sehen, wo wir bleiben. Verstehen Sie denn das nicht? Dann ist da ja auch noch meine Schwägerin, also die Schwester von meinem Mann. Und die zwei Jungen, die studieren ja noch, das ist doch alles so teuer. So unglaublich teuer!«

»Was genau ist denn passiert?«, frag ich ganz ruhig. »Lassen Sie es einfach raus, Frau Koppbauer.«

Sie schnäuzt sich in ein Taschentuch und putzt danach ausgiebig ihre Nase.

»Ja, mein Gott, eines Tages ... wissen Sie, eines Tages, da sind wir meinem Mann einfach hinterhergefahren, mein Neffe und ich. Und irgendwann, wie der Gustl endlich weg war, da bin ich aus dem Wagen gestiegen. Aber ich wollte doch nur mit ihr reden. Nur mit ihr reden, verstehen Sie. Wollte ihr sagen, dass sie sich doch einen anderen Mann suchen sollte. Einen mit mehr Geld. Angefleht habe ich sie. Regelrecht angefleht. Ach, es war so … so erbärmlich.«

Einige Atemzüge lang lass ich ihr Zeit. Nur, damit sie sich wieder etwas beruhigen kann.

»Weiter, Frau Koppbauer. Was ist dann passiert?«

»Sie hat mich ausgelacht«, sagt sie noch, und dann fängt sie bitterlich zu weinen an. »Sie hat mich einfach ausgelacht und gesagt, ich soll heimgehen und meinem Mann was Schönes kochen!«

»Und da haben Sie die Fassung verloren und haben ihr einfach einen Stein gegen den Kopf geschlagen«, mutmaße ich so. Doch sie schüttelt den Kopf.

»Nein, sie ist gestürzt. Ich hab sie geschubst und sie ist gegen den Bordstein gefallen. Aber das hab ich doch gar nicht gewollt. Ich hab sie doch einfach nur ein bisschen geschubst, mein Gott!«

Der Rudi und ich, wir sehen uns kurz an und nicken beide. Und sofort wissen wir, was jetzt erst mal zu tun ist.

»Wir sollten einen kleinen Kaffee trinken gehen, was meinen Sie, Frau Koppbauer?«, frag ich und schau dabei in den Spiegel. Sie schaut zurück und nickt ganz zaghaft. Und so wende ich mitten auf der Landsberger Straße kurzerhand den Wagen mit einem sauberen U-Turn und schlage den Weg zu unserem Stammlokal ein.

Kapitel 22

Nachdem wir in einer Nische ein astreines und relativ ungestörtes Plätzchen gefunden haben, erscheint auch gleich die Bedienung und stellt dem Rudi und mir jeweils ein Bier hin. Heute ist uns aber irgendwie gar nicht nach Bier, und so muss sie es notgedrungen wieder mitnehmen, zieht eine dementsprechende Lätschn dabei, nimmt aber trotzdem brav unsere Bestellung auf. Zwetschgendatschi und Kaffee für uns drei – und eine ordentliche Portion Sahne, aber bitt' schön auf einem Extrateller. Ganz kurz noch zieht sie eine ihrer Augenbrauen nach oben, steckt dann jedoch Block und Stift zurück in die Schürze und macht sich schließlich vom Acker.

Die Frau Koppbauer sitzt mir gegenüber, ihre fleischigen Hände streichen ständig den Stoff der Tischdecke glatt, und auch ihr leerer Blick ist ganz darauf fixiert. Ihre Augen sind noch rot vom Weinen, aber dennoch wirkt sie viel ruhiger als vorher im Wagen. Beinah wie ein kleines bisschen befreit.

»Wie geht's Ihnen denn jetzt, Frau Koppbauer?«, frag ich und seh ihr dabei direkt ins Gesicht. Sie hebt langsam den Kopf und schaut zurück. Und es dauert eine ganze Weile, ehe sie mir antwortet.

»Ich weiß es nicht genau«, sagt sie schließlich. »Ich weiß es nicht.«

»Aber das ist doch gar kein Problem nicht«, sagt jetzt der Rudi und probiert's mal mit einem fröhlichen Tonfall. »Da kommt auch schon unser Kaffee und der feine Kuchen, und dann sehen wir weiter.«

Wie das zweite Stück Datschi vertilgt und der Sahneteller komplett leer ist, scheint die Frau Koppbauer ein wenig entspannter zu sein. Ja, es ist schon was dran: Zucker macht glücklich. Jedenfalls atmet sie ganz tief durch, wischt sich mit der Serviette über den Mund, fängt dann an, das Geschirr zu stapeln und zu sortieren. Genauso wie sie's vermutlich zu Hause auch immer macht. Und ganz nebenbei beginnt sie zu erzählen. Ganz ruhig. Angefangen hat alles schon sehr früh, sagt sie. Der Gustl, der war der Mann ihrer Träume, viele Mädchen waren damals hinter ihm her. Aber sie hat ihn bekommen! Als sie das so erwähnt, werden ihre Wangen ganz rot und ein verschämtes Lächeln huscht ihr übers Gesicht. Aber nur ganz kurz, dann wird sie wieder sehr ernst. Gleich nach der Hochzeit hat sie damals versucht, schwanger zu werden, und jeden Monat aufs Neue gewartet, gezittert und gehofft. Aber jedes Mal war's völlig vergeblich. Es wollte oder sollte einfach nicht sein. Wie bald darauf ihre Schwägerin gleich zweimal hintereinander schwanger wurde, und das auch noch ungewollt, da war der Druck kaum mehr zu ertragen. Doch das Schlimmste war eigentlich, dass ihr Gatte diese beiden Kinder vergöttert hat. Er hat ihnen jeden Wunsch von den Augen abgelesen, und wahrscheinlich hat er in sich selbst sogar viel mehr den Vater gesehen als den Onkel. Ja, und genau in dieser Zeit ist dann auch sein Verlangen irgendwie plötzlich weggeblieben, jedenfalls was seine eigene Frau anbelangt. Ansonsten dürfte es in diesem Kaff wohl kaum eine gegeben haben, mit der er nicht mehr oder weniger eng befreundet war. Besonders in der Volksfestzeit, da war er immer schwer unterwegs. Ja, wie gesagt, die Weiber waren hinter ihm her wie der Teufel hinter der armen Seele. Seinerzeit ist sie darüber sehr gekränkt gewesen, die Frau Koppbauer. Aber was hätte sie schon dagegen tun können? Es war sein Hof, wo sie wohnten, wo hätte sie denn hin sollen? Ihre Stimme zittert, und sie beginnt wieder leise zu weinen. Der Rudi ordert drei Schnaps, die auch umgehend kommen. Wir stoßen an, versenken das scharfe Zeug in den Kehlen, und danach erzählt sie weiter. Ein paar Jahre später, als dann aus dem drahtigen Jüngling allmählich ein schwammiger Alter mit faulen Zähnen geworden ist, da hat die Nachfrage freilich irgendwann nachgelassen. Mittlerweile aber war er auf den Geschmack gekommen. Und da war der Gedanke wohl nicht allzu weit, es einfach mal im professionellen Gewerbe zu versuchen. Das aber kostete Geld. Viel Geld. Und deshalb musste dann eben leider geschehen, was wir bereits wissen.

Jetzt schnaufen alle drei erst mal ganz tief durch.

»Gut«, sag ich dann. »Aber an diesem Abend … was ist an dem Abend weiter passiert, nachdem Sie dieses Mädchen geschubst haben? Immerhin ist sie ja nicht dort auf dem Bordstein gefunden worden, sondern meilenweit entfernt und tief unter der Erde in einem Neubaugebiet in Freiham draußen.«

Sie nickt und spielt mit ihrem leeren Schnapsglas herum.

»Sie ist dagelegen«, sagt sie schließlich ganz nachdenklich. »Einfach nur dagelegen und hat sich nicht mehr gerührt. Ja, und dann ist irgendwann der Karli aus dem Auto gestiegen und hat nachgeschaut. Sie ist tot, hat er gesagt. Tot, verstehen Sie?«

»Weiter«, muss ich jetzt sagen, obwohl sie schon wieder weint. Der Rudi holt ein Tempo aus seiner Jackentasche und reicht es ihr rüber. Sie nickt dankbar und schnäuzt sich.

»Er hat dann irgendwie die Panik bekommen, der Karli, wegen seinem Studium und so. Er hat gesagt, wir können sie hier nicht liegen lassen. Ja, und dann hat er den Kofferraum aufgemacht und wir haben sie weggebracht. Das war eigentlich alles. Danach haben wir die halbe Nacht lang gegraben und … Und wir haben ihr am Ende auch noch ein Kerzlein angezündet.«

Der Rudi und ich, wir schauen uns jetzt an. Es ist jedes Mal wieder erbärmlich, welch düstere Abgründe sich innerhalb der Menschheit so auftun.

»Was ist mit den anderen beiden Mädchen, Frau Koppbauer«, will der Rudi nun wissen. »Wie ist diese Geschichte weitergegangen?«

»Aber damit hab ich doch gar nichts zu tun, das müssen Sie mir wirklich glauben. Ich kenne nur dieses eine Mädchen, und es tut mir auch unglaublich leid, was da passiert ist. Aber was sonst noch alles war, davon hab ich keine Ahnung«, sagt sie, und zwar durchaus überzeugend.

»Wenn das stimmt, dann wird der Kreis der Verdächtigen schon wieder etwas kleiner. Ihr Gatte, der war es nämlich auch nicht, Frau Koppbauer. Bleiben also nur noch drei übrig. Nämlich Ihre Schwägerin, die Nichte und der Neffe, um genau zu sein«, muss ich jetzt mal so mutmaßen.

Sie nickt ganz zaghaft.

»Wissen Sie, wer es war?«, hake ich nach.

»Es bricht mir das Herz, wissen Sie das eigentlich?«, schluchzt sie. »Aber ich kann so nicht mehr weiterleben. Tun Sie Ihre Arbeit und finden Sie's heraus. Und jetzt möchte ich zahlen und nach Hause!«

Und nachdem ich die Rechnung bezahlt und die arme Frau zum Auto gebracht habe, fahre ich sie auch umgehend nach Germering raus, weil ich eine Fluchtgefahr hier eindeutig ausschließen kann. Dort angekommen, steigt sie wortlos aus und eilt zur Haustür, hinter der sie Sekunden später verschwindet. Ganz offensichtlich ist die Steffi schon weg, deshalb ruf ich sie gleich einmal an. Schließlich will ich jetzt unbedingt wissen, ob sie vielleicht auch was herausgefunden hat. Nein, sagt sie, kein einziges Wort. Die sind alle drei nur bockig mit verschränkten Armen vor ihr gesessen, und jeder hat gesagt, er wisse von nix. Also gut, dann eben doch auf dem Dienstweg.

»Du, Steffi«, sag ich ganz eindringlich. »Dann wirst du wohl mal deinen ganzen Charme einsetzen müssen.«

»Wie meinst 'n das?«, will sie wissen.

»Ich mein das so, dass du jetzt mal deinen knackigen Arsch zum Stahlgruber rüberschiebst und ihm klarmachst, dass wir für diese Herrschaften eine schriftliche Vorladung brauchen. Und zwar für alle drei.«

»Das dürfte ja wohl ein Kinderspiel sein«, lacht sie mir noch in den Hörer, dann hängt sie ein.

Und, nein, sie hat nicht zu viel versprochen, die liebe Steffi. Denn wie der Rudi und ich ins Büro reinkommen, da liegt die Durchschrift der Vorladung bereits auf meinem Schreibtisch, ein eifriger Kollege ist auch schon unterwegs, um das Original dort in Germering ordnungsgemäß an die Empfänger zu überreichen. Und die werte Kollegin selber hockt relativ siegessicher dort in ihrem Bürostuhl und grinst übers ganze Gesicht.

»Alle Achtung!«, sag ich und grinse zurück. Dann zieh ich meine Jacke aus und schmeiß sie über den Sessel.

»Schau, Franz, dir ist da was aus der Jackentasche rausgefallen«, sagt jetzt der Rudi, bückt sich und hebt etwas vom Boden auf. Es ist ein Kuvert, und das drückt er mir dann in die Hand. Ich betrachte es kurz, kann es aber ziemlich schnell zuordnen. Weil es nämlich dieser Umschlag ist, der in dem hässlichen Nelkenstrauß von neulich gesteckt hatte und für die Susi bestimmt war. Den, wo ich an diesem Abend noch hab mitgehen lassen und anschließend eben in meine Jackentasche gesteckt hab. Dort ist er dann wohl erst mal in Vergessenheit geraten. Jetzt aber halt ich ihn in den Händen. Und ich öffne ihn auch. Und ja, ich habe ein schlechtes Gewissen dabei. Lesen muss ich diesen Brief aber trotzdem, es ist schlicht und ergreifend die Neugierde, die mich dazu nötigt. Ob er wohl von diesem blöden Karl-Heinz ist? Nelken würden dem ähnlich sehen! Oder vielleicht von einem ganz anderen Kontrahenten – der womöglich sogar der Kindsvater ist? Mal sehen.

Verehrte Susanne,
liebe Frau Gmeinwieser,

herzlichen Glückwunsch zur Geburt Ihres Sohnes! Wir alle sind sehr stolz auf Sie! Nichtsdestotrotz machen wir uns aber auch große Sorgen um Ihre angeschlagene Gesundheit. Tun Sie uns bitte einen Gefallen und kommen Sie bald wieder zu Kräften! Wir vermissen Sie alle ganz furchtbar!

Herzlichst, Ihr ergebener Bürgermeister
im Namen aller Kollegen aus der
Gemeindeverwaltung Niederkaltenkirchen

Hoppala, denk ich mir so, und leicht verschämt schiebe ich die rührenden Zeilen wieder in den Umschlag. Ich werde ihn zurück ins Krankenhaus bringen, sobald ich Zeit dazu hab.

»Was Schlimmes?«, fragt der Rudi besorgt, doch ich schüttle den Kopf.

Anschließend nehm ich an meinem Schreibtisch Platz und fange an, der Steffi von unserem Gespräch mit der Frau Koppbauer zu berichten. Sie hört aufmerksam zu und stellt auch die eine oder andere Frage, die entweder vom Rudi oder von meiner Wenigkeit zu ihrer vollsten Zufriedenheit beantwortet wird. Irgendwann sind wir dann zusammen auf ein und demselben Wissensstand, und da kommt es praktisch wie gerufen, dass ausgerechnet jetzt das Telefon läutet und die Ankunft der verdächtigen Germeringer bekannt gegeben wird.

»Gut«, sagt die Steffi knapp, »raufbringen!«

»Mit wem wollen wir anfangen?«, will der Rudi dann wissen. »Fangen wir am besten mit dem Burschen an?«

»Nein«, sag ich und schüttle den Kopf. »Der ist wahrscheinlich zu intelligent. Was studiert der eigentlich?«

»Informatik«, sagt die Steffi.

»Informatik, soso. Also, ich glaub mit irgendwelchen Tricks kommen wir bei dem nicht weit. Wir sollten ihn wohl besser bei seiner Familienehre packen«, sag ich, steh auf und geh rüber zum Fenster.

»Welche Tricks?«, fragt die Steffi. »Also bitte, Jungs, von welchen Tricks ist hier die Rede?«

Aber da klopft es auch bereits und die Türe geht auf. Und schon stürmt der junge Koppbauer rein und gleich direkt auf den Rudi zu.

»Sie können gar nichts beweisen!«, schreit er ihn an. »Meine Tante, die ist doch längst geisteskrank. Die hätten wir schon lange entmündigen sollen. Und Sie … Sie haben sich bei uns unter einem Vorwand eingemietet und uns belauscht. Das ist gesetzlich gar nicht erlaubt!«

»Ruhig, Brauner!«, sag ich und geh einmal dazwischen. Und auch der junge Beamte, der die Herrschaften gerade noch hergebracht hat, steht schon auf Anschlag. »Sie gehen jetzt erst mal schön brav mit meinem Kollegen hier mit, und zwar in das Büro nebenan, und lassen uns hier unsere Arbeit machen.«

Einen kurzen Moment lang lässt er noch den Rebellen raushängen, dann aber senkt er den Kopf und trollt sich. Und nachdem wir der Steffi seine Schwester aufs Auge gedrückt haben und auch diese beiden schließlich das Zimmer verlassen, setz ich mich nieder und bedeute der Frau Koppbauer, also jetzt praktisch der Schwester, dasselbe zu tun. So hockt sie mir gleich darauf auf dem Stuhl gegenüber, macht einen furchtbar unsicheren Eindruck und weiß zunächst gar nicht recht, wo sie hinschauen soll. Diese Situation ist gigantisch und ich reize sie ganz bewusst aus. Hocke schweigend in meinem Sessel, knabbere an einem Bleistift herum und schaue sie an. Von Sekunde zu Sekunde wird sie nervöser und nervöser. Der Rudi steht direkt hinter ihr, hat die Arme verschränkt und ein fettes Grinsen im Gesicht. Erst ungefähr zwei Minuten später trommelt er auf seine Armbanduhr und gibt mir somit zu verstehen, dass es jetzt langsam reicht.

»Ja, Frau Koppbauer«, fang ich an und sie erschrickt dabei direkt. »Sie wissen ja sicherlich, dass sich ein Geständnis strafmildernd auswirkt.«

Sie zuckt mit den Schultern. Und sie bohrt dabei mit dem Finger in den Stoff ihres Kleides. Streublumen, ganz kleine, auf hellgrünem Untergrund.

»Das ist Fakt. Ist das Fakt, Rudi?«

»Ja, das ist Fakt!«

»Sehen Sie«, sag ich, lehn mich ganz weit in meinem Sessel zurück und leg meine Hände in den Nacken, damit es noch relaxter wirkt. Und sie bohrt unverdrossen weiter. »Und jetzt schaut es ja so aus, als ob irgendjemand aus Ihrer Familie drei blutjunge asiatische Mädchen auf dem Gewissen hat. Das ist schlimm, Frau Koppbauer. Sehr, sehr schlimm, wissen Sie das? Ist das schlimm, Rudi?«

»Ja, das ist sehr, sehr schlimm!«

»Hab ich mir doch gedacht. Aber was das Schlimmste ist, Frau Koppbauer, das Allerallerschlimmste, das ist nämlich dieses Gesetz, dieses furchtbare Gesetz, kennen Sie das?«

Jetzt schaut sie auf und schüttelt zaghaft den Kopf.

»Ah, hab ich mir schon gedacht, Frau Koppbauer. Das kennen die wenigsten«, sag ich und beuge mich nun ganz weit nach vorne. »Es ist wegen diesen Asiatinnen, wissen Sie. Da gibt's nämlich einen gewissen Auslieferungspakt zwischen Deutschland und äh ... also praktisch Asien, gell. Und das bedeutet, wenn hier bei uns ein Asiate ermordet wird, dann wird der Mörder ausgeliefert. Und zwar genau dorthin. Also nach Asien sozusagen. Haben Sie das so weit verstanden?«

Es dauert noch einen Moment und ich merke, wie's in ihrem Hirn rattert und rattert. Dann aber nickt sie endlich.

»Hab ich das alles so weit korrekt erklärt, Rudi?«

»Vollkommen korrekt!«

»Gut. Ja, und der Mörder muss dann natürlich ordnungsgemäß ausgeliefert werden, was bleibt uns auch anderes übrig? Und wie weltweit bekannt ist, herrscht dort, also in Asien, zu unserem großen Leidwesen ja immer noch die Todesstrafe.«

»Was?«, ruft sie jetzt ziemlich verzweifelt.

»Hab ich was Falsches gesagt, Rudi?«

»Nein«, antwortet er und kommt nun auch gleich hinter ihr vor. Setzt sich ganz dicht neben sie, legt ihr vertrauensvoll die Hand auf den Arm, schaut ihr in die Augen und setzt sein mildestes Lächeln auf. Somit bin ich aus der Nummer raus und kann erst mal durchschnaufen.

»Alles, was mein Kollege sagt, ist natürlich vollkommen richtig, Frau Koppbauer. Er hat nur nicht die gesamte Geschichte erzählt. Und zwar die, dass bei einem Geständnis die Sache mit der Auslieferung quasi nichtig wird. Ja, wenn jemand geständig ist, dann darf man ihn nicht einfach so mir nix, dir nix ausliefern, gell. Ja, wo kämen wir denn da hin, wenn man rechtschaffene, geständige Bürger einfach so den Asiaten zum Fraß vorwerfen würde.«

Jetzt muss ich mich kolossal zusammenreißen. Und so krall ich mich am Leder meines Stuhles fest. Und die Frau Koppbauer, die hat soeben den Stoff ihres Kleides durchstoßen.

»Ich sag alles!«, sprudelt es im gleichen Moment aus ihr raus. Und der Rudi und ich, wir zwinkern uns zu und machen innerlich die Säge. Aber nur ganz kurz, weil dann geht die Tür auf und die Steffi kommt rein. Und sie ist käsweiß im ganzen Gesicht.

»Ich glaub, wir haben ein Problem, Jungs«, sagt sie und schließt die Tür hinter sich.

»Welches da wäre?«, frag ich, noch immer ein wenig euphorisch.

»Der Koppbauer, also dieser junge Kerl, der hat grad unseren Kollegen überwältigt und ist jetzt im Besitz seiner Waffe. Ich fürchte, wir haben eine akute Amoklage.«

»Mei, unser Karli«, sagt dann seine Mutter mehr so zu sich selber. »Der immer mit seinem Karate, gell.«

Kapitel 23

Jetzt könnte man ja meinen, wie blöd ist eigentlich jemand, der mitten in einer Polizeiwache, also mitten unter zig Bullen so etwas macht? Wenn derjenige aber bewaffnet ist und eine Geisel hat, dann schaut das freilich schon anders aus. Den kann man nicht einfach so abknallen, und fertig. Nein, da muss man jede Menge Fingerspitzengefühl einbringen, ganz klar.

»Wo ist dieses Arschloch?«, frag ich die Steffi deswegen erst mal.

»Gleich nebenan, Franz. Aber du kannst da jetzt nicht einfach so rein.«

»Das werden wir ja gleich sehen«, sag ich noch so, geh an ihr vorbei in den Gang hinaus und schnurstracks rein ins benachbarte Büro.

»Hey, was soll das?«, schreit mich der Karl gleich an, kaum dass ich zur Tür drinnen bin, und fuchtelt wie wild mit der Waffe herum. Er steht dort hinter dem jungen Beamten, der mit zitternden Beinen und ganz blassen Lippen auf einem Bürostuhl sitzt und mir flehende Blicke zusendet.

»Ganz ruhig, Karl«, sag ich jetzt und schließe leise die Tür hinter mir.

»Schieb mir deine Scheißknarre rüber, und zwar sofort!«

Also ziehe ich äußerst vorsichtig meine Waffe aus dem Holster und lass sie über den Fußboden hinweg genau in seine Richtung schrammen. Sofort hebt er sie auf und steckt sie dann geschickt in seinen Gürtel.

»Sie kommen hier nicht raus, Karl, ist Ihnen das klar? Hier wimmelt's doch geradezu von Bullen.«

»Mal sehen!«, sagt er und drückt dabei dem verängstigten Kollegen die Knarre ganz tief ins Genick. »Aufstehen! Ganz langsam!«

Der gehorcht natürlich, was bleibt ihm auch übrig? Und anschließend kommen die beiden im Gleichschritt auf mich zu.

»Handschellen!«, schreit er mich dann wieder an.

»Was?«

»Deine Handschellen, Mensch! Rück deine verdammten Handschellen raus und keine falsche Bewegung, verstanden?«

Also rück ich meine verdammten Handschellen raus und mache keine falsche Bewegung. Danach befiehlt er mir, dass ich mich an den jungen Kollegen fesseln soll. Ja, das hat Plan!

»Karli«, versuch ich es trotzdem noch mal.

»Halt's Maul! Und nenn mich nicht Karli! Ich hasse das!«

»Okay, okay! Aber jetzt mach keinen Mist hier!«

»Türe öffnen und rausschauen! Und sollte da draußen einer sein, dann tu dir was Gutes und erklär ihm die aktuelle Situation hier, verstanden?«

Und so mach ich langsam die Tür auf und luge hinaus. Und nein, es ist nicht einer da draußen, es sind Hunderte. Der Gang ist voll bis zum Gehtnichtmehr und alle starren auf unsere Zimmertüre. An vorderster Front freilich der Birkenberger Rudi.

»Machts den Gang frei, Leute!«, ruf ich hinaus. »Der Typ ist bewaffnet und hat zwei, ich wiederhole, zwei Geiseln. Kratzt hier die Kurve und gehts in eure Zimmer, die auf der linken Seite zuerst. Und machts die Türen zu, auf geht's! Das ist keine Übung, verstanden! Wir gehen jetzt in den Hof raus und holen einen Wagen.«

»Schluss jetzt!«, brüllt der Karl von hinten.

Der Rudi nickt kaum merkbar.

Keine Minute später ist der Korridor wie leer gefegt und so marschiere ich gezwungenermaßen neben meinem Kollegen durch unsere heiligen Hallen hindurch dem Ausgang entgegen. Und einen Schritt hinter uns lauert ein bewaffneter Irrer. Ja, das Leben war schon mal gemütlicher, wirklich!

Nachdem wir schließlich in meinem Streifenwagen sitzen, ich auf dem Fahrersitz und mein Leidensgenosse daneben, der Karl demzufolge natürlich dahinter, also: Nachdem uns dann der Pförtner notgedrungen auch noch den Schlagbaum geöffnet hat, können wir nun aus dem Hof des Polizeipräsidiums herausfahren, was gar nicht so einfach ist. Wenn man nämlich mit jemandem an den Händen zusammengebunden ist, dann ist das mit dem Schalten echt etwas kompliziert. Besonders dann, wenn dieser Jemand auch noch an Händen und Füßen zittert wie Espenlaub und dabei steif wie ein Brett ist. Trotzdem tu ich mein Bestes. Im Rückspiegel kann ich deutlich erkennen, wie nervös er nun mittlerweile ist, unser Gangster. Ständig schaut er durch alle Fenster hindurch, und langsam fängt er sogar an zu schwitzen und tupft sich pausenlos über die Stirn.

»Jetzt, wo wir schon mal so gemütlich beisammensitzen, da könntest du uns doch vielleicht mal was über diese toten Mädchen erzählen, Karl?«, frag ich, woraufhin mein Sitznachbar ganz panisch zu mir rüberschaut.

»Tote Mädchen, ha!«, kommt es aber umgehend von hinten. »Diese Drecksschlampen, diese elendigen! Ausgesaugt haben sie ihn, den Onkel Gustl, und er hat es noch nicht mal gemerkt. Wir hatten daheim keine Butter mehr auf dem

Brot, aber für diese schäbigen Nutten, da war immer noch Kohle da!«

»Und drum mussten die weg?«, frag ich weiter und versuche dabei so langsam wie möglich zu fahren. An der nächsten Ampel muss ich abbiegen. Und ich hoffe inständig, dass er nichts bemerkt. Aber offensichtlich ist er jetzt so richtig in Rage. Er merkt tatsächlich nichts.

»Natürlich mussten die weg! Das erste Mal, da war's ja eigentlich ein Unfall. Ha, die arme Tante Berta, die hatte vielleicht einen Schreck. Aber dann haben wir sie halt verscharrt und uns dann monatelang in die Hosen geschissen, dass es irgendwie rauskommt. Aber komisch, keiner hat was gemerkt. Beim nächsten Mal hab ich zuerst ja sogar noch mit ihm geredet. Onkel Gustl, hab ich zu ihm gesagt, so geht das nicht weiter. Wir verlieren den Hof, wenn du damit nicht aufhörst. Und er hat hoch und heilig versprochen, endlich damit Schluss zu machen. Aber die guten Vorsätze, die haben nicht lange gehalten«, erzählt er nun weiter und klingt dabei ziemlich verbittert.

»Die Geschichte mit den Schuhen, also diese Stilettos … wer hat die zwei Mädchen so zugerichtet? Warst du das?«, muss ich jetzt noch wissen.

»Ja, klar war ich das. Wer sonst? Und es hat mir eine Höllenfreude gemacht!«

Wenn der nicht plemplem ist, dann weiß ich nimmer. Aber im Moment muss ich mich konzentrieren. Die nächste Straße muss ich wieder links. Das wäre dann die zweite Abbiegung. Und hier ist auch der Schießübungsplatz. Wenn also der Rudi meine Nachricht richtig gedeutet hat …

Aber da knallt es auch schon und der Rudi rammt uns mit seinem Streifenwagen direkt in die Seite. Der Aufprall ist heftig, der spinnt ja wohl ein ganz kleines bisschen. Wir schleudern quer über die ganze Fahrbahn, drehen uns einmal komplett im Kreis und bleiben dann urplötzlich stehen, weil wir erneut gegen das Auto donnern, in dem er drinnen hockt und mich breit angrinst. Ich schau gleich mal nach hinten, und da kann ich es auch schon sehen. Der Karl, der ist nämlich mit seinem Schädel direkt gegen das Fenster geknallt und offensichtlich grad ohne Bewusstsein. Doch noch bevor ich aussteigen kann, hat der Rudi schon längst die Hintertür geöffnet, die Waffen an sich genommen und unseren Rambo hier handgeschellt.

Was kurz darauf los ist, das kann man sich gar nicht vorstellen. Unzählige Einsatzwagen sind nun vor Ort, Polizisten, Notärzte, Sankas, ein paar Reporter von der Lokalpresse und ein ganzes Kamerateam. Von den Schaulustigen mag ich gar nicht erst reden. Der Rudi gibt ein Interview nach dem anderen, wird dabei jedes Mal ein Stückchen größer, und am Ende unterschreibt er sogar Autogramme. Und ich lehn derweil an einem der Streifenwagen und betrachte das ganze Spektakel relativ amüsiert und in gebührendem Abstand. Wie seine Eitelkeiten endlich irgendwann befriedigt sind, kommt Mister Bombastik mit ausgebreiteten Armen auf mich zu.

»Na, Schatz«, ruft er mir entgegen. »Was sagst du? Wenn das kein Teamwork war, dann weiß ich nicht mehr!«

»Kommst du jetzt mit oder hast du noch irgendwo eine Signierstunde?«, frag ich und muss grinsen. Und so gehen wir zwei ein paar Straßen weiter und gönnen uns erst mal ein eiskaltes Bier.

Wie ich zwei Stunden später mit meinem Ersatzwagen, einem nagelneuen 5er BMW, samt Servolenkung und Klimaautomatik, daheim in den Hof reinfahre, hab ich dank Letzterer bereits starke Halsschmerzen. Und freilich hätte ich sie auch ausschalten können, die Klimaanlage, aber ich bin halt der Meinung, was man hat, das wird auch benutzt. Der Papa und die Oma sind erwartungsgemäß in der Küche und der Ludwig begrüßt mich mit wedelndem Schwanz.

»Servus«, sag ich, gleich wie ich reinkomm, zieh mir einen Stuhl hervor und plumpse drauf nieder.

»Du, Franz, das ist ja der Wahnsinn, was da heut in München los war. Eine Geiselnahme mit einem Polizisten. Der Rudi, der war auch dabei und war sogar im Fernsehen. Hast du da was mitgekriegt?«, will der Papa erst mal wissen.

»Mei, Bub«, sagt dann auch noch die Oma, kommt von der Spüle aus zu uns rüber und trocknet sich ihre Hände an der Schürze ab. »Stell dir vor, der Rudi, der war heute im Fernseher drinnen. Der ist ja direkt ein richtiger Held!«

Eigentlich ist es ja so gar nicht meine Art, auf die Trommel zu hauen und kundzutun, was für eine coole Sau ich eigentlich bin. Nein, ich mag's eher diskret, keine Frage. Andererseits seh ich es auch beim besten Willen nicht ein, dass es nun ausschließlich der Rudi sein soll, der die ganzen Lorbeeren heimfährt. Drum muss ich hier wohl erst mal einiges klarstellen.

Und nachdem ich die Fakten schließlich geradegerückt habe, sieht die Welt doch gleich anders aus. So einen Wiesnmörder zur Strecke gebracht: das hat auch nicht ein jeder. Ja, die Welt sieht jetzt anders aus, komplett anders, würd ich sogar sagen. Die Oma, die will dann erst einmal wissen, was der Kronprinz denn Feines zum Essen haben mag. Und schon schnappt sie sich ihren Einkaufskorb und eilt los. Der Papa hockt auf der Eckbank und schaut mich an. Relativ stolz, würd ich mal sagen.

»Ich dreh mir ein Tütchen, kommst mit?«, fragt er dann und steht auf. Noch nie zuvor in meinem ganzen Leben hat er mich gefragt, ob ich dabei sein möchte, wenn er seinem Drogengenuss frönt. Und zugegebenermaßen bin ich ziemlich geschmeichelt.

»Gibt's was Neues von der Susi?«, frag ich gleich, wie wir die Zimmer getauscht und uns hingesetzt haben.

»Ja, freilich«, sagt er, während er den Tabakbeutel hervorkramt. »Wir haben vorher grad noch mit dem Krankenhaus telefoniert. Das Fieber ist gesunken, siebenunddreißig neun, und die Entzündung fast abgeheilt. Morgen, spätestens übermorgen, darf sie endlich Besuch kriegen. Die Landfrauen, ja, die sind schon beim Einkaufen gewesen und haben das halbe Kindergeschäft leer geräumt. Die hatten dort grad Rabattwoche, weißt. Sobald man zu ihr reindarf, werden sie die Klinik stürmen. Allen voran mit ziemlicher Sicherheit unsere Oma«, grinst er und dann klackt auch schon das Feuerzeug.

»Keine Beatles heute?«, muss ich jetzt fragen und streck mich mal auf dem Sofa aus. Irgendwie scheint so eine Amoklage durchaus etwas ermüdend zu sein.

»Es würde dich nicht stören?«

Ich schüttle den Kopf. Ein paar Wimpernschläge später kann ich es dann auch schon hören: ›Penny Lane‹. Er stellt es wirklich sehr leise und eigentlich nervt es mich heute auch gar nicht.

»Sag mal, Franz, angenommen, die Susi, die würde dich wiederhaben wollen ...«

»Mhm.«

»Würdest du sie nehmen?«

»Was ist das für eine Frage? Natürlich würd ich sie nehmen.«

»Auch mit einem fremden Buben?«

»Nur, wenn er gut ausschaut!«

Jetzt lacht er leise und brummig. »Nein, im Ernst, Franz.«

»Das ist mein Ernst!«

»Jetzt sag schon!«

»Ja, auch mit einem fremden Buben. Schließlich braucht ja der kleine Scheißer einen Vater, oder?«

Dann aber muss ich wohl eingeschlafen sein. Wie ich nämlich den nächsten Gedanken fasse, bin ich alleine und wie eine Mumie von oben bis unten in eine fette Wolldecke gewickelt, sodass mir fast die Socken qualmen und ich mich nur mit großer Mühe von selber wieder befreien kann. Doch aus der Küche heraus strömen köstliche Düfte und nötigen mich prompt zu einem kleinen Ausflug in die Richtung. Rehrücken mit Spätzle und Preiselbeeren. Wie sie das nur immer macht, die Oma? Du kannst dir echt wünschen, was immer du möchtest, sie kriegt es jedes Mal wieder hin.

Nach dem göttlichen Mahl und der Runde mit dem Ludwig zieht es mich irgendwie noch zum Wolfi hinein. Zum einen, weil ich schon lang nicht mehr dort war, zum anderen, weil ich durch mein Schläfchen zuvor jetzt halt so nullkommanull müde bin. Wie ich reinkomm, hockt der Simmerl drin und der Flötzinger ebenso, und der scheint grade seinen Duschwannenfrust in Bier zu ertränken. Jedenfalls ist er ganz offensichtlich schon ziemlich gut bedient, so wie er auf seinem Stuhl rumwackelt. Ich schau kurz den Simmerl fragend an, doch der zuckt nur mit den Schultern.

Der Wolfi stellt mir eine Halbe hin und sagt: »Zum Wohl!« Und so heb ich mein Glas in die Runde und nehm gleich mal einen ganz großen Schluck.

»Und, John Travolta«, muss ich ihn dann aber gleich fragen und grinse dabei. »Wie war denn die Hochzeit? Hast du dein Tanzbein geschwungen oder hast du's vermasselt?«

»Können wir bitte das Thema wechseln?«, fragt der Wolfi zurück und verdreht dabei die Augen.

»Aps... aps... aproposch tanzen«, beginnt der Flötzinger nun zu lallen und hält sich dabei an der Tischplatte fest. »Hab ich eigentlich schon erzählt, dass sich die Mey...«

»Wer bitte ist die Mey?«, muss ich ihn hier unterbrechen.

»Ja, die Mey halt. Meine Frau, schon vergessen, Dödel, du?«

»Ach, die Mary?«

»Sag ich doch, also praktisch, dass sie die Mey, dass sich die das Sprukelt, also ich meine, das Sprunggelenk gebrochen hat, hähä? Nicht? Ja, das ist lustig, weil sie jetzt natlich nicht mehr zum Takulz ... Tanzkurs, also da kann sie nicht mehr mit hin, die Mey, hähä. Nur ich kann da noch hin. Und wisst ihr eigentlich, was das Beste daran ist? Wisst ihr das eiglich? Hähä, das Alleraller... äh, Beste, ist, dass ich jetzt die ganzen heißen Mäschen dort, die wo alle allein sind ...«

»Flötzinger«, unterbricht ihn nun endlich der Simmerl. »Halt's Maul und geh heim. Es reicht für heut!« Daraufhin muss ich ihm dankbare Blicke senden.

»Du!«, knurrt jetzt der Gas-Wasser-Heizungspfuscher, und seine roten Augen beginnen zu funkeln. »Du bist ja bloß neisch. Jawollja, nei-di-hisch, ha!« Dann knallt er sein Glas auf den Tisch und torkelt dem Ausgang entgegen. »Alle wie ihr hier seid, alle nur neisch!«

»Prost!«, sagt der Simmerl, wie endlich die Türe ins Schloss fällt, und wir stoßen an. Dann aber läutet mein Telefon. Und dieses Mal ist es der Stahlgruber höchstpersönlich, der dran ist. Das ist ungewöhnlich. Äußerst ungewöhnlich sogar.

»Eberhofer«, kann ich ihn auch gleich vernehmen. »Wir haben da ein Problem. Es gibt jetzt drei Geständnisse. Haben Sie mich verstanden? Drei!«

Verstanden hab ich ihn schon. Zumindest, was die Akustik angeht. Begriffen hab ich es aber deshalb noch lange nicht. Drei Geständnisse. Wieso denn das jetzt? Wo kommen die her? Und warum? Der Koppbauer Karl, der hat doch schon alles gesagt, was gesagt werden musste. Das mag schon sein, sagt der Stahlgruber weiter, aber nun haben eben die zwei

Frauen auch noch gestanden. Also quasi die Mutter von ihm und auch seine Schwester. Und wenn man mal ehrlich ist und ganz genau nachdenkt, dann kann es doch auch einer allein gar nicht gewesen sein, oder? Schon die Vorstellung, einen leblosen menschlichen Körper, auch wenn er noch so zierlich ist, in einen Fleischcontainer zu hieven, der höher ist als der eigene Kopf. Das ist doch als einzelne Person ein Ding der Unmöglichkeit, oder?

Hm.

Aber ich soll mir jetzt weiter keine großen Gedanken machen, was die Sache betrifft, und meinen wohlverdienten Feierabend genießen. Momentan könne man eh nichts tun, alle Verdächtigen seien erst mal in U-Haft, und morgen früh, wenn alle wieder frisch und munter und ausgeschlafen sind, da würden wir weitermachen. Er wollte mich auch nur kurz informieren, damit ich auf dem Laufenden bin, von wegen Status quo und so.

»Gut«, sag ich noch. Dann leg ich auf. »Status quo.«

Kapitel 24

Ja, gut, das mit dem frisch und munter und ausgeschlafen, das trifft dann am nächsten Morgen nicht so recht zu, zumindest, was meine eigene Person angeht. Weil ich nämlich mit dem Simmerl und dem Wolfi dann doch noch ein bisschen abgehängt bin. Denn freilich haben sie nach dem Anruf unbedingt noch wissen wollen, worum es grad ging. Und so bin ich ja direkt genötigt gewesen, von meinem spektakulären Fall zu erzählen. Hinterher haben wir dann noch ein bisschen über die Susi gesprochen und über den Buben. Ganz am Ende sogar noch über den Flötzinger und seine perverse Lebensweise. Das nur zum besseren Verständnis, damit man halt weiß, warum ich nicht grade übers Parkett schwebe, wie ich ins Büro reinkomm.

Alle anderen aber sind fit wie ein Turnschuh und sitzen auch schon eifrig an den Schreibtischen. Die Steffi ist da, frisch wie der irische Frühling, der Rudi selbstverständlich auch, und sogar der Stahlgruber glänzt heute mit Anwesenheit.

»Eberhofer«, sagt er, gleich wie er mich sieht, und schaut auf die Uhr. »Es ist kurz nach halb zehn, das ist ja unvorstellbar.«

»So unvorstellbar nun auch wieder nicht. Das war's gestern auch um die Zeit und vermutlich ist es morgen schon wieder so weit«, antworte ich und hol mir dann erst mal ein

Haferl Kaffee. »Also, wie schaut's aus? Was ist jetzt mit diesen drei Geständnissen?«

»Ja«, sagt gleich der Rudi und trommelt auf den freien Stuhl neben sich. Und so setz ich mich dort halt mal nieder. »Die drei haben gestern tatsächlich noch aus dem Nähkästchen geplaudert. Und die Aussagen stimmen eins zu eins überein. Der erste Fall war wohl wirklich ein Unfall, also praktisch genau so, wie es uns die Frau Koppbauer, also diese Tante, diese … Moment mal …«

»Berta«, helf ich ihm auf die Sprünge.

»Genau, diese Berta Koppbauer bereits erzählt hat.«

»Aber jetzt wird's delikat«, muss sich nun der Stahlgruber einmischen und schaut dabei triumphierend zu uns rüber. Grade so, als hätte er selber diese Nuss geknackt.

Dann aber übernimmt zum Glück der Birkenberger gleich wieder das Ruder und fährt fort. Und so erfahr ich, dass die beiden Morde danach sozusagen als Familienunternehmen begangen worden sind. Und zwar von der Schwester unseres Lustmolchs und deren beiden Sprösslingen. Weil nämlich beim ersten Mal nichts aufgeflogen ist, haben die drei ein Jahr später beschlossen, ein weiteres Mal zuzuschlagen, grad als der Onkel Gustl erneut wieder verstärkt auf die Piste zu gehen und ausgiebig seinen sexuellen Neigungen zu frönen begann – was ihn natürlich wahnsinnig viel Kohle gekostet hat.

»Und warum hat mir dieser Karl dann gestern erzählt, er wäre es allein gewesen?«, muss ich jetzt nachfragen.

»Ich vermute mal, dass er seine Familie da einfach raushalten wollte«, sagt jetzt die Steffi. »Denn der Rädelsführer, das ist eindeutig er gewesen, ganz klarer Fall.«

»Wobei, die Verletzungen, du weißt schon, Franz, diese abartigen Verletzungen mit den Absätzen, die wiederum rühren von den Frauen her«, fährt der Rudi nun wieder fort und hat dabei plötzlich so ein selbstgefälliges Grinsen in der Visage. »Hab ich dir nicht gesagt, die stammen von Frauen, Franz? Hab ich nicht gesagt, so was kann nur von einem Weib kommen?«

»Also, dir brennt wohl der Hut, oder was? Jetzt mach aber bitte schön mal einen Punkt, Birkenberger«, knurrt ihn daraufhin die Steffi an. Und ich schick ihr mein charmantestes Lächeln über den Tisch.

»Wie dem auch sei, meine Herrschaften, wir haben definitiv einen Grund zum Feiern«, kommt dann der Stahlgruber wieder zu seinem Einsatz, schaut uns kurz der Reihe nach an, verlässt anschließend zackig den Raum, um Sekunden später ebenso zackig und mit einer Sektflasche samt Gläsern zurückzukommen. Die öffnet er auch gleich sehr geschickt und beginnt einzugießen. Und nachdem ein jeder von uns bedient worden ist, erhebt sich der Rudi ganz feierlich, und nach ihm die Steffi, sodass auch ich mich gezwungen fühle, aus meinem Sessel hochzukommen. Und obwohl mir momentan wirklich in keinster Weise nach Alkohol zumute ist, stoße ich trotzdem artig an.

»Wir haben saubere Arbeit abgeliefert, meine Herrschaften! Wir können wirklich sehr stolz darauf sein. Wir sind ein echt tolles Team, da könnten sich so manche eine Scheibe davon abschneiden. Machen wir weiter so!«, tut unser Oberguru kund, wobei er das Wort »wir« immer voll Inbrunst betont. Und ich frage mich ernsthaft, welchen seiner zehn Finger er für die Aufklärung dieses Falles denn wohl gerührt haben mag. »Ah, bevor ich's vergesse, Birkenberger, Sie kommen bitte hernach noch kurz zu mir ins Büro, ja? Wir müssen noch ein paar Formulare ausfüllen wegen der Regressnahme von den zwei Streifenwagen, die Sie zu Schrott gefahren haben«, sagt er noch abschließend und verlässt danach unser Büro.

»Hat der einen Vogel, oder was?«, fragt jetzt der Rudi und hat durchaus einen leicht aggressiven Tonfall dabei. »Ich werde einen Dreck tun und diese Scheißkisten bezahlen!« Das seh ich allerdings ganz genauso. Drum folge ich dem Stahlgruber gleich mal und mache die Tür hinter mir zu. Er hockt dort an seinem Schreibtisch und telefoniert. Und ich nehm ihm den Hörer aus der Hand und lege auf.

»He, was soll das, Eberhofer, was soll das?«

»Jetzt passen Sie mal gut auf, mein Freund«, sag ich und beuge mich dabei ganz weit über ihn. »Der Birkenberger, der hat keinen Pfennig dafür gekriegt, dass er hier bei uns ermittelt, ganz im Gegenteil, er hat seine eigene Arbeit dafür einfach stehen und liegen lassen.«

»Aber es hat ihn doch niemand …«

»Schnauze! Und weil er eine so großartige Arbeit abgeliefert hat und wir doch so ein tolles Team sind, wo sich andere mal eine Scheibe abschneiden können, drum wird er auch für diesen Schaden nicht aufkommen. Ist das klar?«

»Ich versteh Ihre Emotionen schon, Eberhofer. Und Sie haben ja recht. Aber irgendwer muss halt für die Reparaturen aufkommen, nicht wahr.«

Der will es echt nicht kapieren! Gut, dann mal anders.

»Sagen wir einmal so, lieber Herr Stahlgruber«, sag ich weiter und setz mich mal auf seinen Schreibtisch. »Sie sind doch ein Lieber, oder? Zur Steffi sind Sie es jedenfalls des Öfteren. Das weiß ich genau. Und wenn Sie nicht möchten, dass es alle anderen hier auch wissen, dann …«

»Grundgütiger! Sie sind ja pervers!«

»Wer von uns beiden da pervers ist, das steht noch aus. Ah, und noch was anderes, wann krieg ich mein Auto zurück?«

»Sie kriegen Ihr Auto nicht zurück, Eberhofer, das hat nur noch Schrottwert. Die Kosten für die Reparatur ist diese alte

Kiste doch gar nicht mehr wert«, sagt er und tupft sich mit dem Taschentuch über die Stirn.

»Wie wollen Sie wissen, wie viel mir die Kiste wert ist, hä? Sorgen Sie einfach dafür, dass ich sie wiederkriege. Und zwar pronto.« Mit diesen Worten verlasse ich sein Büro.

Der Rudi freut sich über meine Neuigkeiten und leert daraufhin gleich den restlichen Sekt, und zwar direkt aus der Flasche.

»Wie geht's weiter?«, will ich dann wissen.

»Gar nicht«, sagt die Steffi, steht auf und schnappt sich Jacke und Tasche. »Die Haftbefehle sind raus, und so leid sie mir auch tut, die Frau Koppbauer, also die Ehefrau, aber sie muss wohl auch erst mal einsitzen. Wegen Körperverletzung mit Todesfolge. Sie wurde heute Morgen auch bereits von den Kollegen verschubt. Ja, was soll ich sagen, und der alte Koppbauer selber, der ja die ganze Scheiße hier verursacht hat, der ist wieder ein freier Mann. Tja, so ist das Leben. Und ich fahr jetzt zu meiner Mutter und hole die Kids ab. Ich freu mich! Und wir sehen uns am Montag!«, sagt sie noch so, und schon ist sie weg.

»Komisch«, sagt der Rudi jetzt, über die Tageszeitung gebeugt.

»Was ist komisch?«

»Unsere Mädchen werden heute beerdigt. Sie sind eingeäschert worden und ausgerechnet heute ist die Beisetzung. Ist das nicht seltsam?«

»Wer hat das veranlasst? Das muss doch jemand bezahlen, oder nicht?«

»Hier steht nur, dass die Beerdigung um dreizehn Uhr ist. Am Nordfriedhof draußen. Was meinst du, Franz, sollen wir da hinfahren? Ich meine, irgendwer sollte doch dort sein, oder? Wenn schon keine Familie da ist.«

Ich schaue kurz auf die Uhr und nicke.

Und schon sind wir unterwegs.

Die Sonne strahlt durch die fast kahlen Äste der Bäume herunter, und beinahe wirkt es, als würde sie sich heute besonders viel Mühe geben. An der Urnenwand dort steht ein Priester und salbt huldvolle Worte über Menschen, die er gar nicht kannte, und vor ihm auf einem kleinen Tischchen befinden sich diese drei kleinen Urnen dicht beieinander. Der Herr Koppbauer in seinem unsäglichen Loden ist der einzige Trauergast hier mit tief gesenktem Kopf und drei roten Rosen in den zitternden Händen. Der Rudi und ich bleiben ein paar Schritte abseits und betrachten das traurige Spektakel von dort aus. Wenige Augenblicke später aber kommen einige Mädchen mit Blumen, unter ihnen die Lola und auch die Ronja. Und die beiden bleiben neben uns stehen und wir grüßen uns kurz.

»Ist denn das nicht der Mörder?«, flüstert mir die Lola dann zu und deutet mit dem Kinn auf den Koppbauer rüber.

»Nein«, sag ich möglichst leise. »Zumindest nicht physisch.« Und sie nickt.

Nach der deprimierenden Veranstaltung sind die Mädchen aber gleich wieder verschwunden, und auch der Rudi schlägt prompt den Weg zum Parkplatz ein. Ich selber bleibe noch einen Augenblick stehen und warte, bis der Koppbauer seine Rosen verteilt und Abschied genommen hat. Anschließend kommt er gleich auf mich zu und reicht mir die Hand. Sie ist teigig und kalt, und ich bin heilfroh, wie ich sie endlich wieder loslassen kann.

»Haben Sie das bezahlt?«, frag ich ihn erst mal.

»Ja, das war ich«, sagt er kaum hörbar und räuspert sich dann. »Das war ich ihnen einfach schuldig.«

»Was mich noch interessieren würde, Herr Koppbauer, wann haben Sie denn davon erfahren? Also von diesen Morden, mein ich? Und von wem eigentlich?«

»Ha, das war der schlimmste Tag meines Lebens, das dürfen Sie mir wirklich glauben. Das war erst vor Kurzem, da wo Sie eben bei uns aufgetaucht sind. Da hat meine Schwester abends dann plötzlich eine Krisensitzung einberufen. Ich wusste erst gar nicht, warum. Ja, und dann sind sie so nach und nach rausgerückt mit der Sprache. Mein Neffe, der hat gleich drauf gedrängt, dass ich die Schuld auf mich nehme, weil das ja alles schließlich auch nur meinetwegen passiert ist. Und irgendwie hat er ja auch recht, der Bub. Er ist kein schlechter Kerl, wissen Sie. Und ich war immer sehr dankbar über ihn und seine Schwester, weil wir ja keine eigenen Kinder hatten. Und jetzt das!«

Anschließend bricht er in Tränen aus und schmeißt sich zu allem Überfluss auch noch an meine Brust. Ja, das hat jetzt noch gefehlt! Bei der Vorstellung, dass seine Spucke, die ihm vorher noch an den fauligen Zähnen geklebt hat, nun auf mein Revers tröpfelt …

»Kommst du jetzt endlich, oder was?«, kann ich aber gleich drauf den Rudi vernehmen. Und obwohl er wieder mal ziemlich vorwurfsvoll klingt, könnt ich ihn grad küssen.

»Ja, Sie sehen's ja selber, Herr Koppbauer«, sag ich.

»Ja, gehen S' nur, gehen S', Herr Eberhofer. Entschuldigung vielmals, und nix für ungut!«

»In dem seiner Haut möchte ich aber auch nicht stecken«, überleg ich so, wie ich mit dem Rudi schließlich zum Auto zurückgehe. »Die ganze Familie im Knast, ich weiß nicht.«

»Das hätte er sich aber mal vorher überlegen sollen, gell. Man sollte schon immer ein bisschen seine Zukunft im Auge haben bei allem, was man so treibt«, sagt der Rudi darauf. »Apropos Zukunft! Weißt, was du jetzt machst, Franz? Du fährst mich jetzt nach Freiham raus, ich will meine neue Wohnung anschauen.«

»Aber die ist doch noch gar nicht fertig.«

»Das spielt keine Rolle! Das Wetter ist herrlich und außerdem habe ich ja schließlich Fantasie!«

Und so fahr ich meinen fantasievollen Rudi also noch kurz nach Freiham raus, und danach mach ich mich auch schon auf den Weg. Auf den Heimweg, um genau zu sein. Auf den Weg nach Niederkaltenkirchen. Wie's wohl der Susi so geht? Ob ich mal kurz im Krankenhaus anrufen soll? Ja, doch, warum nicht? Scheiße, Akku leer! Typisch. Aber der Papa, der hat ja gesagt, dass man sie eh bald besuchen darf. Heute schon oder spätestens morgen. Und da werde ich dann wohl mal reinfahren zu ihr. Und freilich werd ich auch einen Blumenstrauß kaufen. Oder besser gleich zwei. Einen für die rührende Karte von unserem Bürgermeister, und die steck ich dann einfach wieder rein. Aber Nelken werde ich sicher nicht nehmen. Das sind Grabblumen, und aus! Ob ich auch rote Rosen nehmen soll, so wie der Koppbauer? Ausgeschaut hat das nämlich schon gut. Oder doch lieber etwas Unverfänglicheres? Mal sehen.

Der Papa hockt ganz alleine in der Küche, wie ich zu Hause ankomm. Nur der Ludwig, der liegt zu seinen Füßen und schläft.

»Ist die Oma gar nicht da?«, frag ich gleich mal.

»Nein«, sagt er und grinst. »Die ist doch heute mit ihren Landfrauen zur Susi rein. Ein Mordstrara war das! Magst nicht auch hinfahren?«

»Zu den Landfrauen? Nein, danke. Das kann ich grad noch abwarten, bis die Luft wieder rein ist. Wann kommt sie denn ungefähr zurück, die Oma?«

»So gegen halb fünf, hat sie gemeint.«

Doch so lange sollte es dann doch gar nicht dauern. Um kurz nach vier schon wird die Tür aufgerissen und die Oma kommt reingestampft und haut mir gleich und ohne jede

Vorwarnung eine mitten ins Gesicht, dass es mich und auch den Papa jetzt direkt erst mal reißt.

»Du, Rindvieh, du beiniges«, schreit sie. »Und jetzt fahrst sofort da ins Krankenhaus rein und schaust dir deinen Buben an. Der schaut nämlich ganz genauso aus wie du selber, wo du klein warst, und ist dir praktisch wie vom Arsch runtergefallen. Auf geht's, worauf wartest du noch?«

Das ist das Letzte, was ich noch hör, dann wird mir schwarz vor Augen.

Aus dem Kochbuch von der Oma, anno 1937

Bratensülze mit Bratkartoffeln

Die Gelatineblätter werden in etwas kaltem Wasser eingeweicht. Man schneidet die Essiggurken, das gekochte Gemüse und die gepellten Eier in Scheiben und gibt sie zusammen mit den Bratenscheiben auf vier Teller, obendrauf jeweils ein paar schöne Petersilienblätter legen. Die Gelatineblätter werden leicht ausgedrückt und in 4 Esslöffel heißer Brühe aufgelöst. Die Brühe über die Teller verteilen und über Nacht kalt stellen.

Die Bratensülze wird am nächsten Tag mit Bratkartoffeln serviert. Dafür die gekochten Kartoffeln schälen und in Scheiben schneiden. Das Öl wird in einer großen Pfanne erhitzt und darin werden möglicherweise Zwiebelringe angeschwitzt. Danach die Kartoffelscheiben dazugeben und auch braten. Vor dem Servieren Bratkartoffeln mit Salz und Pfeffer würzen.

Von »möglicherweise« kann natürlich keine Rede nicht sein. Weil Bratkartoffeln ohne Zwiebeln – das geht gar nicht. Das wär ja praktisch wie ein Papa ohne Beatles. Oder die Oma ohne Rabatte. Oder meinetwegen auch ein Wolfi ohne Bier. Also unvorstellbar. Und: Die Kartoffeln schön dünn schneiden, dann werden sie knusprig!

Rahmschwammerl mit Semmelknödeln

Acht Semmeln werden in feine Scheiben geschnitten. Zwei große gehackte Zwiebeln und ein Bund gehackte Petersilie werden in der Pfanne in der heißen Butter angeschwitzt und über die Semmelscheiben gegeben. Das Ganze lässt man ungefähr 15 Minuten durchziehen. Dann wird 1/8 Liter Milch darüber geschüttet und man lässt alles eine Stunde stehen. Zuletzt werden 2 Eier und eine Prise Salz untergemischt und man verknetet alles mit den Händen zu einem Teig. Mit nassen Händen die Knödel formen und ins kochende Salzwasser geben. 15–20 Minuten ziehen lassen.

Etwa 600 Gramm Schwammerl mit einer Bürste abreiben, putzen und in Scheiben schneiden. Ein paar schöne Pilze ganz lassen und beiseite legen. In der Pfanne werden zwei feingehackte Zwiebeln in 2 Esslöffel heißem Öl angeschwitzt. Die geschnittenen Schwammerl dazugeben und unter Rühren kurz anbraten, mit Mehl bestäuben und mit Zitronenschale, Salz und Pfeffer abschmecken. Jetzt wird ordentlich Rahm dazugegeben und alles etwa 10 Minuten eingeköchelt. Die ganzen Pilze in dem restlichen Öl in einer Extrapfanne anbraten. Auf jeden Teller einen Semmelknödel geben und die Rahmschwammerl drum herum verteilen, mit den ganzen Pilzen und ein bisschen Petersilie garnieren.

Rahmschwammerl gibt's bei uns daheim eigentlich das ganze Jahr über, weil die Oma sie im Herbst halt tonnenweise einfriert. Das ist schon ziemlich praktisch, weil sie erstens gut schmecken und zweitens im gefrorenen Zustand auch des öfteren mal als eine Art Kühlung herhalten müssen. Der Papa, der könnte ein Lied davon singen. Geholfen hat es ihm am Ende leider wenig … Aber lassen wir das.

Jägerschnitzel

Zwei kleine Zwiebeln werden geschält und in feine Würfel geschnitten. Etwa 700 Gramm Champignons oder andere Schwammerl mit einer Bürste oder einem sauberen Geschirrtuch abreiben, putzen und vierteln, kleine Exemplare können ganz bleiben. 3 Esslöffel Mehl mit etwas Salz, Pfeffer und Paprikapulver auf einem Teller mischen. Die Schnitzel in der Mehl-Gewürz-Mischung wenden. Butter wird in der Pfanne erhitzt und die Schnitzel werden darin von beiden Seiten je 2–3 Minuten angebraten. Dann nimmt man sie heraus und stellt sie warm. Die geschnittenen Zwiebeln im Sud in der Pfanne anschwitzen, die Schwammerl dazugeben und abschmecken. Alles wird gebraten, bis die Schwammerl fertig sind, und mit Sahne verfeinert. Zum Schluss kommen die Schnitzel wieder in die Pfanne und ziehen darin noch 5 Minuten in den Schwammerln.

Als Beilage eignen sich Spätzle, Reis oder Püree.

Natürlich sind auch Pommes ganz prima als Beilage. Die macht die Oma aber nicht so gerne. Weil sie die Fertigprodukte für den Backofen freilich nicht mag, und frisch gemacht spritzen und stinken sie ihr immer die ganze Küche voll, behauptet sie. Aber ganz, ganz selten, wenn ich ihr – sagen wir mal: ein paar Wochen lang – so richtig auf die Nerven gegangen bin in Sachen Pommes, dann schmeißt sie doch mal ihre Fritteuse an. Und das ist dann wirklich ein Traum!

Linseneintopf

200 Gramm braune Linsen waschen und über Nacht in 1 1/2 Liter kaltem Wasser einweichen. Am nächsten Tag ein Bund Suppengrün putzen und waschen und in feine Würfel schneiden. Die Linsen werden im Einweichwasser mit den Suppengrünwürfeln und dem Lorbeerblatt kalt aufgesetzt und in ungefähr 1 1/2 Stunden weich gekocht. Derweil 100 Gramm geräuchertes Wammerl in feine Würfel schneiden. In einem Topf etwas Öl erhitzen und die Wammerlwürfel und eine kleine gehackte Zwiebel darin anbraten. Der Pfanneninhalt wird zu den fertigen Linsen gegeben und etwa 5 Minuten mitgekocht. Sodann werden die Linsen mit Salz und Pfeffer und nach Belieben mit Brühe abgeschmeckt. Kurz vor dem Servieren werden noch 2–3 Esslöffel Essig dazugegeben.

Zum Linseneintopf schmecken beispielsweise Regensburger Würste oder Wiener.

Wenn's beim Wolfi doch mal ein kleines bisschen später wird und ich eventuell dem Bier oder gegebenenfalls sogar dem Schnaps ein wenig zu intensiv gefrönt habe, ja, dann ist praktisch so ein Linseneintopf die reinste Medizin, könnte man sagen. Die Oma meint ja, das liegt an den Vitaminen, die drin sind, von wegen Gemüse und so. Ich persönlich bin aber überzeugt, es ist schlicht und ergreifend der Essig. Sauer macht nämlich nicht nur lustig, sondern vertreibt meiner Meinung nach jeden Kater. Auch wenn er noch so übel ist.

250 Gramm weiche Butter mit dem Rührer 1/2 Minute auf höchster Stufe cremig rühren. 200 Gramm Zucker, 1 Päckchen Vanillezucker und 1 Prise Salz unterrühren, bis eine geschmeidige Masse entstanden ist. 1 Ei unterrühren. 500 Gramm Weizenmehl und 1 Päckchen Backpulver mischen und sieben. Die Hälfte davon unterrühren. Den Rest hinzufügen und mit Knethaken zu einer krümeligen Masse verarbeiten. 1 1/2–2 Kilo Zwetschgen waschen, halbieren und entsteinen. 3/4 des Teiges auf das Backblech geben, verteilen und andrücken. Die Zwetschgen gleichmäßig darauf verteilen. Etwas Butter und 1 Esslöffel Zucker zum übrigen Teig geben und noch einmal durchrühren, bis kleine Streusel entstanden sind. Diese dann auf den Zwetschgen verteilen. Das Blech im vorgeheizten Backofen bei 175–200 Grad 35–45 Minuten backen lassen.

Zum Kuchen kann Sahne gereicht werden.

So ein Datschi, der soll ja angeblich am nächsten Tag noch viel besser schmecken. Und am übernächsten erst recht. Leider haben wir das noch niemals erleben dürfen. Weil kaum ist er aus dem Ofen raus, wird auch schon Kaffee aufgesetzt und der Tisch eingedeckt. Und da hocken wir dann, die Oma, der Papa und ich, und genießen ein Stückerl. Und dann noch eines oder zwei. Wenn dann auch noch der Leopold dabei ist mit seiner Sippschaft, dann ist das Blech leer, so schnell kann man gar nicht erst schauen. Wenn nicht, und es ist tatsächlich noch was übrig, dann schleich ich mich spätestens nachts ins Speisekammerl und hol mir noch Nachschub. Meistens treff ich dann dort auf den Papa. Und so können wir leider nur ahnen, wie gut so ein Datschi am nächsten Tag wäre.

Nachwort

Servus miteinander,

wer mich schon länger begleitet, dem ist die folgende Geschichte nicht neu, sie wurde in den Medien schon öfters mal erzählt. Neu daran ist nur, dass ich sie nun selber in meinen eigenen Worten erzähle, wodurch sie zum einen wohl etwas emotionaler ist, zum anderen aber somit zu hundert Prozent stimmt.

Ich nenne sie jetzt einfach mal …

Mein ganz persönliches Märchen

Es war einmal eine leicht überarbeitete Bürokauffrau, die von heute auf morgen auf die Straße gesetzt wurde und dadurch ziemlich frustriert war. Also ich. Was dann aber passiert ist, gleicht wirklich einem Märchen. Und ich versuch's hier mal ansatzweise auf die Reihe zu kriegen.

Geschrieben hab ich ja immer schon gerne. Früher Tagebücher (die es glücklicherweise allesamt nicht mehr gibt …), später Kurzgeschichten und Gedichte. Immer wenn ich in meine eigenen kleinen Geschichten abgetaucht bin, Figuren erfand oder über Liebe und Leichen sinnierte, hat mich das seit jeher ein bisschen aus meinem Alltag heraus- und in eine ganz andere Welt hineingebeamt. Und dafür haben oft schon wenige Minuten gereicht. Weil für Umfangreicheres hat mir als dreifache berufstätige Mutter und Ehefrau eines Polizisten im Schichtdienst schlicht und ergreifend die Zeit gefehlt.

Nur ein paar Zeilen schreiben, ein paar Ideen notieren, und ich war wieder fit, um die Jungs ins Eishockeytraining zu fahren, zu einem nervtötenden Elternsprechtag zu gehen oder schnell mal zum Aldi zu düsen, um die Wochenvorräte heimzuholen.

Im Herbst 2008 hab ich dann eben plötzlich meinen Job als Office Managerin (diesen Ausdruck find ich bis heute zum Brüllen, weil ich einfach nur in einem Büro saß und Schreibkram machte, aber gut) verloren und fiel erst mal aus allen Wolken und anschließend in eine ausgewachsene Depression. Doch irgendwann, nachdem ich mich einige Wochen lang recht erfolgreich in meinem Selbstmitleid gesuhlt hatte, hab ich beschlossen, die viele unerwartete Freizeit vielleicht doch lieber zu nutzen und endlich einmal etwas zu schreiben, was über drei Seiten hinausgeht.

Ich weiß nicht, wie viele es bis heute geworden sind, aber ich weiß, dass es durchaus einige Hürden gab, ehe es überhaupt mal bergauf ging. Mit dem Schreiben. Und mit mir. Zum Beispiel hab ich erst einmal eine ganze Reihe dämlicher Kommentare zu hören bekommen, wenn ich von meiner Schreiberei erzählte. Von weniger kommunikativen Zeitgenossen hab ich zumindest ein hämisches Grinsen in Kooperation mit einer hochgezogenen Augenbraue geerntet. Dazu kam, dass mir in dieser Zeit zum ersten Mal aufgefallen ist, wie viele Leute überhaupt schreiben. Mich beschlich schon beinah das Gefühl, es gibt deutlich mehr Menschen, die schreiben, als solche, die lesen – was meinem leidenschaftlichen Schaffensdrang jedoch keinerlei Abbruch getan hat.

So war das erste Buch auch schon ziemlich bald fertig. Und nach einigen gründlichen Überarbeitungen hab ich also beschlossen, es gleich mal durch den Kopierer zu jagen und an einige Verlage zu schicken. Alles relativ euphorisch und freilich mit stolzgeschwellter Brust, versteht sich. Und während ich anschließend wohl etwas naiv auf die jubelnden Zusagen von begeisterten Lektoren wartete, schrieb ich auch schon fleißig an meinem zweiten Werk – und zwar durchaus mit noch größerer Begeisterung.

Wie man jetzt vielleicht schon ganz gut erahnen kann, wurde mein Tatendrang jedoch schnell auf eine harte Probe gestellt. Weil natürlich schon recht bald und der Reihe nach die Absagen eintrudelten, die ich einfach nicht auf dem Plan hatte. Und während ich die erste und zweite Absage nach dem Lesen noch ziemlich unbeeindruckt (zugegeben, vielleicht auch a bisserl bockig) und bloß schulterzuckend ins Altpapier manövrierte, wurde mir bald schon schlecht, wenn ich meine sympathische Postbotin auch nur in weiter Ferne erblickte.

Und plötzlich waren sie da, diese Zweifel, und wuchsen in Rekordzeit an, was meine Motivation freilich rasend schnell gegen den Nullpunkt plumpsen ließ.

Aber genau da, in dieser freudlosen Zeit, da gab es auch ganz großartige Momente. Momente, in denen mir meine Testleser auf die Schulter klopften und sagten, wie sehr sie meine Geschichten mögen und dass ich bittebitte nicht aufhören solle zu schreiben. Diese wunderbaren Menschen haben mich immer wieder angeschoben und mir Mut gegeben, und dafür werde ich ihnen ein Leben lang verbunden und dankbar sein.

So hab ich also tapfer weitergeschrieben, und irgendwann hatte ich drei fertige Bücher in meinem PC: den ›Winterkartoffelknödel‹, den ›Dampfnudelblues‹ und meinen ›Hannes‹. Allesamt fein säuberlich überarbeitet, dafür aber war leider weit und breit kein Literaturagent in Sicht (freilich hatte ich mittlerweile rausgefunden, dass man heutzutage so was braucht), von einem Verlag ganz zu schweigen.

Irgendwann bei meinen Recherchen bin ich auf die Agentur copywrite gestoßen und habe dann erst mal ein Weilchen in einer Art Leichenstarre vor dem Telefon gesessen, einfach, weil ich mich nicht getraut hab, dort anzurufen (es gibt keine zweite Chance für den ersten Eindruck!).

Nachdem ich mich aber endlich durchgerungen hatte, war dieses Telefonat letztlich der erste, der wichtigste und ein besonders aufregender Schritt in meiner brandneuen Laufbahn. Georg Simader und seine wunderbare Mitarbeiterin Vanessa Gutenkunst hatten sich nämlich auf Anhieb in meine Geschichten verliebt, und schon kurz darauf hatte ich einen Agentur-Vertrag vorliegen, den ich mit Tränen in den Augen und voller Freude unterschrieb. Das war im Frühjahr 2009, und dann ging alles ganz schnell.

Plötzlich waren gleich mehrere Verlage an meinen Manuskripten interessiert (unter anderem auch drei, die ich zuvor schon persönlich kontaktiert und von denen ich postwendend eine Absage erhalten hatte …), und so bin ich also auf einmal direkt vor einem – ja, man könnte schon fast sagen – »Luxusproblem« gestanden. Nämlich dem, mich für das richtige Verlagshaus entscheiden zu müssen. Mit Georgs Hilfe und Beratung war die Entscheidung allerdings relativ einfach – und vor allen Dingen war sie auch richtig. Bianca Dombrowa vom Deutschen Taschenbuch Verlag hat den Zuschlag für meine Bücher bekommen, und diese Entscheidung hab ich niemals bereut. Und so werde ich heute nicht nur von der weltbesten Agentur vertreten, sondern darf auch für den besten Verlag schreiben. Was wieder mal bestätigt: Fleiß und Glück sind gute Partner!

Was dann aber passiert ist, das kann ich rückblickend noch immer nicht richtig begreifen. Der Eberhofer und seine Konsorten, die haben eine Welle ausgelöst, wie ich sie niemals auch nur annähernd erwartet hätte. Und die mir jedes Mal wieder den einen oder anderen Schauer den Buckel rauf und runter jagt. Wenn ich da beispielsweise nur an meine Lesungen denke, wo ich mit so viel Herzlichkeit und einer völlig ungebremsten Begeisterung empfangen werde, dass ich jedes Mal wieder zu Tränen gerührt und im Besitz einer Ganzkörpergänsehaut bin. Wo Männlein und Weiblein jeder erdenklichen Altersstufe Arschbacke an Arschbacke sitzen, ganze Eberhofer-Fan-Cliquen oder komplette Familienclans gemeinsam lauschen und sich wieder und wieder die Lachtränen aus den Augenwinkeln wischen. Mir beim Signieren die Hände schütteln, mich drücken oder sogar ein Foto mit mir haben wollen. Alle Rückenschmerzen vom langen Schreiben und die schlaflosen Nächte, weil ich nicht aus meinem Text rauskomme, sondern in Niederkaltenkirchen festhocke, als wär ich dort eingeschneit, sind in diesen Momenten vergessen. Sie entschädigen für ALLES! Danke dafür!

Und wenn ich dann noch an diese saukomischen Verfilmungen denke, daran, wie dieses hammermäßige Team von Constantin Film meine Texte zu Bildern macht! Von den Schauspielern über den Regisseur bis hin zum Kabelträger allesamt hochmotiviert – und ihre schiere Begeisterung springt den Zuschauern auf ihren Kinosesseln quasi direkt in die Popcorntüte.

Ja, und dann noch diese herrlichen Hörbücher, gelesen vom unschlagbaren Christian Tramitz. Da wird jeder Stau direkt zum Kurzurlaub, jede Wette!

Das alles ist noch immer völlig unglaublich für mich, und manchmal muss ich mich tatsächlich zwicken, um zu sehen, ob ich denn davon nun aufwachen werde oder eben nicht. Es vergeht kaum ein Tag, an dem nicht ein paar Zeilen von meinen Lesern ankommen, lustige Kommentare, inspirierende Anregungen, liebevolle Danksagungen oder einfach ein »Wann heiratet der Franz denn endlich seine Susi?!«. Und ich freue mich immer wieder riesig über jede einzelne davon!

Ich hab das unglaubliche Glück, meinen Traumberuf gefunden zu haben und ihn mit wachsender Begeisterung ausüben zu können. Doch wenn man mal genau hinsieht, ist dieses Vergnügen tatsächlich einzig und allein meiner Kündigung zu verdanken. Meiner ungewollten Arbeitslosigkeit, die mich damals erstmal so richtig fix und fertig gemacht hat. Da fällt mir ein: Wie war das doch gleich noch mal mit der offenen Tür und mit den geschlossenen Türen? Vielleicht sollte ich ja meinem ehemaligen Chef auch einfach mal eine kleine Danksagung schicken, wer weiß.

Ach ja, und wenn sie nicht gestorben ist, dann schreibt sie noch heute.

Ein ganz fettes Dankeschön für eure Begeisterung!

Ihr seid ein großer Teil dieser Geschichte!
Ihr seid der Wahnsinn!

Eure Rita